李奕萱 丁亥

京極夏彦

魍魎之匣 上

もうりょうのはこ

KYOGOKU NATSUHIKO
作品集
02

上冊目錄

總導讀 獨力揭起妖怪推理大旗的當代名家——京極夏彥／凌徹 005
魍魎之匣（上） 025

下冊目錄

魍魎之匣（下）

解說一
匣蓋未啟之前，魍魎究竟為何？／臥斧

解說二
向推理的朱夏獻上祝福／山口雅也

總導讀

獨力揭起妖怪推理大旗的當代名家——京極夏彥

／凌徹

日本推理文壇傳奇

在一九九〇年代的日本推理界，京極夏彥的出現，為推理文壇帶來了相當大的衝擊。書中大量且廣泛的知識、怪異事件的詭譎真相、小說的巨篇與執筆的快速，這些特色都讓他一出道就受到眾人的激賞，至今不墜。

此外，京極夏彥對妖怪文化的造詣之深，也讓他不同於一般的推理作家。除了小說以日本古來的妖怪為名，故事中不時出現的妖怪知識，也說明了他對於妖怪的熱愛。

身為日本現代最重要的妖怪繪師水木茂的熱烈支持者，更自稱為水木茂的弟子，京極夏彥在妖怪的領域也具有無比的影響力。京極夏彥對於妖怪文化的大力推廣，也絕對是造成日本近年來妖怪熱潮的重要因素之一。

而這一切，或許都是京極夏彥當初在撰寫出道作《姑獲鳥之夏》時，所始料未及的吧。畢竟他以小說家之姿踏入推理界，進而在妖怪與推理的領域都占有一席之地，其實可說是無心插柳的結果。他出道的過程，早已成為讀者之間津津樂道的傳奇故事了。

京極夏彥是平面設計出身，就讀設計學校，並曾在設計公司與廣告代理店就職，之後與友人合開工作室。但由於遇上泡沫經濟崩壞，工作量大減，為了打發時間，他寫下了《姑獲鳥之夏》這本小說，內容則是來自於十年前原本打算畫成漫畫的故事。而在《姑獲鳥之夏》之前，他不但沒寫過小說，甚至連「寫小說」這樣的念頭都不曾有過。

《姑獲鳥之夏》完成後，因為篇幅超過像是江戶川亂步獎與橫溝正史獎這些新人獎的限制，所以他開始刪減篇幅，但隨後便放棄修改而沒有投稿。之後他決定直接與出版社聯絡，詢問是否願意閱讀小說原稿。會撥電話給講談社其實也是巧合，他當時只是翻閱手邊的小說（據說是竹本健治的《匣中的失樂》），查詢版權頁的電話，之後便撥給出版這本小說的講談社。儘管當時正值黃金週（日本五月初法定的長假），出版社可能沒有人在，但他仍然試著撥了電話。

沒想到在連續假期中，講談社裡正好有編輯在。編輯得知京極夏彥有小說原稿，儘管是新人，但仍請他寄到出版社來。京極夏彥原本以為千頁稿紙的小說，編輯會花上許多時間閱讀，之後還有評估的過程，得到回音應該會是半年之後的事，於是小說寄出之後便不再理會。結果回應來得出乎意料地快，在原稿寄出後的第三天，講談社編輯便回電，希望能夠出版這本小說。

推理史上的不朽名著《姑獲鳥之夏》，就這樣在一九九四年出版了。京極夏彥的作家生涯，也就此展開。

相較於過去以得獎為出道契機的推理作家，京極夏彥並沒有得獎光環的加持，只是憑藉著小說的傑出表現才有出道的機會。但他的才能不但受到讀者的支持，推理文壇也很快給予肯定的回應。一九九五年的《魍魎之匣》才只是他的第二部小說，就能夠在翌年拿下第四十九屆日本推理作家協會獎。一出道就聚集了眾人的目光，第二部作品更拿下重要的獎項，京極夏彥的實力，由此展露無疑。

而他初出道時奇快無比的寫作速度，則是除了小說內容外更令人瞠目結舌的。《姑獲鳥之夏》出版於一九九四年，接下來是一九九五年的《魍魎之匣》與《狂骨之夢》，一九九六年的《鐵鼠之檻》與《絡新婦之理》。表面上每年兩本的出版速度或許不算驚人，但如果考慮到小說的篇幅與內容的艱深，應當就能瞭解他的執筆速度之快了。除了《姑獲鳥之夏》不滿五百頁，之後每一本的篇幅都超過五百頁，後兩本甚至超過八百頁。如此的快筆，反映出的是他過去蓄積的雄厚知識與構築故事的才能。

兩大系列與多元發展

雖然京極夏彥在日後的執筆速度已不再像初出道時那麼快速，但他發展的方向卻更為多元。在小說的領域，京極夏彥筆下有兩大系列作品，分別為京極堂系列與巷說百物語系列，此外還有一些非系列的小說。在小說之外，則包括妖怪研究、妖怪圖的繪畫、漫畫創作、動畫的原作腳本與配音、戲劇的客串演出、作品朗讀會、各種訪談、書籍的裝幀設計等等，在許多領域都可以見到他的活躍，更讓人驚訝於他多樣的才能。

京極夏彥的成功，影響了日後許多的推理作家。講談社由此開始思考新人出道的另一種方式，不需要擠破頭與大多數無名作家競逐新人獎項，只要自認有實力，且經過編輯部的認可，作家就可以出道。一九九六年講談社梅菲斯特獎的出現，也正是將這種想法落實的結果。

倘若比較同時期的作家，從一九九四年的京極夏彥開始，出道於一九九五年的西澤保彥，與一九九六年的森博嗣，推理小說界在此時出現了不小的變動。當許多新本格作家的作品產量開始減少之際，前述的三位作家表現出截然不同的風格。他們出書速度快，短短數年內便累積了許多作品，而且又不會因為作品的量產而降低水準，反而都能維持著一定的口碑。此外，更吸引了許多過去不讀推理小說的讀者，將讀者層拓展得更為寬廣。

京極堂系列

在大致描述京極夏彥的作家生涯與特色之後，以下就來介紹他筆下最重要的兩大系列。

京極夏彥的主要作品，是以《姑獲鳥之夏》為首的京極堂系列。到二〇〇七年為止，這個系列總共出版了八部長篇與四本中短篇集，是京極夏彥創作生涯的主軸，也仍在持續執筆中。由於京極堂系列是他從出道開始就傾力發展的作品，配合上寫作前幾部作品時的快筆，因此作品數很快地累積，而其精彩的內容，也使得京極夏彥建立起妖怪推理的名聲。

京極夏彥的作品特色，首推他將妖怪與推理的結合。或許也可以這麼說，他是在寫作妖怪小說時，採用了推理小說的形式，而這正表現在京極堂系列上。京極堂系列的核心在於「驅除附身妖怪」，原文為「憑物落とし」。所謂的「憑物」，指的是附身在人身上的靈。在民俗社會中，人的異常行為與現象，常會被認為是惡靈憑附在人身上的關係。因為有惡靈的附身，才使人們變得異常，而要使其恢復正常，就必須由祈禱師來驅除惡靈。

京極堂系列的概念類似於此。每個人都有著不同的心靈與想法，有些人的心中可能因為自己的出身或見聞而存在著惡意。扭曲人心的惡意憑附在人類身上，導致他們犯下罪行或是招致怪異舉止，真相也從而隱藏在不可思議的表象中。京極夏彥讓憑附的惡靈以妖怪的形象具體化，結果正如同妖怪的出現使得事件變得不可思議。陰陽師中禪寺秋彥藉由豐富的知識與無礙的辯才，解開事件的謎團，讓真相水落石出。由於不可思議的怪事可以合理解釋，也就形同異常狀態已經回復正常。既然如此，那麼造成怪異現象的妖怪，自然也就在真相解明的同時被陰陽師所驅除。

這樣的過程，正符合推理小說中「謎與解謎」的形式。京極夏彥曾在訪談中提及，推理小說被稱為是「秩序回復」的故事，而他想寫的也是這種秩序回復的故事。在這樣的概念下，妖怪與推理，這兩項看似沒有任何關聯的類型，在京極夏彥的筆下精彩的結合，也成為他最大的特色。

而京極堂以豐富的知識驅除妖怪及解釋真相，也讓京極夏彥的小說裡總是滿載著大量的資訊。《姑獲鳥之夏》中，京極堂所言「這世上沒有不有趣的書，不管什麼書都有趣。」，事實上也正是京極夏彥本人的想法。對於書的愛好，讓他的閱讀量相當可觀，因而得以累積豐富的知識，也隨處表現在故事之中。

另一個特點，則在於人物的形塑。身兼古書店「京極堂」的店主、神社武藏晴明社的神主、以及陰陽師這三重身分的中禪寺秋彥，擔負起驅除妖怪與解釋謎團的重任。玫瑰十字偵探社的偵探榎木津禮二郎，可以看見別人的記憶。此外包括刑警木場修太郎，小說家關口巽，《稀譚月報》的記者同時也是京極堂妹妹的中禪寺敦子等等，小說中的人物有著各自獨特的個性，不但獲得讀者的支持，更成為許多人閱讀故事時的關注對象。

介紹過京極堂系列的特色之後，以下針對各部作品做簡單的敘述。

一、《姑獲鳥之夏》（一九九四年九月），女子懷孕了二十個月卻尚未生產，她的丈夫更消失在密室之中。同時，久遠寺醫院也傳出嬰兒連續失蹤的傳聞。

二、《魍魎之匣》（一九九五年一月），因被電車撞擊而身受重傷的少女，被送往醫學研究所後，在眾人環視之下從病床上消失。此外，武藏野也發生了連續分屍殺人事件。

三、《狂骨之夢》（一九九五年五月），女子的前夫在數年前死亡，如今居然活著出現在她的面前，雖然驚恐的她最終殺死了對方，卻沒想到前夫竟然再次死而復生，於是她又再度殺害復活的死者。

四、《鐵鼠之檻》（一九九六年一月），在箱根的老旅館仙石樓的庭院裡，憑空出現一具僧侶的屍體。之後，在箱根山的明慧寺中，發生了僧侶連續遭到殺害的事件。

五、《絡新婦之理》（一九九六年十一月），驚動社會的潰眼魔，已經連續殺害四個人，每個被害者的眼睛都被鑿子搗爛。而在女子學院的校園內，也發生了絞殺魔連續殺人的事件。

六、《塗佛之宴》（一九九八年三月、九月），分為兩冊「宴之序幕」與「宴之尾聲」。「宴之序幕」中收錄了六個中篇，「宴之尾聲」解明隱藏於其中的最終謎團。關口聽說伊豆山中村莊消失的怪事，前往當地取材。數日後，有名女子遭到殺害，關口竟被視為是嫌疑犯而遭到逮捕。

七、《陰摩羅鬼之瑕》（二〇〇三年八月），由良伯爵過去的四次婚禮，新娘都在初夜遭到殺害，兇手至今仍未落網。如今，伯爵即將舉行第五次的婚禮，歷史是否會重演？

八、《邪魅之雫》（二〇〇六年九月），描

述在大磯與平塚發生的連續毒殺事件。

京極堂系列除了長篇之外，還包括了四部短篇集，都是在雜誌上刊載後集結成冊，有時也會在成書時加入未曾發表過的新作。這四本短篇集各有不同的主題，皆以妖怪為篇名。

一、《百鬼夜行——陰》（一九九九年七月）收錄了十篇妖怪故事，每篇故事的主角皆為系列長篇中的配角。藉由這十部怪異譚，讀者可以看見在系列長篇中所未曾描述的另一個世界。

二、《百器徒然袋——雨》（一九九九年十一月）、《百器徒然袋——風》（二〇〇四年七月）各收錄三篇，主角是偵探榎木津禮二郎，故事中可以見到他驚天動地的大活躍。

三、《今昔續百鬼——雲》（二〇〇一年十一月），共收錄四篇，本作的主角是妖怪研究家多多良勝五郎，描述他與同伴在傳說蒐集旅行中所遭遇到的怪事。

巷說百物語系列

京極夏彥的另一個系列作品是《巷說百物語》，這個系列開始發表於一九九七年，一九九九年出版第一本，到二〇〇七年為止共出了四本。本系列的第三本《後巷說百物語》更讓京極夏彥拿下了第一三〇屆的直木獎，成為他作家生涯的重要里程碑。

《巷說百物語》刊載於妖怪專門雜誌《怪》上，是這本雜誌的創刊企畫，一直持續至今。在試刊號的第〇期，京極夏彥發表了《巷說百物語》的第一個故事〈洗豆妖〉，之後除了兩期之外，其餘每一期都可以看見《巷說百物語》系列的小說。京極夏彥總是提及，只要《怪》繼續出刊，《巷說百物語》就不會停止，由此可見他重視這本雜誌的程度。

刊載於雜誌上的巷說系列，每期都是一個完整的中篇故事，目前為止尚無長篇連載。

而在匯整出版單行本時，京極夏彥會再新寫一篇未發表在《怪》上的作品，做為每本小說的最後一則故事。本系列至今已出版了四本，從一九九九年八月的《巷說百物語》，二〇〇一年五月的《續巷說百物語》，二〇〇三年十二月的《後巷說百物語》，到二〇〇七年四月的《前巷說百物語》，除了《巷說百物語》收錄了七篇作品之外，之後的三本都收錄六篇作品。

巷說系列的背景設定於江戶時期，從一八二〇年代後半開始。在那個時代，妖怪的存在依舊深植人心，人們深信妖怪會作祟，怪事的發生也可以歸因於妖怪而不必尋求合理的解釋。系列的靈魂人物是又市，以言語欺瞞人們的詐術師。在《巷說百物語》中，詭異的怪事不斷發生，而這一切怪事，其實都是又市在幕後所設計的。他接受委託，並與伙伴們刻意製造出妖怪奇聞，藉由這些怪事的發生，使得他能夠達成真正的目的，並且能夠被隱藏在怪異之下而不為人知。

《續巷說百物語》與前作略有不同，著眼點較偏重於角色，固定班底的描寫在本作中被突顯，他們的過去也藉由不同的故事被一一呈現。《後巷說百物語》發生於江戶時代之後的明治時期，四名年輕人每逢遭遇怪異，便來請教一位隱居在藥研堀的老翁。老翁由這些怪事，回想起年輕時與又市一行人所遇到的事件，並在故事最後會同時解決現在與過去的事件。

《前巷說百物語》的設定再度轉變，描寫的是又市的年輕時期。在前三作中，又市已經是成熟的詐欺師，但他並非生來就是如此，《前巷說百物語》中的又市還年輕，他的技巧也還不純熟，因此故事又再次表現出和前三作不同的風格。

巷說系列目前共包含上述四本，但還有另外兩本小說與其相關，那就是《嗤笑伊右衛門》與《偷窺者小平次》。這兩本其實是京極夏彥改寫日本家喻戶曉的怪談，使其呈現新貌的作品。但是由於巷說系列的重要人物又市與治平也出現在其中，而且對他們兩人的生平有著較多的描述，因此雖然小說本身的重點在於固有怪談的重新詮釋，但由於人物的重疊，其實也等同於巷說系列的外傳作品。而在京極夏彥的得獎史上，這兩部作品同時都有得獎的表現，《嗤笑伊右衛門》拿下第二十五屆泉鏡花文學獎，《偷窺者小平次》則是獲得第十六屆山本周五郎獎。

開創推理小說新紀元

京極夏彥的過人才華，發揮在許多的領域上，也讓他有著非凡的成就。過去台灣曾經出版過京極夏彥的數本小說，讀者們也已經對他有著一些認識。可惜的是，過去都未曾以作品集的型態來全面地引薦與介紹，因而對讀者而言，期待度極高的京極夏彥作品，也始終都是傳說中的名作，無緣一見。

如今，京極夏彥的小說再度引進台灣，而且是他筆下最主軸的京極堂系列作品全集，讀者們可以從完整的小說集中一睹這位作家的驚人實力。足以在日本推理史上留名的京極堂系列，其精彩的故事必然會讓人留下深刻的印象。妖怪推理的代名詞，開創妖怪小說與推理小說新紀元的當代知名小說家京極夏彥，現在，就在眼前。

二〇〇七年五月九日

作者介紹

凌徹，一九七三年生，嗜讀各類推理與評論，特別偏愛本格。

獻給欲早日成就「科學的再婚」之大眾——

魍魎

摹畫自《今昔續百鬼》卷之下・明

魍魎——

形如三歲小兒，色赤黑，目赤，耳長，髮潤。好食亡者肝。

今昔續百鬼・卷之下

——鳥山石燕／安永八年

（1779）

鬼僕之事——

芝田某管帳差役，數年前承美濃建築差役之請至該地，攜一僕同行。該僕平日忠實值勤。某日，夜宿旅店，夜半醒覺，不知是夢是真，見該僕前來枕旁細語：「吾非人，乃魍魎之輩也。今不得已欲告假，請大人准之。」。曰：「既為不得已，准之。願聞詳細。」。該僕云：「吾輩之責乃依序取死者亡骸，今當至旅宿下一里處取某百姓之死骸是也。」言畢，不知去向。或以為無稽之夢，遂忘之。翌朝聞該僕去向不明大驚，至一里下某百姓處問其母

之事，聞言「今日送葬，至野道時俄然黑雲大作，棺中死骸失矣。」，益覺驚奇。

耳囊・卷之四

——根岸鎮衛／天明～文化期

（1781～1817）

火車

摹畫自《畫圖百鬼夜行》前編・陽

火車——

西國雲州薩摩邊境或東國一帶有異事。葬送之時，俄有大風雨，其烈足以吹倒往來行人，葬棺時被吹飛。若擲守護數珠則異事消。否則棺木飛走，失其屍。此即火車捉屍，乃甚為恐怖恥辱之事也。愚俗有言：生涯多為惡事，地獄火車來迎。火車攜走死屍後撕裂其身，掛於山中樹枝岩頭。火車之名，乃佛者先言（中略）。捉火車事，和漢多有事例。曰此乃魍魎之獸所為，魍魎或作罔兩、方良。酉陽雜俎引周禮曰：「方相氏毆罔像。好食亡者肝。而畏虎與栢。墓上樹栢。路口致石虎為此也。」。此獸常於送葬之時出來危害。故漢土聖人之世，方相氏披熊皮，作四目之形，大喪之時立於棺柩前，持戈入穴，擊四隅，乃為毆此獸是也。此即險道神。或可見事物之源。

茅窗漫錄・下之卷

——茅原定／天保四年（1833）

（前半部略）

祖母去世，緊急返鄉。

離開都會的返鄉列車裡空空蕩蕩。
車廂中只坐了個疲憊不堪的老太婆。
或許是因為今天不是假日，沒人想去鄉下吧。

今天天氣真好。
涼風從車窗溜進，吹拂在額上臉頰上令人舒服。帶著些許故鄉氣息，多麼令人舒服。

連日工作的疲憊令人沉沉入睡。

正當在恍然睡夢中夢見昔日時，一名

男子悄然坐在面前的座位。

他的膚色蒼白，看不出是年輕還是年老。有著一張睡眼惺忪、彷彿人偶般的臉。在這麼空空蕩蕩的車廂裡，為何特意坐在面前呢。

細細地反覆思考。

男子帶著一個箱子。

非常寶貝地放在膝蓋上。

有時他也會對箱子說話。

揉了揉惺忪的睡眼，想看清箱子裡究竟放了什麼，但因睡意實在太濃而作罷。

或許裡面放著壺或花瓶之類吧。

是個大小適中的箱子。

男子有時也會發笑。

「呵。」

從箱子裡傳出聲音。

清澈如鈴聲般的女聲。

「聽見了嗎？」

男子問。像是由留聲機喇叭傳出般的說話聲。

沒辦法表達同意或否認。因為仍在夢鄉中。

「請勿對他人訴說此事。」

男子說完便掀開了蓋子，展示箱子內部。

箱子裡恰恰好裝了個美麗的女孩。

女孩臉蛋彷彿日本人偶。那肯定是尊做工精細的人偶。箱子裡裝的，大概是人偶的胸部以上部分吧。

看著她天真無邪的臉蛋，不禁微笑起來。

見狀，箱子裡的女孩也跟著甜甜地笑了起來，

「呵。」

的一聲。

啊，原來活著呢。

不知為何，非常羨慕起男子來了。

（以下略）

1

楠本賴子真的很喜歡柚木加菜子。

不管是加菜子脖子附近的細緻肌膚、柔順飄逸帶著光澤的頭髮，或者游移不定的纖細手指，她都很喜歡。

賴子特別喜歡加菜子那雙虹膜又大又黑的眼睛。

那雙眼有時銳利得像要射穿人，卻又總是濕潤明亮，湛滿彷彿能吸人入內的深邃色彩。每當加菜子閉上眼睛，入神地聽著音樂時，賴子總是很想把嘴唇輕輕貼在她粉嫩紅潤的臉頰與眼皮之上。

不知被這股衝動折騰過多少次。

但，賴子絕不是個同性戀者。她所抱持的情感與同性戀者有點不同。

賴子從未對其他女性有過這類慾望，且對加菜子也不可能真的付諸行動。但是，在加菜子身旁時感受到的那股沉靜的昂揚感，卻比任何戀愛都更哀切；飄盪於她身旁的淡淡芬芳，也讓賴子的心情不知悸動過多少回。

加菜子在各種層面的意義下都悖離自然而活。

賴子如此認為。

加菜子比班上任何人都還要聰明，比任何人都還要高潔、美麗。從不與他人為伍，獨自散發著一股與眾不同的氣息，宛如唯一的人類混入了獸群當中。她既沒有做不到的事情，也從不感到痛苦與煩惱。

加菜子年僅十四歲就顯得豁然達觀。

所以賴子不禁覺得不可思議，為何她在班上之中就僅僅只與自己交好？不曉得這看在其他學生眼裡究竟作何感受，自己也從未揣測過同學們的想法。總之，在大家面前加菜子只與自己親密這件事是賴子唯一的驕傲。

賴子沒有父親，生活也絕稱不上寬裕。能來這間學校上學雖是母親辛苦籌措的成果，但對賴子而言卻只是一種無以名狀的痛苦。

班上同學全是有錢人家的大小姐，所以在生性內向且不知世事的賴子耳裡，同學間的對話全像是外國話，黏稠交錯在一起，一句也聽不懂。

在學校裡學到的全是低人一等的感受，賴子每天為了去受傷而預習，又帶著當天受到的傷痛回來複習。

所以加菜子第一次對她說話時，賴子嚇得不知如何回話。

「楠本同學，一起回家吧。」

加菜子不管對誰都用這種男性口吻說話。在加菜子面前，別說是男女的區別，就連師生間的上下關係也變得毫無意義。

兩個人漫步行走在長滿了不知名花草的堤防上，賴子始終低著頭，直到於鎮上的寂寥工廠前道別時仍不敢發出一語。

賴子回家後，仍在震撼之中而無法入眠。自己並沒有劣於他人。不，如果家裡不窮、父親還在的話，憑著賴子美麗的容貌，相信更勝其他女孩一籌。

事實上，賴子常遭母親帶回的渾身酒臭男人們投以好色的眼光，是個容貌秀麗的美少女。

隔著一層水銀薄膜，鏡中的自己與加菜子的形象合而為一。

賴子的心中似乎有股莫名情感隱約地膨脹了起來。

賴子並不清楚加菜子的身世，加菜子也從未過問賴子私事。所以賴子才能在加菜子面前僅憑如花朵般亮麗的表面來交談，不必暴露出自己最討厭的根部。

但是——加菜子一定知道賴子的一切，所

以她才不會像其他女孩們說些只有表面、空空泛泛像聽不懂的外國話。賴子非常瞭解她的話語，同時也開始覺得自己的話只有她才聽得懂。

加菜子常邀賴子一起在夜間散步。

她們先在工廠前會合，然後漫無目的地在夜晚的小鎮徘徊，沒有特定的目的地。她們不會到鬧區去，所以從未被抓去輔導。白天走過的地方、見慣了的街景，在加菜子的魔力下幻化成陌生的異都。小巷子裡的黑暗與電線桿的黑影，在在都讓賴子心跳加速。

「楠本，妳要多多沐浴月光比較好。」

加菜子快活地說著，靈巧地轉過身來，柔嫩的頸子在月光下輝映出蒼白光芒。

「因為月光具有什麼不可思議的魔力嗎？」

「哎，又不是在說童話故事，不過是因為月光是陽光的反射而已哪。所以說，雖然陽光能給予動物植物生命力，但月光已經是死過一次的光芒，因此不會帶給生物任何助益。」

「那豈不是沒有意義嗎？」

「並不是有意義就是好事哪。妳看，所謂的活著不就是不斷變得衰弱最後邁向死亡？也就是越來越接近屍體啊。所以沐浴在陽光下的動物才會盡力露出一副幸福的臉孔，全力加快邁向死亡的腳步。因此我們要全身沐浴在經月亮反射後、已經死過一次的光線中，好停止活著的速度。就只有在月光中，生物才能逃離生命的詛咒。」

果然沒錯。加菜子果然是個違背自然而活的人。

賴子如此認為。

「我們要像貓一樣地活著，因此我們得先訓練出一對夜晚的眼睛。」

「夜晚的眼睛——怎麼做？」

「簡單啊，只要白天睡覺就行了，我們貓

兒還有夜晚等著。」

「是呢，還有夜晚呀。」

賴子這麼回答之後，加菜子失聲笑了起來。

「楠本，妳真不賴。」

加菜子以波斯貓般的表情笑了。

加菜子總會在書包裡塞幾本文學雜誌。

當然，那不是寫給小孩子看的雜誌。加菜子很愉快地讀著大人閱讀的、有點困難的文學作品。見她讀得這麼愉快，賴子也常借來翻看。但不管怎麼假裝成文學少女，對賴子而言，那並不是頂有趣的東西。

但，縱使這些僅是羅列著比教科書上更困難的漢字而已的——既無美麗色調，亦無可愛插畫——味如嚼臘的紙冊，賴子也覺得那是能讓自己與其他少女劃清界限的重要法術，所以拼命地讀著。

在這些書當中，她只覺得充滿幻想與不可思議的故事還算不錯。

加菜子也常學大人上咖啡店，邊聽外國音樂邊喝紅茶。賴子在喝不慣的紅茶裡加入滿滿的砂糖，學她欣賞聽不慣的音樂。

上咖啡店是違反校規的行為，剛進入店內時賴子的心臟緊張得快停了。

可是與心情相反，賴子的身體卻毫不遲疑走了進去。彷彿被妖豔花朵散發出的媚惑甘美香氣所吸引的愚昧昆蟲般，絲毫沒有遲疑。

兩人聊了許許多多的話題。

能與加菜子擁有共同的祕密是賴子無可取代的喜悅。

雖不像不良少年一起抽菸喝酒，只是一起渡過兩人時間，共享微不足道的祕密，仍讓賴子的個性更加鮮明。

就這樣，賴子漸漸聽懂了同學們的話語。

一旦聽懂便知那沒什麼，她們所說的根本不是什麼外國話，只因講得有點黏稠交錯在一起才變得難以理解。不，倒不如說，比起加菜子口中說出的那有如玻璃工藝般晶亮閃耀的言語，她們的言語是多麼低級，其色調又是多麼髒污且下流啊。

賴子活了十四年，直到今天才覺得自己總算像個人。

但在喜悅的同時，另一個擔憂也悄然發生。

那是一種害怕加菜子會嫌棄自己的隱然恐懼心。

畢竟自己與加菜子的關係並非自然發生的。全是加菜子單方面主動接近而造成的結果。因此這份關係即使被單方面解除也是無可奈何。

聰穎且高潔，彷彿女神一般的加菜子，究竟為什麼會對自己這種不起眼的女孩有興趣？賴子左思右想都無法理解，只覺得這是她的一時興起。

但不幸的是，笨拙的賴子卻連該如何表現才能獲得加菜子的歡心完全沒半點頭緒。

我不要被她厭惡，但是這樣下去的話總有一天一定會被嫌棄……

女神因一時興起才玩弄羔羊，厭煩時大概就會毫不在意地一手拋開，接著尋找下一個玩具，到時候……迷途的羔羊在偉大的女神面前實在是太卑微，也太無力了。

恐懼逐漸化為死心，不久絕望就會到來。

賴子暗自決定，要在絕望來臨前鼓起全身的勇氣，向加菜子詢問她內心的真正想法，就算兩人的關係因而崩壞也無所謂。

與加菜子的關係變得親密後的第二個月，六月的某一天裡，賴子的擔心終於到達極限。

咖啡店裡播放著平常的音樂，加菜子也像

平常一樣閉眼聆聽。

「加菜子，我問妳喔，妳為什麼願意跟我在一起呢？我的頭腦既不好，出身也不高貴，而且又窮，甚至沒有爸爸。像妳這麼優秀的人，怎麼會——」

聽不慣的音樂不管過多久也還是無法習慣。這首來自外國的壯闊音樂一如往常毫不留情地滑過賴子的心靈表層，堆積在脊椎附近。

「這是因為，**妳就是我啊**，別人是無法取代的。」

「咦？」

「楠本，妳就是我，同時我也就是妳的**轉世**啊。」

「妳說轉世……」

多麼出人意料的回答啊。

「——妳跟我不都還活著嗎？……所謂轉世，不是人死後重新變成其他人而出生嗎？……難道不是？」

「沒錯，就是如此。就是我死後變成了妳，妳死後變成了我。只要一死就無關乎時間。就算乃木大將死後轉世成為加藤清正，千姬死後轉世成為聖女貞德也沒什麼不可思議的。我們只是恰巧出生於同一時代。妳是我的前世，同時我也是你的前世。我們死後轉世，變成彼此，永遠都會維持現在這樣。」

加菜子的眼眸湛滿了妖豔的笑意。

——妳就是我的，我就是妳的轉世。

「如何？很棒的想法吧。」

那麼，

「那麼、其他人、換作其他人就不行了吧？對加菜子而言，我是無可取代的是吧？」

「就說了，**你的替代者就是我啊**。」

這是賴子千思百想也想像不到的回答。居然會有這種事。賴子感到困惑。但是，既然是加菜子所言，當然只有相信。

「如果不信的話，楠本，就這麼辦吧。我

們來做個約定。」

加菜子邊說邊從提包裡拿出小包袱，再從裡頭取出白繩。

接著抓著賴子的手，用她纖細美麗的手指將繩索綁在手腕上。

心跳越來越劇烈。

「不准妳拿下繩索。這是一種叫做結緣索的**法術**。這麼一來，妳就是我了。」

「那麼，我們永遠都能在一起了吧。」

多麼美妙的幻想啊。

雖不知自己的人生會持續到何時，但結束後賴子將會變成加菜子出生，以加菜子的身分渡過一生，還能與過去曾是加菜子的自己相遇。

整個腦子心曠神怡，感到無上幸福。

賴子當晚與加菜子道別後，仍覺得腳步虛浮，像在雲端漫步似的。甚至覺得連最近逐漸疏遠的母親也能喜歡起來了。

賴子母親是製作女兒節人偶頭部的師傅，年輕時非常美麗。

賴子自出生以來從未見過父親，有段時間母親曾是賴子世界的一切。

那時從未見過比母親更美的，也沒有比母親更溫柔的人。

但隨著成長，母親的美貌開始變成投男人所好的淫蕩容姿，溫柔也轉成了厚顏無恥硬送上門的愛情。然而在戰時戰後的艱困時代裡，要靠女人的一己之力養大小孩，其辛勞非普通人所能想像，所以賴子也能諒解母親的行為。但就算如此，她身旁男人的更替頻率也早已超越了必要程度。

這也就罷了，最令賴子無法忍受的是母親年華老去的事實。原本光滑細嫩的肌膚不知何時變得粗糙乾燥，緊緻的臉龐刻上了皺紋，柔軟的手指變得蜷曲多節，頭髮也摻雜入白髮。

母親的溫暖再也勝不過酒臭男人們的體溫，母親一刻一刻地變得越來越醜陋。

因為她從不沐浴月光的緣故吧。

跟違背自然而活的加菜子大大不同。

自從賴子與加菜子越來越親密後，母親顯得更遙遠了。

——但今晚不同。

一想到母親孕育加菜子的來世，將她帶到這個世界，就覺得似乎還能喜歡母親。

母親一臉厭煩地迎接深夜晚歸的賴子。剛開始還會被激烈地責罵，最近也不怎麼挨罵了。

賴子對母親述說加菜子有多麼的美好。

這是第一次對母親聊關於加菜子的事情。不管對象是誰都好，賴子實在按捺不住想對別人傾訴的慾望。但母親對她的話毫不關心。

「小賴，如果被學校知道妳晚上都出門閒晃的話不太好吧。這全是那個女孩害的，不准妳繼續跟那個不良少女來往了。就算她成績很好，這種行為也太糟糕了。究竟是什麼家庭才會養出那種女孩來，真想看看她父母長什麼樣子。」

母親背著賴子，頭也不回地說。

「太過分了！媽，妳不可以那樣批評柚木同學，就算是媽媽我也無法原諒。我永遠都是柚木同學的朋友。不，除了加菜子以外我也不想交其他朋友了！因為加菜子是我的……」

加菜子是我的前世啊——賴子的心情非常激動。

賴子鮮少這麼激烈地反抗母親。

過去未曾如此過。賴子左手緊握著右腕上的結緣索。

母親回過頭來面向自己，臉上的妝掉了一半，顯得醜陋無比。

「妳說什麼傻話！妳果然被那個怪女孩傳染了。只要想到媽媽是多麼辛苦，就不該學不良少女的行為吧。妳明明知道媽媽費了多大心力才送妳進那間學校！那種話居然也說得出口？如果妳被學校退學，媽媽會成為大家的笑柄，一切辛勞也都白費了。」

每次都這樣。賴子很感謝母親為了自己費盡辛苦，但她可不願看到母親老是擺出施恩的臉孔。賴子也一直忍耐著。每當她半夜舔著在學校受傷的傷口時，母親又為賴子做過什麼？

「加菜子不像媽媽這麼污穢，不像妳這麼醜陋。她沐浴月光，永遠都不會變老。媽媽什麼都不懂。我不想像妳那樣繼續變老！」

賴子邊叫喊著衝回房間，唰地一聲關上拉門。母親理所當然跟了過來。

「小賴，妳剛剛說什麼。」

「我不想跟妳說話，妳走開。」

「什麼不會變老，妳說什麼夢話！不會變老的根本不是人，不是鬼怪就是**魍魎**啊！」

「妳走開啦！」

兩人之間的鴻溝再也無法復合，自從發生這件事以來賴子幾乎不跟母親說話了。

而母親也從那天開始不再積極阻止賴子的夜遊，雖說那之前也不曾嚴厲禁止過。賴子心想，自己晚上不在家，對母親而言或許還比較方便呢。

但話又說回來，所謂**魍魎**又是什麼？

至少要問出那是什麼意思，賴子想。

但，實在不知該如何向母親開口。

在這種狀況下大約過了一個月。

夜間散步歸來後，家裡多了個名叫笹川的男人，聽說是製作人偶**身體部分**的師傅。笹川一看到賴子不僅不覺慚愧，反而以厚顏無恥的高傲態度說：

「小賴，別讓妳媽太悲傷，別每晚出去外面閒晃，稍微體諒體諒她的心情吧。」

母親低頭迴避賴子的視線。

賴子不回話，而是盯住這個像是用酒烤過、彷彿一塊淺黑色固體的男人。

「妳那是什麼態度！」

笹川的兩眼佈滿血絲，醜惡的臉憤怒得漲紅。

「那是聽人說話的態度嗎！」

為什麼——為什麼自己得受這個醜男的叱責不可？賴子絲毫無法理解。母親在旁不敢作聲，只敢用態度與表情來勸阻男人。有點狼狽的母親那張沒化妝的臉，依舊非常醜陋。

那之後笹川就常來家裡，而母親也不再化妝了。

笹川不再像第一天晚上般怒吼，改以滿腹牢騷的渾濁眼神緊盯著賴子。

家裡變得比學校更討人厭了。

對賴子而言不只笹川討人厭，連不化妝的母親也變成了可怕的怪人。

曾聽過天人五衰這句話。住在天界裡的天人不像凡人一般會痛苦或悲傷，但就算是天人也終有衰亡的一天。

首先頭上的花飾會枯萎，接著美麗的衣服染上塵灰，腋下發汗，眼睛也變得盲昧不明。到最後變得感受不到喜悅，頂多如此。

但卻只因如此，天人就不得不死。

賴子心想，那麼人又如何呢？母親又如何呢？而加菜子……

加菜子應該連五衰都不會到來吧。

那麼加菜子連天人也超越了。

相較之下母親她，

母親她與其活著不如早點死了算了。

第一學期結束了，賴子內心充滿不安。學校放假，就代表著有段期間看不到加菜子，也代表必須一直待在討厭的家裡。

「楠本。」

加菜子說。

「要不要一起去看湖？去很遠很遠的地方看湖。」

「湖？」

「搭上末班列車，能到多遠就到多遠，就算在野外露宿也無妨。到了晚上，再搭上末班列車，朝遠方的湖出發。去湖邊欣賞倒映在水面的月亮。」

多麼美好的情景啊。

映著月影的夜湖，死亡支配下的靜寂世界。海不行，海中有噁心又可怕的生物蠢動著，必須是山裡的、無人的湖才行。與加菜子相配的必須是沒有生物的，也沒有波浪、聲音，彷彿凍結似地，一動也不動的靜謐之湖才行。

光是想像滿腦子就心曠神怡。

幸好，賴子母親這三星期來固定每週五晚上出門，當然笹川也不在。由於最近已不再與母親交談，所以他們去哪裡做什麼賴子並不清楚，只知一定到清晨左右才會回來。

因此，要實行計畫最好趁星期五。畢竟就算每天都晚歸，賴子過了深夜還沒回來的話，母親也會起疑心。搞不好還會叫笹川出來找人，中途被抓到就完了。想逃到遠方，就必須利用星期五爭取時間。

於是決定暑假第三個星期五為實行計畫的日子。

那之前兩個星期賴子一直關在房裡。就算離開房間，也只會看到客廳堆了滿地令人作噁的人偶頭部與無頭的身體。

當天終於來臨。

六點過後，笹川前來迎接母親出門。賴

子確定他們的身影完全消失了之後才離開家。

她為不知該穿什麼而煩惱了一下，最後決定穿制服，覺得那樣比較合適。

加菜子早已先在車站前等候，果然她也穿著制服。

「嗨。」

加菜子似乎——

有點疲累的樣子。

而且令人難以置信的是，加菜子居然兩眼紅腫，很明顯地，直到剛才——賴子到達之前——都還在哭泣。

不知該說什麼好，賴子沉默不語。

「好，出發吧。」

加菜子用過分開朗的聲音說，話中卻帶著哭音。

賴子困惑了，但還是跟著走。穿過剪票口，月台空空蕩蕩不見人影。加菜子發出喀喀作響的腳步走到月台的前端，在橘色燈光下停下來。

賴子莫名地覺得那是與加菜子非常不配的顏色。與清澄的月光不同，總覺得這種人工的混濁光芒會污染加菜子的靈魂。這種恐懼心緊緊地包纏著賴子不放。

賴子站在加菜子的斜後方。

「楠本。」

背後的樹木沙沙作響。

賴子耳裡隱隱約約地似乎聽見了那首外國音樂。

那首積存在脊椎處的音樂。

「楠本，我、我可能即將……」

在加菜子的脖子下方發現了小片陰影。

那是痣吧。

還是瘀青？不是。

那是痘子。

痘子？

是痘子

※

「痘子。」

「剛說過了。」

「在加菜子的脖子上。」

「所以說後來呢？我在問妳那之後到底發生什麼事咧，小妹妹。」

木場修太郎的耐性快到達臨界點。

眼前這位少女的話裡聽不到重點，徹頭徹尾不得要領。不，更重要的是她話裡的諸多名詞對木場而言也像是外國話般，無法明確理解。

木場後悔了，早知會捲進這種麻煩，就不該為了趕搭末班電車而放下做到一半的工作回家，乾脆留下來熬夜處理文件還比較好。說不定在休息室堅硬的沙發上打個盹還遠勝過現在必須面對的難堪狀況。

少女有張美麗的臉龐。

紮著辮子，理所當然地臉上沒化妝，光滑細緻的肌膚令人聯想到嬰兒，像一種成熟豔麗與天真無邪氣息並存的奇妙生物。再過五年、十年或許會變成大美人吧。這點就連木場也看得出來，不過就算看得出來也沒什麼意義。

從學生證得知少女叫做楠本賴子。十四歲。木場今年三十五歲。相隔二十年的世代，確實足以讓彼此的言語產生隔閡。

不，事實上並非這個因素。

木場自己也知道。

其實是眼前這名女孩即將成長為女人的緣故。

木場生來不擅長與異性交談。當然他並非

得了所謂的女性恐懼症，所以還不至於對社交生活造成障礙。只不過對木場而言，這與女性恐懼症其實無甚差別。

不知何時變得如此。

一想到這些，更覺得少女的言語離自己越來越遠，她究竟想訴說什麼也變得全然無法理解。

「對妳而言，被害人——叫做加菜子是嘛？那個女孩是非常重要的朋友，這我懂，而妳們為何這個時間還在車站我也大致瞭解。但重要的是那之後究竟怎麼了？」

「你說瞭解，你真的知道我們為什麼要去看湖嗎？」

「呃，所以說……」

其實不太瞭解。

「這是無關緊要的事情嘛。」

「才不是無關緊要的事呢！這根本不是無關緊要的事！」

又害少女哭了。從剛剛就不知害她哭了幾回，話題也不斷在原地打轉，一直無法問出重點。

現在，少女——楠本賴子又顫動著肩膀嗚咽起來，她腦中也一團混亂吧。這也難怪，先讓她休息一下或許較好。她家人過了這麼久，別說是趕到現場，就連聯絡也聯絡不上，木場對此感到些許惱火。不只如此，就連受到瀕死的重傷，正徘徊於生死之境的被害人——柚木加菜子的家人也還沒聯絡上。

路燈的光芒朦朧地照映在低頭哭泣的少女肩膀背後的窗子上。

這是事件——該說事故嗎——發生的現場。

木場打從心底厭煩起來，大大地嘆了一口氣。

木場是東京警視廳刑事部搜查一課所屬的刑警，從豐島區的警署轉調到本廳約過半年。上個月上旬，還在豐島值勤時代參與調查過的懸案以難以想像的怪異形式結案，害得木場這個月整月都在處理善後。

那是讓木場感到很不舒服的事件。

因為該抓的犯人已經死了——而且犯人也不是**壞人**。

對原本是職業軍人的木場而言，終戰代表的不過只是「失去敵人」罷了。

木場有此自覺。

木場並非皇國主義者，也無右派思想，亦從未以歌頌戰爭者自居——但在聽到玉音放送（天皇透過廣播宣布投降）的瞬間，失去明確「敵人」的木場，明顯地感到了迷惘。當然，木場十分清楚戰爭這種行為有多麼愚蠢，也知道和平時代有多麼美妙，但就是無法拂拭這種尷尬感受。

從政治、倫理、哲學方面上來說，縱使支持和平時代的理論有多麼正確，也仍是複雜且微妙的。雖不是很明確地知道，但木場也還是瞭解這個道理。只是，雖說縱使瞭解了也無濟於事。在木場的眼中，只存在著我方與敵方、善與惡構成的二元論單純結構才是能讓他感到自在的世界。所以在復員後木場選擇了警察做為職業。

警察之職責乃負責取締違法者與制度外的游離者，並予以指導或揭發。這就是木場所認為的警察。

在此沒有曖昧不明的部分。對警官而言，捍衛法律、遵守法律就是正義，也就是善；同時只有違反法律才是惡，才是敵人。

警官的眼裡就只有守法者與違法者的差別，非常清楚明瞭。而且，至少在這點上不至於發生像先前戰爭時，明明昨天之前還忌恨為鬼畜美英的敵人，僅隔一夜就變成了良善鄰居的愚蠢事態。

總不可能下達——取消一切罪行從今以後與犯罪者和平共處——的命令吧。

木場如此判斷。

但是木場卻完全沒想到這世上存在著**無法憎恨的犯罪者**與**無法懲罰的惡人**，而且實際上這類人還比較多。

木場上次參與搜查的事件非常複雜，並非三言兩語就能說明清楚，就連木場本人也不十分瞭解，所以才會在善後處理上處處碰壁。

不管說明多少次上司也還是不能接受，該交給檢察官的文件遲遲不肯批准，報告書或悔過書之類的也不知重寫了幾次。木場生來不擅寫文，總是搞到加班。原本習慣操勞身體的木場，如今為了寫文件，甚至連想出外活動筋骨也不成。

這樣過了一個月，疲勞到達頂峰。

木場明顯感到這股不知名的倦怠是在發現赫爾辛基奧運已在不知不覺間結束之時。虧木場先前還很期待奧運的到來。

木場連——日本最後究竟獲得幾個獎牌也不清楚。沒時間聽廣播，不，甚至連看報紙的空閒也沒有。

開始覺得不妙。

幸好辛勞有了代價，事情總算處理得差不多了。想說——今天回房間睡好了。所以木場才會將後續交代給同僚青木負責，趕忙搭上末班電車。公寓裡像仙貝般硬邦邦的棉被是多麼的令人懷念啊。

電車車輪嘎嘎作響，配上枕木與鐵軌合奏出的輕妙律動彷彿安眠曲，誘人進入夢鄉。

真舒服。

但是這股舒服感卻突然地，且硬生生地被打斷。

列車緊急煞車。車內乘客少，當時木場坐

在五人座的座位中央打盹，突如其來的煞車讓他翻起筋斗整個人栽了過去。

「怎麼、搞什麼鬼，混帳東西。」

一看窗外，恰好是木場要下車的車站——中央線武藏小金井站——站內。怎麼停的，怎會這麼亂來。但如果沒因此醒來大概也會坐過頭，想到此就算了，木場靜候車門打開。

總之，與可愛的仙貝棉被之間也只剩下一點點距離。

然而一反期待，車門遲遲不開。只見到數名看似站員的男子臉色大變地朝向月台前方跑去。

——或許發生事故了吧。

立刻傳來發生事故的車內廣播。幸好車體幾乎已經完全進站，車門約一分後開啟。木場朝事故現場走去。腦內閃過三鷹事件、下山事件等一連串發生的鐵路相關犯罪事件。與其說是興趣驅使，不如說是身為警察的本性作祟吧。

不知從哪兒冒出來的，現場周遭約有七、八名看熱鬧的群眾圍觀。亮著橘色燈的電線桿下有個穿著制服的少女蹲坐在地上。站員催促她快點站起，但少女似乎嚇到腿軟，無法起身。木場見過這件制服，但不知道是哪間學校的。

木場撥開看熱鬧的人牆靠近現場，拿出警察手冊給一臉訝異的站員看過後報上身分。

「意外？還是自殺？或是？」

「這我們也不清楚——警察先生——怎麼會……」

「我只是恰好搭這班車而已。已經跟消防署和警察聯絡了嗎？」

「是的，現在正趕往這裡吧。」

數名站員把放在擔架上的被害人從鐵軌上抬上來。

「喂，隨便亂動好嗎？」

「呃……什麼好不好——刑警先生，這女

孩還有氣啊，沒道理放著不管吧。」

「什麼?原來不是屍體啊。」

沒錯，這不是殺人事件。只有殺人課的木場誤會了，一心想著——在鑑識課的人來前必須保存現場完整。

「原來是自殺未遂。」

「不，關於這點尚不清楚。目擊者只有這個女孩，但你也看到了，嚇成這樣——喂，總之妳先起來，到那邊去吧。」

站員拉著少女的胳臂，但少女全身發軟，站也站不起來。少女以空虛的眼神望著擔架上的被害人——似乎也是個少女。

「她是妳的朋友嗎?」

「是前世。」

少女說。

木場走向擔架再度出示手冊，探視被害人的狀況。

「傷勢如何，沒大礙吧?」

脫下沾染血液的工作手套，站員擦起汗。額頭上也沾到血和污泥。

「不，我想很危險吧。傷勢非常嚴重，救護車若不快點來，我們也無計可施了。」

「這麼嚴重?」

「沒受傷的只有頭部而已。還好電車進站時有減速，算是不幸中的大幸。通常的情形恐怕早就斷手斷腳了。幸好沒有，不然事後處理很麻煩。」

木場看著躺在身旁的少女，她的手腳不自然地彎曲著，大概骨折了吧。只有鼻、口一帶流血，此外都很乾淨。

——搞不好還有救。

沒來由地這麼覺得。

這時，木場的背脊彷彿有道電流竄過。

這女孩——

我認識這女孩？這對眼睛、這個鼻子、這張臉蛋，好像在哪兒看過。

在這股想法驅使下，木場再次探視被害人的臉。

多麼美麗的容貌啊，木場不認識這麼美麗的女孩。

但是——有印象。

不擅長與女性溝通的木場自然沒有所謂的女性朋友。而木場認識的女性，不是像鬼一般恐怖的女警，就是惡魔一般的犯罪者，再不然就是成佛了的——也就是屍體而已。

但這女孩的臉就是有印象。

當然不是自己的母親或妹妹。也不是熟人的妻子或家人。

——或許是像朋友中禪寺的夫人？

不，說像也還不至於。

到底是在哪兒見過？

在木場想著這些事時，周圍陡然間騷動起來。回過神來擔架已經抬走，數名男子開始進行現場調查，也見到熟悉的警察制服。

「總算來了。」

畢竟是深夜時刻，警察似乎只來了一個，其他的大概都是站員或鐵路公安職員吧。不久，木場見到一名男子不停望著自己，邊與應是站長的人物說話，接著走近過來，自報姓名與鐵路公安職員的身分，說：

「欸，聽說您是本廳的刑警，不好意思，能請您幫一下忙嗎？善後處理與現場調查得花上不少時間，畢竟時間這麼晚了，人手不大夠。真抱歉，能不能麻煩您在監護人來前先照顧一下那女孩？」

「有什麼可疑之處嗎？剛剛聽說好像是事故，不是嗎？」

木場這麼說了之後，男子略微縮了縮脖子，臉上肌肉頻頻抽搐，回答：

「我也希望只是意外，但若不是可就麻煩了，畢竟目前唯一的目擊證人還問不出話來。況且就算是這個時間帶，車站也還是有很多人出入，必須確認現今車站內所有人員的身分才行。我也知道這很不好意思，還要恰巧碰上的您留下來幫忙，但您與我同屬公僕，所以——」

「知道了知道了。」

木場打斷男子的話。所謂的笑裡藏刀指的就是這種類型的人吧。事件發生也不知經過多久了，調查還留在現場的人究竟有什麼用？不過若這真是殺人事件——如果說一直留到現在現場上的看熱鬧群眾中有犯人的話，木場倒還真想親眼看看他長什麼模樣。只是，看守女孩子的話找誰都行吧？

但在立場上木場也說不得一個不字，結果就這樣待在站長室裡，與小女孩度過一段尷尬的時間。所以說他根本沒必要問話，只要監視她就好，真是自作自受。木場深深地後悔了。

而楠本賴子則是又開始哭泣。

那個女孩——柚木加菜子不知能否獲救。

那張臉，只是曾在哪兒看過而已嗎？如果是，又是在哪兒？腦中像是籠罩著一層濃霧般朦朧不清，粗枝大葉的記憶一直無法拼湊起來。時鐘顯示現在時間已經過了凌晨兩點，雖無睡意，但想躺著休息。

蛙鳴鼓譟。這一帶向來如此。

「我母親——我想我母親不會來的。」

賴子唐突地開口。

「為什麼？」

「因為根本不在家，也不知去哪裡。」

「這麼重要的事怎不早說！妳難道想跟我一直共處到早上嗎？」

「說過了！說過了啊我。」

這麼說來——似乎有聽到，好像說什麼母

親有男人之類。

「總之，既然如此——那我繼續待著也沒用，我先走了。」

「請問……」

「別擔心，我會拜託站員向學校聯絡的。請老師來帶妳回去吧。」

木場站起身，大大地打了個哈欠。

「學校現在暑假，沒人在。」

暑假？聽到這句話，害得木場的哈欠停在不上不下的地方。心情變得非常不愉快。

「加菜子——還活著嗎？請讓我見見加菜子。讓我見她，讓我見加菜子。」

賴子踉踉蹌蹌地站起來走向木場。

「聽好，我只是偶然碰上，這件事跟我無關，我要回去了。那女孩——」

究竟在哪兒看過？

木場想再看一次那女孩。

少女抓住木場不放。

木場一出房間，見到拿著捲尺四處徘徊的警官，立刻上前詢問加菜子的情況。

「這個嘛……我想大概已經送到附近的醫院了吧。」

廢話，還沒送去的話肯定早就死了。

「廢話，這點小事我當然知道。你是地方警署派來的？不會回答更清楚一點嗎？」

警官嚇得縮起脖子趕緊提振精神。木場凶人一向充滿魄力，小混混光是被他瞪個一眼就會嚇得發抖。特別是今晚，壓力與睡眠不足使得他天生凶惡的臉孔更生可怕。

「屬、屬下是站前派出所的福本巡警。畢、畢竟關於鐵路意外的處理屬下也是第、第一次碰上，還是生手，同時也不知道該向哪位長官請示，所以……」

「好了好了。」

木場也沒參與過鐵路意外的處理，來處理的既有站員也有國鐵職員，加上消防員與警察，那之外還有個鐵路公安職員，到底是誰負責什麼也不清楚。

特別這次是半夜發生事故，緊急聯絡不到人而人手不足，難有統整性的行動，也難怪指揮系統會一團混亂。

如果只是事故也罷，但若是犯罪行為，恐怕會對一開始的搜查工作造成影響。不，從剛剛的情況看來，根本說不上是像樣的搜查吧。

「究竟是什麼，是事故？是自殺？還是謀殺？」

木場開口問了才想起，只要背後的小姑娘開口，不就什麼都明白了嗎？

木場無法忍受這種**進退兩難**的感覺，很想大聲喊叫發洩。

「關於這點，屬、屬下也不甚明瞭。」

這樣下去事情沒完沒了。

木場不得已先對他說明情況。

「這女孩是目擊證人，只不過她的監護人今晚似乎不會回家，目前還沒辦法聯絡到。但你也看到了，她受到驚嚇，無法冷靜回答——雖然話還蠻多的——總之陷入混亂狀態，讓她一個人先回去也不太好。所以我想先帶她到醫院去，不知能不能幫我通報一聲？要問話恐怕改天進行會比較好。」

「原、原來如此，您辛苦了。我、我立刻去幫您通報，請您稍後一下。」

福本巡警因太過緊張，轉身時不小心跌了一跤，重新爬起後立刻飛奔而去。

可見木場剛剛的臉色真的很恐怖。

福本很快就回來。

「公安官說女孩身分已從學生證上得知，要先離開無妨。另外醫院則是位於三鷹一帶——」

「別那麼緊張。我是警官，跟你是一國

的。對了，與被害者家屬聯絡上了嗎？」

「咦？啊，是的，剛才已經聯絡上了，現在大概已經到醫院——啊，這是聽公安官說的。」

「用不著一一說明。」

這麼一來就安心了。這個女孩乾脆一起交給對方父母照顧，之後就沒自己的事。木場偷偷朝後方瞄了一眼，賴子好像要躲在木場背後般縮成一團。木場小心不讓人看出他正注意著少女的舉動，慢慢地將視線轉回。福本巡警側著頭，小心觀察木場的臉色，盡可能不惹怒充滿威嚴的同行，以蚊子般的聲音膽戰心驚地發言：

「請問。」

「我叫木場，木場刑警。別怕，我的地位沒那麼偉大，我只是個巡查部長。」

「呃，木場先生。剛剛支援的警官到了，現在人手不缺——況且現在是深夜，如果方便的話就由我送您一程。」

「這是鐵路公安官指示的嗎？」

聽他這麼一說，木場仔細觀察周遭，人數明顯有所增加，警察也來了三四個。但總覺得無法釋懷，既然人數都夠了，碰巧在場的木場根本沒必要繼續幫忙。方才是以人手不足為由請木場出力協助，可說是木場好心才留下來幫忙的。既然如此，乾脆把這女孩委託福本巡警照顧直接回家也罷。從車站到仙貝棉被的距離徒步只需短短的十三分鐘就到。

但是見到福本巡警表情的瞬間，木場原本的打算卻說不出口。福本的臉像條狗，像條食物擺在眼前等候主人下令的狗，真沒用。警官可不是打雜的，就算這裡是車站的管轄範圍，就算他只是穿制服的年輕巡警，木場覺得鐵路局的傢伙們根本就是把警官當成跑腿的來使喚，胸中一股莫名火燒了上來。

「——辛苦了，萬事拜託咧。」

聽木場這麼說，福本晃動著腰部，好像狗搖尾巴似地向前跑去。

木場在福本回來之前先打了通電話回搜查一課。他想，被塞了堆積如山的工作的年輕同僚——青木應該還在忙吧。

不出所料，年輕的同僚仍在奮戰中。木場簡要地交代事情經過。

「所以明天上班會晚點到，幫我跟課長說一下。」

「前輩你真**倒楣**，雖說身為伙伴的我也一樣倒楣。」

青木用愛睏的聲音說。

通過無人的剪票口，站前的圓環隨便停著兩輛巡邏車與一輛吉普車，此外空無一物。賴子雙手緊抱自己的肩膀微微發抖。現在是盛夏時分，木場身體還熱出一層薄汗，少女卻在仲夏中發寒。

月亮的光輝皎潔明亮。

木場與賴子同時抬頭，月光比路燈還明亮。賴子的表情透露出她似乎較安心了點。

聽從福本的指示，木場帶著複雜的心情坐進吉普車的後座，賴子則是不發一語，一直低著頭。福本面對這兩個沉默不語難以應對的人似乎也不知該如何是好。街上的人們多半都睡著了，四周悄然無聲。

只有蛙鳴鼓譟個不停。

「請問，可以出發了嗎？」

「你又不是計程車司機，表現得更像警官一點！」

周遭的寧靜，讓木場小聲的忠告幾近恫嚇。膽小的年輕巡警等木場一說完立刻緊急發動車子。

木場想，究竟是哪裡出了問題。

照這情形看來，今晚是見不到心愛的仙貝棉被了。明明是貪圖睡眠才回來，但不知造了什麼孽，現在還得跟差上二十歲的小女孩在深夜裡兜風。

天氣悶熱，濕暖的空氣夾帶著蛙鳴，從副駕駛座旁的窗戶侵入車內，窗外一片漆黑。這一帶名義上雖屬東京都內，實質上卻與鄉下無異，道路上也幾乎沒有路燈。

木場的老家在小石川經營石材行，目前雙親與妹妹夫婦住在那裡。在豐島署值勤的時代還住在家裡，後來趁轉調到本廳時搬了出來。

當然這只是順便的藉口，木場內心多半是不想叨擾妹妹夫妻倆吧。但年紀半大不小了，不好意思搬進警察宿舍，而且也還單身，所以決定找間公寓住。警官微薄的薪水容不得奢侈，正當找來找去找不到合適的房間而苦惱之際，傳來詢問是否願意合居的訊息：一個遠房親戚的老婦人想出租二樓。婦人的老伴死於戰禍，自己也因跌倒而腳受傷，無法隨心所欲地行動；世間又不太安寧，想找個品行良好的人合居——總之理由大致如上。木場身為警官，論品行不在話下，自然很適合。

住進小金井後過了半年。

由這兒通車到櫻田門（註）上班並不方便，但木場還頗喜歡這空無一物的單純小鎮。說空無一物倒也不至於，有舊橫田電機工廠改建成的慶應大學工學部，也有數年前與師範學校統合而成的東京學藝大學，故鎮上學生不少。到了春天還會湧現前來觀賞玉川上水櫻花的大批賞花客，木場記得當時曾因異常熱鬧的光景吃了一驚。且鎮上人口亦逐漸增加中。

註：江戶城（現在的天皇居所）的城門之一，城門外為東京警視廳所在地。

不過木場喜歡這小鎮其實有別的理由。

木場一向與帶了個「女」字的事物無緣，但事實上他有一個朝思暮想的女性對象。不消說，是單戀。不，或許連單戀也稱不上，因為對方是個電影女星。

一般認為，精神、性格等會對容貌造成影響——即俗話說的「相由心生」。

但是木場深深覺得相反的情形也是存在的。小時候的木場在男孩當中是少見喜歡畫畫又神經質的小孩，性格一板一眼，擅長珠算。

不知是哪裡出了問題，如果自己長得更瘦弱點，稍微更可愛點的話，恐怕就與現在的形象完全不同了吧——木場心想。可惜木場頑健的體格與魁偉的容貌，改變了他的本質。

毛髮像鐵絲般粗硬，腮幫子異常突出，國字臉配上強健的身體。姑且不論自己是否期望如此，確實使得木場成長為與外表相配的男子漢。雖尚未失去細心與一板一眼的性格，但周遭的人卻從未在他身上要求過這類軟弱的特質。

加上——時代也有錯。

木場想，時代確實造成了影響。必須在戰時的不幸時代度過青春時代的年輕人們，事實上大部分都與木場有相同的錯覺。即，對他們而言，一跟女性交談便彷彿中了什麼魔法，立刻啞口無言——木場不敢百分之百認定這是無稽之談。

但上述這些其實都是藉口。

問題還是出在木場的笨拙上。

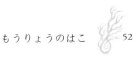

看到朋友的例子便只能作此想。

例如說戰友關口巽患有憂鬱症與社交恐懼症，是個其貌不揚的小說家。但是連他這患有憂鬱症與社交恐懼症的人也還是談過戀愛，甚至還結了婚。另外，遺世獨立的古書店主京極堂——中禪寺秋彥，也早在認識之初已有妻室。

這些不出眾的朋友既非美男子亦不富有，究竟怎麼跟能成為另一半的女性相遇的？同時他們之間又是如何相處的？木場欠缺的就是這種知識。

不知如何與女性相遇，不知如何與女性交往。

究竟他們當初與後來成為妻子的女性都聊些什麼？

木場懂得玩笑，雖然與外貌形象不符，他也算很擅長交涉。或許因為如此，沒女人緣的木場在歡場女子間很受歡迎。

刑警在職業性質上常有機會跟這類女性來往。生來就擅長問話的木場能從她們難以稱上幸福的半生裡問出種種消息。在與她們接觸時，木場有時帶著同情，有時又帶著說教的語氣，有時又事關諸己似地為她們解決麻煩。所以不管對象是酒家女還是妓女，木場都非常吃得開。而她們吐出的酒臭氣息也與硬漢木場分外相配。

但這與戀愛不大相同，這只是工作的延長線。

木場非木石之人，當然不可能像聖人君子般過活。他也曾有過密切交往的女性。雖說職業性質上不可能太放縱，但數年前他也曾頻繁地上風化場所尋歡。不可思議地，對象一旦換成歡場女子，木場就好像突然詛咒解除似地能應對自如，可是一旦對象換回普通人又變得完全不行。不，就算是歡場女子，只要不在店裡一樣無法自在應對。對木場而言，這不過是出自酒家女妓女標籤與刑警頭銜之間的虛擬戀愛。

不，不只是戀愛，就算日常生活也一樣。罪犯、被害人、女警、店員、朋友之妻、家人、他人——只要還貼上這類標籤就完全沒問題，一旦將之取下的瞬間，木場在女人面前立刻變成石頭。

木場想，自己就像裡面沒放糖果的糖果盒。

盒子很堅固，強韌得足以對抗外來的刺激。表面上印刷著密密麻麻地給世人看的名稱與宣傳文句，一旦掀開來看卻是空的。盒子就是為了裝東西而存在，木場不知空盒子究竟有何存在理由。

但就算有此自覺，木場卻也不懂該如何生活才能填滿內容。

木場自認三十五年來並未虛度光陰，但從結果看來，也只是不斷增加紙盒厚度，在上頭添加新的頭銜罷了。

這麼一想，自己粗獷方正的臉更像盒子了。

害怕被人窺視盒子內部，女人這種生物老想一窺他人奧祕。不知為何，女人這類人種似乎無法滿足於只看盒子表面的頭銜。木場一旦被人詢問自己的內在便窮於回答，因此不帶頭銜的交往對木場而言是非常棘手且麻煩的事。

或許，木場在潛意識中就是在逃避著這類型的交往。

但，若能在第三者的強硬手段安排下讓兩人**相遇**的話，情況就會有所改變吧——木場想。實際上幾個同僚就是如此與相配的伴侶結婚，如今雖然牢騷發個不停倒也過著尚稱幸福的生活。不幸的是，木場的家人或親戚當中並無積極想幫過了適婚期的兒子撮合婚姻的人種，因此木場從未參加過相親之類的活動。

但因而怨恨父母親戚也是不合情理。

於是，不知不覺間，木場成了只能在**絕對無法**相遇或交往的前提下才能戀愛的男人。

——性格扭曲。

益發這麼覺得。不，木場並不認為自己很

獨特或不平凡，他相信任誰鑽起牛角尖，性格都會扭曲到這種地步。況且木場東奔西跑追逐罪犯時也從未思考過這類問題。

就只有在這種日子、這種時刻才會想到這些。看著隔壁少女蒼白的側臉，越覺自己顯得齷齪，而扭曲的程度也逐漸增加。

木場與那個女星——單戀對象的**相遇**，當然也就是在電影之中。

木場常看電影。

這兩、三年來電影界顯得朝氣蓬勃。

韓戰剛爆發時，因排紅運動（註一）被逐出電影界的人士在去年前後一一獨立創立起電影製作公司開拍電影。結果這也成了業界整體活性化的契機，大公司一一製作新片，**票房**也意外地好。

去年黑澤明的《羅生門》不知得到外國的什麼獎，同時國產的全彩電影跟著登場。對外國片的輸入管制解除，名作也一一放映。就連原本專播三輪片的小電影院，雖良莠不齊，現在也總是播放著新片。電影從單純的排遣時間行為晉升成大眾娛樂之王。

許多朋友對木場喜好觀看洋片一事感到訝異，他們以為木場是不折不扣的國粹主義者。多半是木場的箱型臉害他們有這種錯覺吧。事實並非如此，木場今年春天看了兩次《天堂的小孩》（註二），也很期待九月即將上映的賈利古

註一：西元一九五〇年聯合國最高司令官總司令部（GHQ）總司令麥克阿瑟下令在聯軍佔領下的日本展開的一連串從各公司、機關等職場排除共產黨與其支持者的行動。總計超過一萬人失業。

註二：西元一九四五年法國導演馬賽爾・卡爾內（Marcel Carné）執導的經典名作。原文*Les Enfants du Paradis*，意思是「劇院頂樓座位的孩子們」，日文譯名「天井棧敷の人々」亦循此義。

柏（註一）的新西部片。反正不管是洋片還是國片，只要有趣哪種都好。

但當中木場最喜歡的，還是陳腐毫無變化、標榜勸善懲惡的古裝電影（即時代電影，以下皆以「古裝」電影稱之。）

木場喜歡古裝片，自幼如此。當然，與當時的男孩同樣，木場也憧憬著強壯偉大的軍人與將軍。但比起這些，騎蝦蟆的兒雷也（註二）與劍豪宮本武藏（註三）等角色卻更能打動他的心。或許是喜歡勸善懲惡作品的規則單純明瞭，也可能是荒唐無稽的劇情能讓人忘卻現實煩憂。

古裝片在糾葛不清又不暢快的現實世界中，大剌剌地標榜起善與惡的單純結構。即使已經成年，木場仍能從中獲得撫慰，所以反而當上警察後去看古裝電影的次數增加了。

木場第一次見到那個女孩——也是在古裝電影裡，那是一片叫做《捕快姑娘續集／鐵面組血風錄》的三流娛樂古裝動作片。

既然叫續集自然有其正篇。先前確實有部電影叫做《捕快姑娘》，木場也看過。故事敘述某藩家老（註四）的公主因故托給八丁堀（註五）的捕快扶養，但捕快後來被捲入政變陰謀之中遭到殺害。公主雖為女兒身仍挺身報仇殺敵，但仇敵卻是其親生父親，總而言之本片算是一部賺人熱淚的悲劇故事。原本就喜歡動人的悲劇故事的木場，很好奇一部已經完結的故事該如何接續，於是就去看了續集。結果根本沒什麼，除了年輕姑娘懲奸的基本設定相同外，根本就是毫無關聯的全新故事。

而且連主演的女演員也換了人，出現在銀幕上的是個沒見過的新人。

後來聽說是原本主演的女星因變得太有名，耍起性子拒演這類三流電影，不得已只好臨時起用新人。這麼說來，原主演《捕快姑娘》

的女星最近的確常見到她在各處頻頻亮相。

不過這個大膽的決定卻帶來意外的好結果。新人臉蛋雖可愛，演技卻很蹩腳，台詞也念得平板欠缺感情，而劇情則更是荒唐到幼稚不堪的地步。電影本身雖是部爛作品，但是少女手持捕繩，口喊：

「壞蛋，束手就擒吧——」時的場景卻格外醒目，靠著這幕戲大受歡迎。

不知為何，這幕戲確實令人留下深刻印象。木場當時還想說或許是特寫鏡頭讓他聯想到熟人之故。那時覺得有點像中禪寺的夫人，事後回想起來倒也沒那麼相像。女星嘴唇右下有顆痣，顯得格外性感。

這就是木場與女星——美波絹子的相遇經過。

不，應該說是既不可能相遇也不可能交往而能放心談的戀愛之——開端。

美波絹子因此片一舉成名。

後來絹子繼續出演了好幾部娛樂片，木場全去看了。

還不顧羞恥地買了劇照。

現在仍夾在警察手冊中。

或許合乎觀眾胃口吧，絹子的人氣越來越高。不久，在短時間內竄升成文藝片主角。夏目漱石的《三四郎》決定拍成電影，絹子成功

註一：Gary Cooper，西元一九〇一～一九六一年。美國著名男演員，曾榮獲兩次奧斯卡金像獎。代表作有《神槍手》(*Sergeant York*)、《戰地鐘聲》(*For Whom the Bell Tolls*)、《日正當中》(*High Noon*)等等。

註二：翻案自中國之江戶時期（刊行時間西元一八三九～一八六八年）小說《兒雷也豪傑譚》中的主角。乘大蝦蟆善使奇術的義賊兒雷也與妖賊大蛇丸對抗的冒險故事

註三：西元一五八四?～一六四五年，江戶初期的兵法家、劍術高手。

註四：江戶時期行封建制度，藩乃是以大名為首的地方行政單位。而家老則是設立於大名底下管理政事的大臣。

註五：江戶城內地名，江戶町奉行所在此設立捕快之居住區。

地獲得里見美禰子的角色。製作公司、發片公司及導演都是一流之選。

美波絹子成了大明星了。

正當人氣達到頂峰時，美波絹子卻突然宣告息影。就在《三四郎》首映後——也就是去年夏天。木場雖不至於感到悲傷，既說不上高興也說不上失戀，心情非常複雜。

一年後，木場在意想不到處又見到她的名字。在買來當作事件資料的糟粕雜誌上，有篇報導刊載著美波絹子的消息。

——失蹤女明星夜夜歡縱情慾。

不似聳動標題，內容並不怎麼淫靡，只寫了美波絹子突然息影的真相是與自己的跟班私奔，以及她現在與原跟班一同隱居在武藏野附近。當然這則報導真實與否尚值得懷疑，但若僅由報導內容判斷，她所居之處似乎就是木場目前的住處——小金井町。

聽到思慕之人有了男人，正常人應該會感到失望吧，可是木場的心情反倒雀躍不已。反正本來就是渺無希望的愛慕，一想到現實中本人就在自己手眼可及之處，不由自主地歡樂起來，還有一點認真了起來。真是扭曲的性格。

那時也稍微如此想過。

所以木場喜歡小金井這地方。

塞在褲袋裡的警察手冊中，現在也仍夾著美波絹子的照片，年紀早過三十的男子對此該感到可恥才對。不知前方駕駛的年輕巡警若知此事會作何感想，肯定嗤之以鼻吧。萬一被坐在身旁低頭向下的十四歲少女得知，又該如何辯解？想到此，難堪的木場除了沉默，還是沉默。

就這樣，車內空間持續為沉默所支配。

木場偷看了賴子一眼，接著裝作毫不知情地回想絹子的照片。

美波絹子——

絹子？

原來如此，她像絹子。

並非在哪兒見過。

柚木加菜子與美波絹子根本是同個模子打造出來的。

正當發現這事實時，車子也到達了醫院。

車外一樣悶熱，但已聽不見蛙鳴。木場將對絹子的扭曲思慕與加菜子的悽慘模樣重疊起來。

背脊發涼。

不知加菜子是否還活著。

這家醫院不是私人診所，但也算不上大醫院。雖然在黑夜裡無法看清全部外觀，但木場肯定這家醫院的設施不可能對受重傷的患者進行緊急且最完善的處理。

勉強發亮的常夜燈，發出彷彿垂死螢火蟲般不可靠的光明，模糊不清的「緊急進出口」字樣浮現眼前。

木場毫不遲疑地朝那裡前進，賴子緊跟其後。她一語不發，也感覺不到其氣息，只傳來些微的空氣震動，或許仍在發抖吧。木場感覺到背後的褲袋，或者說塞在裡面的警察手冊，不，講白點就是夾在裡頭的絹子照片彷彿正暴露在背後少女的視線之中，不由得閃避到右方，讓賴子先行。

賴子帶著祈禱般悲壯神情沉默地走過木場面前。她身後的福本則仍跟先前相同，帶著一張狗臉呆立不動。

木場甩頭，示意福本先走。福本指著自己鼻頭瞪大眼睛，或許他原本只打算送兩人到此後就立刻回去吧。但見到充滿威嚴的木場表情，一瞬間彷彿了悟一切似的，膽小的年輕巡警沉默地快步走過木場前方。

兩人已走在前方，木場卻仍無法擺脫屁股

上的罪惡感。

一回頭，見到輝映的月光。

感覺到的原來是月的視線。

走廊上空無一人。除了緊急照明外一片漆黑。走到轉角處見到像是護士休息室的房間漏出光芒，或許是值夜室。敲門後打開一看，一個中年的瘦弱護士正在喝茶。

「是家屬嗎？」

「不，是警察。」

木場沒拿出手冊，而是指了指福本。福本點頭致意，護士看也不看福本，視線朝向賴子說：

「這位是？患者的姊妹？」

「不，是朋友。」

聽完木場之言，護士顯露出些許訝異神情。

在護士的帶領下三人上樓，來到後方像是候診的地方。

房間裡並排著五張八人座的椅子。右手邊有個大門，護士指向那裡說：

「患者手術中，請在此稍候。家屬如果來了我也會帶他們來這裡。」

「現在怎樣了，我是問，」

喊住打算回去的護士。

「該說是病情──吧？是否有救？」

「沒救的患者就不會動手術了，不過……」

護士緩緩地把頭側向一邊。

「總之也只能先做緊急處理，憑這裡的設備也只能做這麼多。不趕緊轉往大醫院的話──

──恐怕沒辦法活到天亮吧。」

只能撐到天亮也稱不上有救吧，木場想。

「況且我也只是在患者剛到時看過一下子而已，詳細情形並不清楚。除了大腿骨與上腕骨骨折之外，脊椎、骨盤複雜骨折，以及──

鎖骨與肋骨似乎也斷了，所以肺部或許有受損吧。腹部出血很嚴重，或許是內臟破裂——嗯，哪個臟器受損不開刀不得而知——幸好頭部完好無損。哎呀，患者的朋友在場我居然說出這些話——真抱歉呢。總之目前醫生正全力搶救，別擔心喔。」

聽了這些話還能不擔心才有鬼。聽了剛剛這番話，再怎麼沒醫學知識的人肯定也會惶惶不安。幸好賴子尚處於混亂之中，似乎無法好好理解護士的話。不，可能根本沒把護士的話聽進耳裡，只定定地楞在一旁。

「總之，現在該做的都做了，目前正在尋找要轉去哪家醫院，家屬如果來了就麻煩你如此轉達。等手術完畢後，醫師應該會來做更正確的說明。」

像螳螂的護士講了這些後便離去。

覺得更難堪了。

木場摸索胸前口袋想抽菸，不巧只剩空盒。

把盒子用力擰壞。瞄了一眼福本，遲鈍的狗臉男不知如何是好地呆坐著。當然賴子身上也不可能帶著香菸。賴子眼睛眨也不眨地抱著雙肩，依舊沉默地坐著。

木場不得已只好伸手摸著褲袋。總覺得一切好不真實。自己為何在這裡，在這裡又該做什麼，目的意識稀薄。彷彿被什麼不知名的力量推動著，是的，就像是變成了電影角色般那麼不具真實感。木場想著褲袋裡的絹子。口袋裡充滿著一股非常不祥的預感。

此時，喀喀地傳來一陣格外響亮的腳步聲。

木場朝著腳步聲的方向一看，一名身材高䠷、姿勢端正的男子正朝這裡走來。木場的非現實世界中又一個居民唐突登場。

脫離暗處後男子臉部逐漸變得清晰，是個

眼鼻特別醒目的長臉男子。

戴著銀邊眼鏡，**整齊地**穿著高級西裝。

「你是？」

男子來到木場面前立刻發問，快速的發音中充滿高壓。木場聞言不悅，答：

「我沒必要對不報上名來的人說明身分。那你又是誰？受害者家屬？」

要論凶惡的口氣警察更拿手，聞此言大半的人都會心生膽怯。

但男子毫不動搖。

「因故無法表明姓名身分，我只能說——我是關係人士。那麼，聽說柚木加菜子遭到事故，這是事實嗎？如果是事實，目前身體狀況又如何？同時，那真是柚木加菜子本人嗎？」

「我沒空對不表明身分的傢伙一一說明。你那是問人的態度嗎？」

「我看你倒是閒得很，而且你的態度豈不更高傲？我猜你是警官吧。真是，警官這種人怎麼都一個樣，不知天高地厚。你們是公僕。所謂公僕就是公眾的僕人。你是我們民眾的僕人，居然敢擺起架子。」

講話速度非常快，但發音毫不遲延，非常清晰。再加上臉上表情一變也不變，機械式的口吻，更給予木場高壓的印象。

不善於應付這種傢伙。這男子多半是高級知識分子吧。在福本面前木場想盡量不吼人，盡力細心地來應對。

「的確，警官是公僕，但是不是你的僕人我可不清楚，沒有任何證據顯示你是守法的普通善良市民。明知對象是警察還不報上名來，老子可不爽向這種身分可疑的傢伙說明咧！」

木場說完連自己也覺得可笑。這哪是細心的應對，口中說出的話語彷彿不受控制似的。

男子一樣緊繃的面無表情，嘆了口氣，推了推眼鏡。就在此時，另一名急忙趕到的男子從他背後現身。

「加、加菜子呢，加菜子呢？」

另一名男子一趕到立刻上氣不接下氣地向站著的男子詢問。

臉色蒼白。

眼鏡男不滿地說：

「唉，這位刑警先生的性格太惡劣，什麼也不肯說。」

說完緊盯著木場。

另一名男子帶著快哭出來的神情，依序望向木場、福本與賴子。

他穿著皺皺的開襟襯衫和膝蓋開洞的燈芯絨褲。兩眼惺忪，白皮膚，難以判斷年紀多大。

「請、請問，加菜子怎麼了？」

「你又是誰？你也不肯說自己身分嗎？」

「我、我叫雨宮，雨宮典匡。我算是柚木加菜子的、監護人。」

「監護人？你說監護人，但你們姓氏不一樣嘛。你應該不是她的父親吧？是兄弟還是？」

「這個、關於這個恐怕……」

「雨宮老弟，如果不明白說出你的身分，這位刑警先生連加菜子是生是死都不會告訴你的。他對我都不肯說了，像你這種無法證明自己身分的人就更不可能了。算了，不久醫師就會出來，等到那時吧。」

「增、增岡先生，您別這麼說……」

叫做增岡的眼鏡男留下充滿揶揄的話後走到木場眾人後方第三排的椅子上坐下。自稱雨宮的男子則惶惶然看著四周，再次以快哭出來的聲音喊：

「增岡先生。」

增岡挪動身體空出座位，催促雨宮坐下。但是雨宮似乎不瞭解他的行為的意思，兩手不安地摸遍自己身體各處，再次喊：

「增岡先生！」

增岡不耐煩地看著他，

「過來坐下吧，雨宮老弟。對了，陽子小姐在哪兒？」

增岡問。

「陽子小姐在、在入口跟那個、護士說話。」

「原來有護士，太失敗了，早知道問她就好。」

增岡很懊惱地咂一聲舌，看來他沒碰上剛才的護士就直接進到這裡。

「賴子小妹，這些人，妳知道嗎？」

福本極小聲地詢問賴子，意思是問她是否認識剛才到達的這兩人吧。賴子不發一語地搖了兩次頭。

時鐘聲滴答作響。木場如今也不可能為了問話去向那兩人低頭，現場的尷尬氣氛達到最高潮。今晚，真是糟糕的一夜。

正當牆上的立鐘宣告著三點三十分的瞬間。

為了終結木場今晚的非現實世界，第一幕最後的角色悄悄登場。

「雨宮，加菜子她——」

傳來女性的聲音。

雨宮沒有回答。不，是無法回答。

「增岡先生，請問——這幾位是？」

「是警方的人。」

增岡快速地回答。

女性走到木場們的面前，深深低頭致歉。

「各位——辛苦您們了。」

「大半夜的，還給各位添這麼大的麻煩，在此深深致歉。我是柚木加菜子的家人。如今造成、這麼大的問題——自覺責任重大。」

木場與福本，以及賴子一起朝向她看。

女子抬頭，這副容貌是、

這女子是、

美波——是美波絹子——啊。

木場用粗大厚實的手指揉了揉眼。

「我叫做——呃——柚木、柚木陽子。」

「妳、美、美波——」

木場開不了口。

不可能認錯，她是美波絹子。

心臟快要從嘴裡蹦出來。

照片還在褲袋的手冊裡嗎？

為什麼，為什麼美波絹子會出現在這裡，完全無法理解，陷入混亂。

「啊，妳不是女明星美波絹子嗎？」

神經大條的福本全無顧忌地開口，多半是用他狗一般的表情問的。

「我沒認錯人吧？啊，果然沒錯。」

真的嗎？站在這裡的，真的是那個美波絹子嗎？不是自己的扭曲妄想嗎？睡眠不足與壓力交錯作用，木場覺得自己快昏倒——是的，彷彿要昏倒似的，精神恍惚。

「我已經不再使用那個名字了。」

絹子——陽子如此回答。

「我是柚木陽子，是加菜子的——」

增岡緊盯著這名女性。

「是加菜子的——姊姊。」

增岡不懷好意地獰笑，站起身。

接著來到自稱——柚木陽子的女性身後拍了拍她的肩膀，說：

「刑警先生，你看，既然家人到了。這位自稱是加菜子的——姊姊，現在能否請你詳細為我們說明？患者是否真的是加菜子本人？事故的發生經過是？現在的身體狀況又是？」

增岡一臉得意的樣子。

木場硬是把不知飄到何方的意識拉了回來，盡可能裝出警官風範沉著地回答。對增岡的敵意使他恢復了冷靜。

「她身上帶有柚木加菜子的學生證，應該就是本人。而且同行的這個女孩也如此作證。小妹，沒錯吧？」

賴子這次確實地點點頭。只是視線緊盯著加菜子的姊姊，在她眼裡恐怕看不見其他事物，自方才似乎便已渾然忘我。

「事件發生地點是中央線武藏小金井站的月台。加菜子——小姐在電車進站即將停止前一刻摔落。」

「什麼原因造成的？」

「正調查中，不知是事故還是自殺，或者……」

「你的意思是說也有他殺嫌疑嗎？」

增岡用挑戰性的口吻詰問木場。

「你的意思是有這種可能吧？喂，你說話啊！」

增岡情緒激動。

「剛說了，正在調查中。」

「這名女孩不是也在現場？小姐，妳看到了吧？事件發生時，妳在現場吧？如果是那就告訴我們。加菜子是不小心跌落的？還是自己跳下去的？妳該不會真的見到有人把她推下去了吧？」

增岡依舊以快速、因激動而多少顯得高亢但依舊維持清晰的聲音質問賴子。賴子緊閉雙眼低頭向下，開始啜泣起來。與在站長室時的反應相同。

「增岡先生。」

絹子，不，陽子勸阻增岡。眼裡噙滿淚水，聲音發抖。

「刑警先生，我也想請教您。加菜子她——受人加害、之類的可能性——是否真的存在？」

絹子親自對木場說話了。

意識再度慢慢遠離。熟悉的聲音。沒錯，

這個人就是美波絹子本人。既不是放映在銀幕上的虛像，也不是沖印在相紙上的肖像。活生生的絹子遠比想像中還要嬌小、瘦弱。沒錯，失去了明星的頭銜，所以看來更嬌小了。

木場——困惑了。

絕不可能到來的相遇，卻毫無預兆地到來了。

自己為什麼不更緊張一點？為何不更……

箱子裡頭依舊空無一物，蓋子卻即將打開。

「在現場調查結束前我不敢妄下斷語，如果這女孩能好好作證的話就另當別論。不過問我是否有可能性——的確是有。」

木場結果還是選擇了輕鬆的道路。

木場快速地由性格扭曲的三十多歲男子變身成強悍的刑警。

沒問題了，箱子的蓋子已緊緊蓋上——木場現在只是個頑強的法律守護者。

「也就是說，有可能是殺人事件對吧。」

增岡不帶感情地說。

「是殺人未遂事件。你與受傷者之間的關係如何我不清楚，但別在親人面前說不吉利的話。」

木場以刑警的口吻牽制增岡後，再以刑警的視線看著陽子。

陽子看不出是半夜被臨時喚出，打扮得很整齊，絲毫不像慌忙飛奔而來的樣子，甚至還化了妝。難道原本女星的本性作祟，不肯邋遢地出現在人面前？大概就是因此才遲到的吧。

若真如此陽子恐怕是相當寡情的人。可是從剛剛到現在的樣子看來，她雖極力保持平常心——仍不掩慌張模樣。

那麼說她因忙於打扮才遲到也實在難以想像。

「況且，諸位口口聲聲認定這是犯罪事件，難道沒考慮過同樣也有事故或自殺的可能性嗎？難道──對了，難道沒什麼線索顯示她有自殺動機嗎？」

木場一說完，陽子立刻以右手摀住嘴，露出極為悲壯的神情。雨宮擔心地看著她的臉，看了直挺挺站著的增岡一眼，說：

「線索嗎──也不能說──沒有。但，加菜子並不是──這種孩子，自殺最不像她會做出的行為了。」

「這不是像不像的問題。難道她都沒什麼煩惱還是什麼、痛苦的嗎？且女孩子半夜離家，你們都沒人注意到？真沒注意到的話，你們根本稱不上瞭解她吧。」

「那是因為……」

雨宮出口打斷陽子發言。

「不，這一切都是我的監督不周。完全、不知該說什麼才能表達我的歉意。如果加菜子有什麼萬一的話，我、我。」

「雨宮，不是你的錯，是我不好。」

這次換陽子打斷雨宮的話。

搞不懂，這三人究竟是什麼關係？就連身旁的賴子對木場而言也一樣不懂。全都不懂。

雨宮帶著哭音說：

「刑警先生，更重要的是，加菜子的狀況如何了呢？那孩子還有救嗎？那孩子，現在究竟──」

沒錯，本應先說明被害者狀況的，木場有點後悔自己耍起無聊的性子故意不把話說明白。家人現在最關心的當然是加菜子的身體狀況吧。

木場盡可能忠實地傳達剛剛從護士那聽來的情況。

陽子肯定剛剛已在一樓瘦弱護士那兒聽過

相同的話，雙手摀住口直視牆壁。

雨宮每聽木場說一句就喔喔地漏出嗚咽聲。

增岡斜眼遙望遠方一一點頭。嘴角略微上揚，或許因此，看來好像在笑。

賴子同樣盯著陽子瞧，近乎恍惚狀態。

福本愛睏地揉著眼。大概與數小時前木場的心情相同，懷念起被窩了吧。更重要的是這裡對他來說肯定很難熬。

「看來當作——沒救了比較實際吧。」

增岡說話依舊毫無顧忌。

「你說什麼！」

陽子瞪著他，鬼氣森然的視線。

木場也覺得無法——繼續保持沉默了。

「沒錯。你這傢伙真是一舉一動都叫人不爽。護士不也說了——或許還有救，不是嗎？」

增岡臉上浮現冷笑——看起來像是如此。

「護士所說的是——會盡力**搶救**，而不是**有救**吧。我的立場重視的是對現實的正確瞭解，而非帶著期待的預測。事實上有生命危險就是有生命危險。不管嘴上說什麼，沒救的人還是沒救。若只論心情，任誰都想救她吧。畢竟看著可憐的年輕生命就此斷送，沒人高興得起來的。」

「你不就——很高興？」

陽子說了。

——高興？

會高興是什麼意思。

「這句話我可不能當作沒聽到。這位女士剛才似乎是說，你認為加菜子死去比較好——是這個意思吧？」

增岡嗤之以鼻，不悅地說：

「你說什麼，我可沒這意思。」

「是嗎，難道不就是你——不，你們害加

菜子變成這樣的嗎？只要你們想幹，這點小事有何困難？」

「玩笑話適可而止吧。聽清楚了，陽子小姐，妳搞錯狀況了。我不知跟妳說過多少次——」

增岡說到一半停了下來，轉而看著木場。

「——在此多說無益，總之請別以無憑無據的臆測隨口發言。這裡有個明明不知真相，卻摩拳擦掌想揪出犯人的警察在——而且侮辱我就等於侮辱我的委託人，妳懂嗎？陽子小姐，這對妳的——將來毫無幫助。」

「你心中想的，難道不是——沒有將來了？增岡先生。」

陽子視線朝向手術室，靜靜地說。

增岡顰眉，用食指推了推眼鏡。

「沒有將來——妳什麼意思。」

「既然如此，我也沒什麼好隱瞞的了，現在就把事情全盤托出給這位警察先生聽！」

陽子的銳利視線緊捉住增岡。

木場在增岡的臉頰附近，見到了些許慌張神色。

「算了，急著提出結論也無濟於事。我剛剛只是囫圇吞棗地根據這位刑警先生的話姑且做出判斷罷了。由我貧乏的醫學知識看來，加菜子小姐幾乎可說沒有得救的機會，我只是想先提醒妳這點而已。畢竟加菜子小姐若有不測，就會有許多手續等善後事宜等著處理，必須先準備好才行。」

增岡依舊以快嘴與明瞭發音、再加上毫無抑揚頓挫的語調喋喋不休地說著。

木場完全聽不懂她們談話的內容，就算想插話也無從插入。

「——放心吧，陽子小姐，到時候妳該得的自然會給，我們絕不虧待妳的。」

增岡如此作結。

這時，一直在一旁保持沉默的雨宮終於按

捺不住喊了出來。

「增岡先生！你也——你也沒必要在這種時刻說這種話吧！加菜子她，她現在還在這裡，她還活著啊！難道不能體諒陽子小姐的心情嗎？」

「現在不說更待何時？我們這邊也得爭取時間，所以才會沒日沒夜一直討論到現在不是嗎？沒人喜歡大半夜還得工作。是你們不知在堅持什麼，事情才會變得這麼複雜。我們打一開始就秉持好意來和你們交涉。總之，只要加菜子**先死亡的話**，這件事就不算數了。所以說，先著手處理是為了你們好。」

「但是——那個。」

看來雨宮也跟木場相同，不擅長與這種人打交道。

別說反駁，就連好好回答也作不到，雨宮懊惱得不知如何是好。

木場看不下去，開口幫腔。

「我不清楚你們之間有何糾紛，但是不管再怎麼急，再過幾個小時手術就會結束。只要手術沒失敗，加菜子就還活著。我是不懂醫學，但我也親眼看過被害人，那時的印象是覺得還有救。總之，手術後也會轉院，不管有救沒救都要等到那時吧，這才是人之常情，不是嗎？」

增岡感到不滿，且毫不膽怯。

「你說轉院——誰知道現在她接受的是什麼治療，真的還有機會嗎？」

真是個徹頭徹尾討人厭的傢伙。木場想揍人了。

「剛剛——」

陽子說。

「剛剛我已經跟護士說過——轉院的地點已經確定了。」

增岡張大眼望著陽子。

「——是與我有交情的——外科名醫。」

雨宮、賴子、福本、以及木場全都看著陽子。

集觀眾人視線於一身，退休的美麗女星在聚光燈的替代品——手術室前有點**散漫**的告示燈光芒照耀下，孤高挺立。

木場想。唉，多麼悽慘的夜晚啊，自己究竟在搞什麼。

而這齣真實感稀薄的鬧劇又何時結束。

「我絕不會讓——加菜子死掉的。」

美波絹子她，柚木陽子她毅然決然地說了。

（前半部略）

不知為何，非常羨慕起男子來了。

故鄉的車站蕭瑟無人。木造的車站建築傾斜著，柱子歪成平行四邊形。

那名男子在何處下車？

男子究竟在何處搭上車？又一起共乘了多久？對此毫無印象。好想要那個箱子。

祖母的喪禮辦得很儉樸。

這地方喪禮多採土葬。祖母的遺體折疊起來安放進棺桶。

看了很難受。棺桶與遺體之間的空隙讓人看了很難受。應該塞得更緊一點。雖這麼想，卻沒人願意這麼做。

這麼一來討厭的東西不就會鑽進棺桶底部與臀部之間、鑽進瘠瘦的大腿與小腿之間了嗎？

為何不處理一下臉部周遭與胸前之間令人不安的空隙？

不更緊密點令人無法安心啊。要塞滿哪。明明用花，用數珠來塞都行的。

為何留下這麼多空隙就蓋上蓋子了？

差點大聲嘶喊出來。

首先挑圓形來當棺桶就不應該。應該做成匣狀。然後緊實地塞滿。仔細塞到四周的角落都無法讓空氣跑進的空隙。這才能安心。

祖母好可憐。得在周遭充滿空隙的情

沉下被埋進虛無、寂寥、又黑暗的土中。

父親、母親也是被這樣埋葬後，在不安中化成了骷髏吧。變成骷髏後空隙又更多了。叔父叔母為何這麼粗心呢？

相較之下那女孩真是完美。箱子的大小也恰恰好，無一絲浪費。

充實得令人激賞。胴體與箱子的緊密度真是完美。雖然肩口到頭部與臉部之間還有空隙，但那也是不得已的。如果連那裡都填滿，就看不到美麗的容顏，也無法與她交談。雖然有點可憐，還是請她忍耐一下吧。

啊……好羨慕那個男子。好想要他的箱子，好想要那個女孩。

萌發起強烈的戀愛情感，同時也覺得後悔，為何沒追在那名男子身後呢？

鄙俗的誦經開始了。低頭裝出哭泣的樣子後離開會場。

休假還剩四天。還有時間。應該還不算太遲吧？

連忙整理起行囊，離開家門。反正守靈夜的宴席上，這麼多人來來去去，少了一個親人多半也不會有人注意到。

上行列車即將靠站。先在下一站下車。然後，開始尋找那個箱子的女孩吧。

（以下略）

2

最早的部分——右腕被發現的日子，我想大概是八月二十九日吧。

兩腳出土則是翌日，忘也忘不了的八月三十日。

若問健忘的我為何能這麼清楚地記得日子，那是因為那一天對我來說印象實在太深刻了。

欲稱之夏日尚欠朝氣，卻又絲毫不見秋意。

那天就是這樣的日子，只記得天氣十分炎熱。

那時我仍處於七月初發生於雜司谷的婦產科醫院裡的悲傷事件的影響下，遲遲無法恢復。

事件發生後過了半個月左右，出版社向我邀稿。猶豫良久，最後還是決定接下。工作接是接下了，卻寫不出半點東西來，最初一整個星期就只是在發呆。加上天氣炎熱，令生性怕熱的我更動不了筆。總算開始撰寫時已進入八月，沒想到一開始寫就彷彿心魔被驅走般進展快速，向來慢動作的我很難得地在截稿前夕完成了作品。

我的責任編輯小泉女士似乎大為吃驚。

題名為〈目眩〉，是篇約莫百來張稿紙的作品。

刊載誌——《近代文藝》為月刊，每月三十日發行。

也就是說八月三十日就是刊載我作品的《近代文藝》十月號之發行日。發行日與發售日嚴格說來並不相同，不過書本身當然在數天前就已經印好，通常以郵寄的方式，或者是責任編輯親自送來，總之會提早送到執筆者的手中。

但是那時卻音訊全無。

直到發行日的前一天，小泉女士才打電話來。

「關口老師，遲遲未能與您聯絡真抱歉。最近每天天氣都很炎熱，希望不要中暑才好？」

聲音聽來非常開朗。讓原以為是要宣布取消刊載的我感到有點錯愕。這通電話是來通知我有事商量，希望我親自到出版社一趟。

原本閒著也是閒著，於是我爽快地答應了。

「於情於理應是我們前去拜訪才對，真是萬分惶恐。」

小泉女士難得以很客氣的語氣說。

當天是晴空萬里的大好天氣。約定的時間是早上十一點，我比平常更早起，十點前就出門。走到車站——中央線中野站的途中，汗水彷彿瀑布般傾洩，全身像是泡過水似的。或許是前天眾院被臨時解散(註)之故，站前一片煩囂喧鬧，真礙事。

發行《近代文藝》的是位於神田的一家叫做稀譚舍的出版社。

稀譚社自戰前以來持續穩定地發行《稀譚月報》，光聽雜誌名稱或許會以為內容都是不正經的，但其實這是本內容非常嚴肅的雜誌。該雜誌銷售量似乎還不錯，戰後又接連創辦文藝雜誌與婦女雜誌。去年春天，我的朋友京極堂——中禪寺秋彥之妹敦子小姐就職於《稀譚月報》編輯部，恰巧那時我也下定決心辭去原本工作，專心以賣文為生，但平素在文壇、出版社毫無人脈，正當不知如何是好時，得知此事彷彿見到一線生機，便拜託她向《近代文藝》編輯部引薦我。回想起來，那時也正好是夏天。

當時敦子為我介紹了我現在的責任編輯小泉珠代，這位女編輯對初次見面的我淨說著歌舞伎的事。可惜我一向與歌舞伎無緣，不知該如何回話，只好支支吾吾地搪塞過去。心想多半沒機會而悄然離去後，沒想到兩三天後卻捎來了工作委託，著實大吃一驚。之後我就只在《近代文藝》發表作品，可說是該雜誌的專屬作家。

雖然——換句話講，這也代表著其他文藝雜誌對我不感興趣，說穿了不過如此。

出版社的一樓約有一半空間堆得像倉庫，而《近代文藝》的編輯部則位於二樓。

我早到了約十分鐘左右，受不了外頭的暑氣先推門進房。打開一看，見到整個編輯部忙成一團，結果我就這樣呆立於門口。當我正考慮著是否該出聲喚人時，眼尖的小泉女士注意到我的來訪，說：

「老師，大熱天的有勞您走這一趟真是辛苦了，請來這裡稍候一下。」

我被帶往窗邊的接待室。

小泉女士端來冰冷冽齒的茶及剛印刷完成的雜誌後，坐在我的身旁。

「老師，其他人很快就到，請您稍待一會兒。」

「小泉小姐，妳說有要事要談是指什麼？而且妳說其他人，是誰要來？」

在小泉回答我的問題前，答案自己走近過來，原來是《近代文藝》的總編山崎孝鷹與另一個素昧平生的男子。山崎的身高超過六尺（約一八〇公分），一頭白髮梳得整整齊齊，老是見他在笑。

「欸，請坐請坐，別客氣，儘管放輕鬆。」

山崎制止原欲起身招呼的我。

註：西元一九五二年日本首相吉田茂鑑於先前被逐出之政敵鳩山一郎勢力逐漸回歸政壇，於八月二十八日出其不意地解散眾議院，企圖瓦解其勢力。故此次眾議院解散通稱「出其不意解散」。

「這位是敝社負責書籍事宜的寺內，這位是關口老師。」

寺內大概是習慣了吧，遞名片的動作很俐落。而我則完全不習慣，不知該如何是好，最後弄得像領取畢業證書般極其鄭重地收下。當然，我也沒名片可回敬，害得我更覺不好意思。

山崎與其說個子高不如說是身體龐大，被他一坐，大半的椅子都相形窘迫。當然招待用的沙發也不例外，看起來彷彿變小了很多。

「欸，我說老師啊，〈目眩〉寫得可真是好，編輯部內的評價很高哪。」

山崎堆滿笑容地說。

他平時就滿臉笑容，現在幾乎是開懷大笑。

而我則因作品甚少被人褒獎而不知該如何反應才好。

「呃，承蒙您看得起。」

「您別客氣，閱畢大作彷彿觀賞了一幅超現實繪畫般，新穎至極啊。」

「是——這樣子嗎？」

我更覺困惑了，這個評價作者本人想也想不到。望了身旁的小泉一眼，只見她滿臉笑容，而寺內的臉上似乎也帶著一抹微笑。我不由得懷疑是否被他們聯合起來捉弄了。寺內恢復原本嚴肅表情，開口詢問：

「分類上該算是幻想小說……不，算前衛小說是吧？」

「呃。」

這種事其實從沒想過。

因為對我而言，我的小說全是私小說（註）。

「總編，看來關口老師一時之間還不瞭解狀況，乾脆開門見山說清楚比較快吧。」

小泉說。確實，我的領悟力不佳，聽不懂拐彎抹角的話是出了名的，但這麼直接地指摘反叫我無地自容。山崎點點頭笑得更開懷地說：

「說的也是，那就開門見山說吧。老師——您意下如何？把這幾篇湊一湊出版單行本吧。」

「哪幾篇？」

「欸，當然是說老師的作品哪。」

我總算瞭解狀況。原來今天叫我前來，為的就是徵求同意好發行我的短篇集。

「幸好老師的作品全在敝雜誌上連載，省了不少麻煩。」

寺內說。

賣文為生以來，已過兩年又幾月。從處女作〈嗤笑教師〉到最新作〈目眩〉，算一算也寫了八篇短篇小說。兩年八篇表示一年有四篇，雖不算慢筆卻也稱不上快速。而且正如寺內所言，這八篇全在《近代文藝》上刊載，因此與其他流行作家不同，不會因版權等問題與其他出版社發生爭執。

但是——由雜誌刊載時的回應看來，我的作品並非全獲好評。

當然也不至於毫無回響，只是多半是說我的作品難以理解、作風尚未完成等等，不知該算切中核心還是該算大大誤解的評價。只不過我這個人雖然容易受傷，在內心深處卻又隱藏著高傲的自尊心，在眾多批評之下仍舊不屈不撓地持續寫著相同風格的作品。所以——

「我想——我的作品應該沒人買吧。」

我真的如此認為。

事實上去年年底也曾提過出版單行本的

註：以自己的體驗為題材所寫的小說。

事，但是在讀者的回響參差不齊而編輯部內的評價也褒貶不一的情況下，最後大多數的意見一致認為時機尚早。當然對此我也毫無異議，因為的確如此。加上我這人雖然明明是靠著寫小說維生，但在編輯部提此事前卻連想也沒想過出書這檔事，這種心態至今仍未改變。

山崎一瞬睜大了雙眼。

「沒這回事！我想十月號應該就會有迴響了。欸，不瞞您說，我事先已請了幾名大評論家看過，請他們無需客氣自由評論，大體上獲得的評價都很好，所以說沒問題的。」

山崎說。

「您說那篇〈目眩〉——大獲好評？」

心情很複雜。

「是呀。山崎總編他們可是愛得很呢，我自己也很喜歡。」

小泉說。

〈目眩〉的故事大致如下：

有一對男女體內各擁有兩個靈魂，其中一對靈魂相互愛戀，另一對靈魂則畏懼彼此。男女在繪畫中的海岸與書中的深海裡幽會，之後又在多重結構的建築物中逃避彼此。

不消說，這篇作品濃厚地反映了七月發生的**那個**悲慘事件的色彩，但卻未能使之昇華為真正的創作。若不是截稿日逼近恐怕早就不寫了吧，但時間實在太短，尚來不及將事實醞釀成小說。

因此就算頁數快用完了故事也全然無法收尾。

結果，只好讓以朋友京極堂為原型創造出來的穿黑衣戴護手自稱**殺手**的男性登場，讓他殺了女主角。不這麼做就無法結束，所以這該算是劣作吧。現在卻意外獲得好評，我實在無法理解。或許說作者的意圖本來就不可能傳達給讀者，但到這種地步似乎又太誇張了點。

「只要老師沒意見的話，我想把書名就取作《目眩》。」

寺內說。看來在我想得入神時，討論仍繼續進行著。

「這、不，關於這點——」

我困惑了，畢竟死於**那個**事件的女性的臉龐至今仍鮮明地烙印在我腦中。

「能否——讓我考慮一下？」

「啊，當然當然。敝社的立場上自然是希望能收錄您所有的作品，不過收錄的順序等等也得跟老師您商討一下才能決定，裝訂也得考慮考慮，對對，還有增修或訂正等等問題。」

「不，我的意思不是這個，而是——」

我的意思其實是希望能讓我考慮一下該不該出版，但對方似乎聽不出這層意思，三人都笑瞇瞇的。正當拙於言詞不知如何說明之際，一名曾見過但不知其名的編輯小跑步過來。

編輯行個禮，湊近山崎的耳旁低聲不知說了什麼。

「啊，對對，好好。」

山崎說完轉身朝後。

「不好意思，久保老師。」

入口處站了個年輕男子。

「剛剛好，關口老師，讓我為您介紹介紹。寺內，這件事就這麼決定吧。」

山崎唐突地結束掉討論。

「那麼關口老師，改天再聯絡，到時候還請您不吝賜教。」

寺內精神抖擻地說完後離席。

看來我單行本出版的事情在莫名其妙間已成定局。

寺內出去後，方才的編輯帶著立於門口的男子進來。山崎與小泉起身歡迎，我也跟著起身。

山崎向男子打招呼，整個身體從腰部以上大幅度前傾，說是點頭行禮恐怕更接近鞠躬。

「欸，您來的可好。這次您願意接受敝社失禮的要求，真不知該如何答謝——」

「不，請別放在心上。我只是個初出茅廬的小輩，這類小事請儘管吩咐，別客氣。對了，總編，這位是？」

「對對，讓我來介紹一下。關口老師，這位是新一代幻想文學的旗手——久保竣公老師。這一位是關口巽老師。」

「敝姓關口。」

我一如往常有氣無力地回答。身為文士卻與文壇保持疏遠，至今還沒半個有深交的小說家朋友，就算承蒙介紹也沒辦法持續來往。對自己以外的所有小說家而言，我都只是一個普通讀者罷了。可是——我記憶中似乎沒聽過久保竣公這位作家之名。

「我想您也聽說過，久保老師去年年底發表的處女作〈蒐集者之庭〉獲得文化藝術社主辦的本朝幻想新人獎，是最近備受期待的新人。實不相瞞，下一期原本預定刊載荒川敦老師的新作，但老師前天不幸因腦中風病倒，只好緊急請來久保老師代打。」

「只是湊人數用的。」

絕無此事——山崎誇張地否定。

「——先前早就希望老師能在敝雜誌連載，恰好趁此機會。」

「沒關係，只要有幸在貴誌刊載，不管是什麼原因都行。」

久保笑著再次打斷山崎的話。

看來是我不太喜歡的那種人。

細長的眉毛似乎用眉毛膏修整過，非常整齊分明。眼神銳利而帶著冷漠。臉龐細長，算得上是美男子。頭髮打理得整齊乾淨，似乎宣揚著主人日日打扮的苦心，同時散發出整髮劑的味道。打扮也予人紳士的印象，與滿身汗水邋裡邋遢的我大不相同。只有一點令我感到不可思議，這種大熱天裡，久保卻仍戴著白色手套。當然，不是防寒用的而是攝影師戴的那種薄手套，說詭異仍舊十分詭異。

久保收起笑臉朝向我，說：

「關口先生，今日在此相識也算是有緣。身為您的讀者，我有一事想向您請教請教。」

「呃。」

「先問一下，請問您是否讀過我的作品？」

「很抱歉——因為……」

「別在意，我還只是個新人，沒看過也是當然，但是您的作品我則是全部讀過。當然，如果說您曾在《近代文藝》以外的雜誌刊載作品的話或許就有所遺漏。」

「唔，謝謝。我沒在其他雜誌刊載過，所以你讀過的應該就是全部了吧。」

「原來如此。那麼我想冒昧請教您，請問那種崩壞的文體是技巧？抑或是？」

「咦？」

「您的文章一方面令人感到有實力寫出華美文體，但卻又一一崩壞。您的作品淨給人這般印象。這是刻意的嗎？還是真的稚拙呢？我最想知道的就是這點。當然了，既然您以賣文為職，總不可能是偶然寫出來的吧，如果這麼懷疑您就真的太失禮了。」

眼角泛著嘲笑之意。

「不，這個嘛……」

真的是偶然寫出來的——這句話實在說不出口。確實是有故意破壞的部分，但寫著寫著就自然崩壞了的部分也不少。老是拘泥於字面上或語句上的選擇，結果造成文法上的破綻。總之會變成這般文體，各次情況與原因皆不同，無法一概而論。這麼看來，與其說是技巧更接近偶然，若是根據眼前這位新進作家的論點，我應該算是稚拙吧。

「祕密，是嗎？我想也是，被人問及這種問題我也不願意回答吧。哼哼，或者是想答也答不出來？不，今日我會特意請教是因為，關口先生，您所寫的幻想小說之所以能成為幻想小說的唯一因素，我認為不過就是憑著那種崩壞的文體罷了。若不是這種文體，您的小說不過就只是生手寫的普通私小說而已。」

「呃，我……」

我從不認為自己寫的是幻想小說——原想這麼回答，但還是硬生生地把到口的話語吞了回去。不管自己怎麼認定，世人的評價似乎逐漸朝這方向凝聚，實在沒必要特意去否定。況且，如果否定這種評價的話，我的作品——就如他所言只是生手寫的私小說罷了，那麼別解開這個誤解也是為了自己好吧。

久保見我支支吾吾，眼神顯得益加肆虐。

這時山崎插嘴說：

「欸，久保老師，這次發行的，對對，就這本十月號，關口老師在這本上頭刊載的新作可是一流的傑作，當然隨後會贈送您一本，請務必一覽哪。」

山崎指示自剛剛就楞在一旁的編輯拿一本十月號過來，接著朝向我，說：

「與其說是幻想，更接近前衛，沒錯吧。」

與剛才寺內的說法相同，多半是考慮到我的心情吧。

但是這樣一想，前衛這種形容也不過是拙稚的另一種說法，反讓我覺得有點生氣，所以我故意用不同的話來反駁。

「我的作品、對了、我的作品是不合理小說。」

「不合理，原來如此，的確是不合理。不愧是自己的作品，瞭解得真透徹。」

久保愉快地說，同時快速地翻著剛拿到的雜誌。

我注意到他翻書的動作有點古怪，不久就瞭解原因何在。他的手指似乎有點問題，我猜多半是欠缺了幾根手指吧，難怪會戴著手套來遮掩。

我的憤怒急速萎縮，對久保的厭惡感也些許緩和了。

真是奇妙，但久保不顧我的心境變化繼續說了起來：

「嗯，那麼這篇新作我會當成您所謂的不合理小說來拜讀的。另外，關口大師，這件事或許算我多管閒事，但還是想向您報備一聲。」

這次他明顯用揶揄的語氣來稱呼我。

「事情是這樣的，我從以前就很注意大師的文章風格，只不過看來也有人跟我一樣很崇拜您，最近冒出了個完全在模仿大師您風格的傢伙。幸好他頂多只在無聊的糟粕雜誌上寫寫不入流的文章，應該不至於闖進文壇核心來才對——」

「模仿——我的風格？」

「——沒錯。我想想，是個奇怪的筆名，記得是——**杵木**……對了，好像叫做楚木逸己。這傢伙文章的崩壞風格與您的真是十分相像，害我以為該不會是大師本人呢。當然憑您關口巽這等程度的大師總不至於在那種三流雜誌上寫文吧。所以說關口先生，最好小心點才好哪，免得文章的寫法被人仿冒——」

我的臉突然一陣青一陣白，最後轉成滿臉通紅。

我原本就有臉紅症與社交恐懼症。

而且——

若問接受他親切忠告的我為何羞愧得滿臉通紅——乃是因為這名楚木逸己就是我本人，而久保似乎也早看出這點之故。

久保帶著嘲笑斜瞥了完全陷入失語狀態的我一眼，自行結束話題。

「對了總編，那麼稿子的規定張數與截稿日期各是如何？」

小泉代替山崎回答：

「嗯嗯，事實上原本預定請荒川老師於下

個月與下下個月分前後篇各寫一百張稿紙，下個月先不考慮的話……」

「沒問題，這兩個月都由我來撰寫吧。那截稿日是？」

「真的嗎？方便的話——一個星期能完成嗎？或者十天內也——」

「那就九月十日吧。」

看來久保這個人的人格特質總是不想聽完對方的話。

但話說回來，今天開始動筆，僅僅十天就能寫出百張，而且還如此輕鬆地就答應下來，真是了不起，恐怕我一輩子也達不到這種境界。外表看來僅約二十二、三歲而已，不管是才能還是膽識，我這種三流作家實在難以望其項背。

我很沒用地佩服起年輕的對手來了。

「只是不巧，我後天開始要去旅行。不用擔心，旅途中也會寫稿的。」

青年文士聊起這類話題。

而我則越顯得侷促不安。

「那麼，我也差不多該——」

「好好，這次還請您多擔待了，請慢走——至於剛剛商量之事，還請老師多多指教哪。」

山崎臉上堆滿了再也無從增添的笑意——雖說，從剛才以來也一直笑著——反覆點頭致意。

「關口先生！後會有期。」

久保說完，眼睛與嘴角處流露出笑意。

來到走廊時，小泉從編輯室飛奔而出。

「關口老師！剛剛真是抱歉。」

「呃，不。」

「那個人——久保老師本來就是這種性格，請別太在意。」

「唔，我沒放在心上，沒關係的。」

反倒是出版一事更令我心情沉重。

我正準備要告訴小泉我的想法時，一道人影快步衝下樓，忽然看向這裡，喊道：

「老師！」

原來是中禪寺敦子。

敦子像貓一般以輕盈的步伐轉換方向，大踏步似地跳向我們這裡，靈巧地鞠了一躬後，問說：

「發生什麼事了？怎麼連小泉前輩也聚在走廊上。」

「沒什麼啦。這次老師要出單行本，請他來編輯室商量相關事宜而已。」

「哎呀，老師，恭喜您了！這可得好好慶祝一下才行呢。」

「慢著，敦子，這件事還沒正式決定啊。」

「您又來了。哥哥知道這件事嗎？他肯定會很高興吧。」

「京極堂哪可能為我高興，妳當他妹妹這麼多年還不清楚嗎？頂多被他抓去說教而已吧。」

敦子眼裡閃動著惡作劇的眼神，嘿嘿嘿地笑了。

「話說回來，小敦，妳剛剛下樓衝得這麼快又是為何？要去採訪？」

小泉問完，敦子再次嘿嘿嘿地笑了之後，說：

「因為分屍案的腳呀。」

「分屍案……妳是指昨天發現腕部的——？」

這事件我也知道，今早剛在報紙上看過。據說好像是武藏野地方的某山巔上發現了年輕女性的上腕。

「沒錯，聽說這次是兩隻腳浮在相模湖上，當地人發現的。剛接獲報告說今天早上警察已經派出搜索隊。」

「原來如此，只不過——在謹慎的《稀譚

月報》編輯部中算是數一數二**有原則**的中禪寺記者，見到這種駭人聽聞的事件怎麼會急得上氣不接下氣地出馬了？難道說編輯室的方針改變了？」

「不是的——」

我關心的不是分屍案本身——敦子回答。

「妳的意思是？」

「是這樣的——小泉姐，妳還記得五月發生的荒川殺人分屍案嗎？」

「嗯，記得是女教師殺死警察丈夫後，與母親兩人合作將屍體支解的案件——唉，真討厭。不過我應該沒記錯吧？」

「如果那時警察接獲的發現屍體的報告全屬事實，恐怕屍體都能湊出好幾副來了吧。當中的確有很多是謊報或誤會，但如果說全都斥為看走眼的話似乎又過分謹慎。傳聞之類的消息有時會在不知不覺間變成了真實。也就是說，原本實際上不可能存在的手腳，目擊者卻誤以為真的看到。所以說本次的主題我們想分析的就是，流言蜚語、假情報在什麼經緯下流傳，之後又如何變成了虛擬現實。我們打算將這次的事件當作實地考察，所以得趕在這個時期採訪。」

原來如此，編輯部也是很用心嘛。

「所以說我現在得趕去現場。老師，如果發售日決定了請通知我，讓我為您慶祝一下。」

說完，中禪寺敦子又精神抖擻地衝下樓去。結果我還來不及向稀譚舍的人說明想慎重考慮是否該發行單行本之事，就這樣踏上歸途。時值正午，但覺得在外用餐似乎有點浪費，便直接回家。

家裡至少會準備點蕎麥涼麵吧。

一到家發現門口前停了一輛奇怪的車子。光看形狀還以為是最新型的達特桑（註一）跑車，但似乎又有所不同。靠近一看才發現是輛車體撞得到處凹陷的破車。看來是有人登門造訪。

來訪者是鳥口守彥。

「啊，您好，打擾了。啊，雖然我覺得在尊夫人獨守空宅時前來拜訪不妥當，但天氣實在太熱了……我可沒作出什麼壞事喔。」

講起話來老愛裝迷糊搞笑的來訪者——鳥口青年說。

鳥口是在一家名為赤井書房的出版社擔任編輯。

只不過雖同為出版社，赤井書房與稀譚舍的等級卻差很多，是一家極小的出版社。員工包含鳥口只有三名，而唯一的出版刊物《月刊實錄犯罪》雖號稱月刊，頂多也只能兩個月發行一期。

這本雜誌算是所謂糟粕雜誌中的倖存者。

所謂糟粕雜誌指的是乘著戰後的解放浪潮，如雨後春筍般大量創刊的三流雜誌之統稱。名稱乃是由當時流行的劣酒而來。俗話說糟粕劣酒三杯就醉，此名稱暗示這類雜誌頂多出個三期就會廢刊。事實上當局對這類雜誌的管制甚嚴，三期或許誇張了點，但確實大半在極短時間內就面臨廢刊的命運。而且除了取其諧音（註二）以外，印刷在粗製濫造紙張上之淫靡不道德的報導內容，也與喝下劣質燒酒後的爛醉感覺非常相像。

如同其他糟粕雜誌一般，《月刊實錄犯罪》至今不知被檢舉過多少次，休休停停地撐了過來，也可算是一本經過大風大浪的糟粕雜誌。從他們死撐至今仍未廢刊這點看來，或許不同

註一：Datsun，為日產（NISSAN）汽車公司在歐美等地販售時的商標。2002年正式成為歷史。

註二：日文中，三杯（三合）與三期（三號）為同音。

於其他趕流行創刊的糟粕雜誌，也可算是有所堅持吧。

我不是人氣作家，如前所述寫作速度也不快。

光靠寫小說實在難以維持生計，所以偶爾會隱姓埋名在糟粕雜誌上寫點內容胡來的文章來餬餬口，久保竣公看過的大概就是當中的幾篇文章。

不——他看過的肯定是《月刊實錄犯罪》。

我曾在《月刊實錄犯罪》上寫過三次文章。

能在三期就廢刊的糟粕雜誌上寫上三回，已可說是該雜誌的專欄作家。我之所以在這本雜誌刊載這麼多次有其來由。最近糟粕雜誌流行像〈山手（註）大小姐之閨房〉或〈嬌妻的祕密〉這類所謂的性愛報導。雖說只要匿名要寫什麼都百無禁忌，但我實在寫不出這種玩意兒來，因此最近常回絕掉這類工作。至於赤井書房的雜誌則不知該說是有骨氣還是玩不出新把戲，總之就是堅守犯罪路線，從不要求我寫其他內容，因此這裡的工作對我而言很輕鬆。

老實說，我老早就接下第四次的委託工作。只不過後來忙進忙出的，完全忘了這回事，而且原定刊載我文章的那一期也早已發售。所以我擅自認為既然截稿日早就超過，工作自然也就告吹。不過看樣子說不定工作只是順延到下一期，並未失效——那麼，鳥口大概是來催稿的吧。

「鳥口，先不說這些，門口那輛是什麼？那叫什麼車來著？」

「那輛可是搭載了DC—3型四汽缸側瓣式引擎、擁有二十匹馬力的達特桑跑車唷——以上當然是騙人的，只是輛破車啦。我家老闆憑興趣**改裝**的，算是改造車吧。原本好像是什麼——算了我也忘了，總之是輛快報廢的車子啦。」

對方徹底發揮裝迷糊搞笑本色，這就是這名青年的特色。

這時恰好老婆雪繪端了蕎麥涼麵進來。

「鳥口先生可是等了很久了唷，幾乎是你一出門就來了。」

「那你不就等我將近三小時了！」

鳥口**大口大口**吃著蕎麥涼麵，說：

「但我真的沒作壞事喔，對吧夫人。」

我實在無法理解為何吃這麼清爽的食物還想狼吞虎嚥，難道不能吃得更優雅點嗎？

「我當然知道你沒作壞事，我想問的是幹嘛等我那麼久，今日來訪的目的又是什麼？」

「又有新的屍體出現了喔。」

搞了半天還是不知他的真正意圖。

「我知道，剛聽說了。據說這次是相模湖是吧？但分屍案跟我又有何關係了？別看我這樣，我可是很忙的。」

「老師不愧是順風耳，但是您少騙我了，還說什麼很忙呢，看——」

鳥口從皮包中拿出《近代文藝》。

「我去買回來了，雖然還沒看過就是。」

我突然覺得不好意思起來。

「別看我這樣，我和經銷商也是熟得很，在發售前就拿到手了。哎呀呀，這期果然有耶。所以說——既然這期剛刊載老師的作品，就表示下一期不會立刻要您交稿吧。以老師的個性看來，充電期一個月是跑不掉的。既然如此，您就當作是轉換心情，幫我們寫個一篇如何？」

果然是來催稿的。鳥口仍裝作一臉迷糊說道：

註：市區中地勢較高的地段，通常為高級住宅區。與低窪地帶（下町）為對詞。

「——當然不是關口巽，而是楚木逸己的名義。」

實不相瞞，楚木逸己乃是寫《實錄犯罪》時專用的筆名。

所以說——毫無疑問地，久保看過的就是《實錄犯罪》。

如今已被久保識破，不能繼續寫了。

鳥口笑瞇瞇地望著我，這樣一來——我肯定又會半推半就地接下工作吧。剛才的短篇集也是如此，我一向不擅長應付**強勢作風**。不過既然不願意還是明白地說出較好，我皺著眉頭，姑且表示出拒絕的意思。

「就算要我寫，你說我該寫啥，總不能寫分屍案吧？」

「為什麼？」

「因為——你們雜誌的宗旨不就是報導已經完結的案件幕後的真相——像是沒被報導出來的事實，或是犯人行凶前的內心糾葛之類，再不然就是介紹足以顛覆案情的新證言等等，不是嗎？分屍案昨天才被發現，也就是說算進行中的案子，連解決的線索都還沒個底呢，這要我怎麼寫？」

「老師說的是沒錯啦，只不過最近的報紙不也學起糟粕雜誌刊載出一些很聳動的報導了嗎？例如之前荒川分屍殺人事件發生時，朝日新聞連犯人的親口訪談錄都刊載出來了，這樣一來我們根本贏不了嘛。所以我們這次才要在案子進行中開始取材，不趁早挖點內幕不行。好運的話還能搶在警察前面分析出事情真相，這麼一來雜誌肯定會大賣啦。」

「喂喂少妄想了，事情沒那麼簡單吧。而且我也只是逼不得已才來寫犯罪報導，本職可是三流小說家耶。要我僅憑空想寫得天花亂墜還行，要我分析出事情真相就超出能力之外了，你們雜誌不也還有其他高手？」

「這回不靠老師就沒希望啦。我可是很清

楚的喔，前陣子的、那個什麼雜司谷的案子，聽說事情內幕跟新聞報導差了十萬八千里嘛？聽說老師在這事件中大大活躍了一番，還解決了連警察都管不了的難題。所以說老師別想裝迷糊，這件事早就傳開囉。」

為何——為何鳥口會知道？

真相應該只有相關者才知道，不過他所說的也與事實稍有不符。

我在**那個事件**裡只是一股勁的東奔西跑而已，說我妨礙了事件的解決恐怕更正確。不，**那個事件**應該算是自行終止了才對，根本沒有解決。

話說回來他這番話又是從哪裡聽來的？而且這一個月來也有其他兩家糟粕雜誌上門邀稿請我撰寫關於**這件事**的報導。當然我全部回絕，只是覺得不可思議，祕密究竟是從哪裡洩漏出去的？就連鳥口青年也知道近乎真相的傳聞，事情或許如俗話所言——蛇道只有蛇知，因此出乎意料地廣為流傳吧。

不知是否察知我的複雜心境，青年完全不改原色，以親暱的眼神說：

「而且老師您不是跟警察關係很好嗎？」

「你搞錯了。確實我算得上是那事件的關係人士，但不代表我跟警察關係良好，頂多只是有個當警察的熟人而已。」

「警視廳的木場刑警對吧，我知道，而且我也知道老師您也回絕了好幾件關於這事件的工作。不是有句俗話說**舌道只有**什麼來著嘛。」

不知他是真的搞錯還是故意裝迷糊。

「聽說這個木場刑警這次也是坐鎮現場指揮。另外，老師您認識青木這位年輕刑警嗎？」

鳥口說的大概就是上次事件中木場曾介紹認識的青木文藏刑警吧。

「你說那個頭有點大，長得像**小芥子木偶**

（註一）的青年？」

「對，就是小芥子。這個小芥子是木場刑警的伙伴，我接到情報說他今天一大早就出動到相模湖。伙伴都出馬了，另一位沒道理不去吧？所以木場刑警肯定也在現場。但木場刑警的上司大島警部卻還在櫻田門，這就表示木場巡查部長是現場的負責人——總之簡單推理一下就知道。」

「你還真清楚耶，我連木場上司名字都不知道。況且我跟木場自上回的事件以來也差不多半個月沒見面了。鳥口，我看你和警察還比較熟吧？」

看來洩漏資料給他的是警察內部的人。

「不不，我只認識小人物而已，頂多是穿制服的巡警。只不過經常出入警局的扒手流氓等分子我認識的就多了，所以一些有的沒的的消息根本是**完全開放**，但是真是假我就不知道了。」

聽完這番話，總算解開一些我心中的疑問。如果是警察內部的人——例如趕去幫忙處理事件的警官——的話，肯定知道一定程度的真相。更何況對這種業界的人而言，沒下箝口令，只是大家**心知肚明不說**，根本稱不上祕密。糟粕雜誌聞風來向我邀稿一點也不算不可思議，甚至是理所當然的。

自從被傳喚到警局作筆錄以來，跟木場刑警就沒見過面。

想必頑強的他，現在應該正如同往常用高亢聲音充滿活力地指揮著部下吧，一想到此突然覺得該去探望探望他了。

「對了鳥口，關於這件案子你要我寫什麼？我既不是刑警也不是犯人，什麼也不知道，根本沒什麼好寫的啊。」

「喔，幹勁總算來了嗎？這個嘛，昨天掉手，清晨發現腳，整個早上相模湖一帶已經展開大搜索囉，當然警察是在找還沒出土的部分。所以我想今天五臟六腑腰部之類的，還有頭部胸部通通被發現也有可能啊，不趁這時採訪要等何時啊。」

就算**迷糊搞笑**是這青年的特色，但這麼殘酷的內容居然也能講得如此平淡，令人佩服。

「原來是採訪——」

懷疑是否真能轉換心情。

「對，就是採訪。但是啊，我們這種雜誌平常沒幹什麼當局都已經盯得緊了，更別說去事件現場，肯定會被攆出去。這時當然就有請名偵探兼現場主任的好朋友——關口巽大師出面，肯定一路順暢啦。」

「喂，就算我出馬，禁止進入的區域也一樣進不去哩。」

「真進不去時再說，總之**不安好心**也是**關心**。」

這次完全講錯（註二），不過我也懶得訂正他的話。

「你計畫得未免也太周到了吧。也就是說我不用寫東西也無妨，只要跟著你去就好是吧——到時候事情變怎樣我可不管喔。但是鳥口啊，現在也過了中午，到那邊也半夜了吧？搜索早結束了。」

「聽說今天會持續搜查到很晚喔，況且這裡離現場又不遠。」

「不遠嗎？」

「不遠啊，今天我可是開公司用車——達特桑跑車型破爛車來的，飆一下很快，差不多兩小時就到。」

「兩小時嗎……」

註一：日本東北地方常見的傳統木偶。通常的形狀為大大的球狀頭部配上細長的圓柱狀身體，沒有手腳部分。

註二：上句原本應該是講作「魚心あれば水心」，意即「只要秉持善意對方也會以善意回應」，卻被迷糊的鳥口講成「下心あれば親心」。

「怎樣，願不願意一起去啊？回程請您一碗紅豆湯圓當採訪費，如果您還願意寫稿的話就更棒了。等到正式發行的那一天一定支付原本稿費的兩倍，不，三倍——」

「你少吹牛了。這個嘛，雪繪妳認為呢？」

雖然徵求妻子意見好像也沒什麼意義，但總覺得就這樣被這名青年煽動的話自己也太沒用了點。

「你問我我也不知該回答什麼。什麼分屍事件，聽起來噁心死了，我死也不想看這種東西——不過看你倒是還蠻喜歡這類玩意的樣子——反正也讓客人等很久，當作補償，你就走這一趟如何？」

雪繪一臉意興索然的樣子。鳥口一聽許可令下達，立刻起身用充滿精神的語氣說：

「俗話說『吃**紅豆湯圓**不落人後（註）』，出發前往相模湖吧——」

這輛車乘坐起來絕稱不上舒適，地面的凹凸不平直接變成震動傳達到屁股。看了駕駛座上的鳥口，他手中的方向盤也震個不停。

「交通局居然准許這種車上路，要是我肯定連生產者一起送進廢車場。」

「老師，您別這麼說喔，我們公司的妹尾兄對這輛車可是大大稱讚呢。」

這位妹尾其實就是鳥口唯一的上司，《實錄犯罪》的總編輯。

這輛車的改裝者老闆赤井先生只負責經營，從不插手編輯工作。

「那是他在拍老闆**馬屁**、嗚。」

差點咬到舌頭，趕緊閉嘴。

車內溫度熱得嚇人，原以為上路溫度就會降低些，看來是我想太多。打開敞篷應該還蠻舒適的，只是我怕隨便亂搞，這輛車會報廢，結果自動吞回快說出口的提議。才剛風乾的襯衫又開始冒出濕氣來。

「很快對吧，已經到三鷹了。」

鳥口說。

我所認識的搞糟粕雜誌的人性格都很陰沉。

至少上門來邀稿的那幾個看起來都很陰鬱黑暗，像是非常厭惡照到陽光似的。唯獨個性灑脫的鳥口在這些人當中特別不同。不，不只是他，赤井書房的人一個比一個開朗，或許這就是這家出版社的風格也說不定，其開朗的程度由他們日常生活老在接觸的陰慘題材看來實在難以想像。本來要分明暗的話我也算是陰暗性格的那型，不過我天生似乎很容易受到他們這種人的**影響**。

據說鳥口因想當攝影師而進入這行，現在雜誌刊登的照片都是他拍的。或許正是如此，他充滿了活力，搬運重物等難事對他而言算不了什麼。鳥口的體格有如運動選手般健美，除了兩眼之間的間隔有點近以外，算得上相當帥氣的好男兒。大概是正值年輕吧，連續熬夜兩三天也毫不在意，是個天生的糟粕雜誌編輯。

但是，根據上司妹尾先生所言，鳥口有兩個致命缺點。

第一個是睡眠。俗話說只有吃與睡不能囤積，但這句話恐怕不適用於這名青年。他很能熬夜，但一入睡不管發生什麼事都起不來。就算硬挖起來也會立刻回去睡回籠覺。不管是打雷還是空襲警報都喚不醒他，一睡睡上一天兩天聽說是常有的事。

至於另一個缺點——

想到此我後悔了。

「鳥口，你認得路吧？」

註：此句原文是「善哉は急げ」。日文中，紅豆湯圓稱做「善哉」，迷糊鳥口又把另一句俗語「善は急げ」（行善不落人後）講錯了。

「咦？當然認得啊，我有帶地圖。」
「那你拿地圖出來，我幫你帶路。」
鳥口的另一個缺點是老走錯路。他並不是沒方向感，很會認地方，距離感也沒問題，但不知為何就是會走錯路。一旦彎錯一次就一直錯下去，直到無法補救的地步。
「奇怪，又到三鷹了耶。」
看來太遲了。從中野到相模湖，中間根本用不著轉幾次彎，怎可能會經過兩次三鷹？但是本人居然也不訝異，不，恐怕他一點也不覺自己走錯了吧。
「關口老師，講到三鷹我就想起來了，不知老師有沒有聽說過？我想想，記得叫『封穢御筥神』之類的怪名字——。」
「是什麼？新興宗教嗎？」
「不不，與其說是宗教，比較像幫人驅魔的法師之類的。聽說很靈驗，信徒很多，好像就在三鷹的樣子。而且不只東京都內，連別的縣市也有人來膜拜，信徒當中連政治家之類的名人都有喔，真的很流行。」
「喔，還會幫人卜卦？」
「說到這個就有趣。」
原本看著前方的鳥口轉頭看了我一眼，說：
「一般不是都把惡靈鬼怪之類的驅走嗎？他們那邊不一樣，聽說是封進箱子裡。」
「箱子？那種四四方方的箱子？」
「對，就是那種箱子。教祖好像是個作山伏（註）打扮的中年男子，身上背著號稱靈驗無比的箱子，能準確地說中信徒的煩惱，然後作法將煩惱的原因封進背上的箱子裡。」
「哈哈哈，聽起來好假。」
「是啊，還收很多錢呢，檢舉他們豈不痛快？連名人跟政治家都是信徒耶。所以我其實還蠻有興趣的，要不是發生分屍案，現在早去採訪了。」

「話說，什麼時候才會到發生分屍案的相模湖啊？」

「咦咦，怎麼又回到三鷹了，真拿這條路沒辦法。」

這叫鬼擋牆，我看去請御筥神來驅魔還比較快。

結果到相模湖時已是黃昏時刻，早過了五點。不過現場到處圍著繩索，看來搜索仍持續進行中。

現場人數似乎有點少，有看到警察的影子，但總不可能直接上前問話。走上雜草叢生的小路，不久見到停放小艇的小屋。

「啊，那裡人很多，肯定是那裡沒錯。」

鳥口快步超越我。

「喂，慢著，跟你說直接去找警察也不可能讓我們通行的。」

我小跑步追上。

小碼頭附近蹲了個男子，見到我們立刻站起，我們兩個反射性地停下，結果反而更惹他人注意。

「啊，這不是關口兄嗎！好久不見，你怎麼會來這裡！」

原以為會挨罵，沒想到是打招呼。鳥口小聲說句「不愧是老師，面子好大」，高興地笑起來。

男子原來是上次事件中認識的木下刑警。木下招呼在小屋附近踢石頭的男子過來，小芥子人偶——青木刑警跑著來到這邊。

「上次多謝你的幫忙。」

「怎麼了？發生事件了嗎？」

註：山伏為修驗道中的修行者。所謂修驗道乃是一種結合了日本固有的山岳信仰與佛教、道教、神道教、陰陽道而成的日本特有宗教，強調透過種種修行來得道。山伏打扮一般為頭帶多角形的小帽，身穿袈裟，手持錫杖。

這時除了徹底裝傻以外別無選擇。木下回答：

「咦？關口兄沒聽說嗎？分屍案的腳──啊對，晚報才會報導腳的消息。今早在這一帶，啊應該說，在這小屋附近發現分屍案的腳了。」

幸好沒被懷疑的樣子。

「原來發生分屍案啊？」

我打算徹底裝傻。

「老師沒看報紙嗎？昨天早上，在國道二十號線大垂水山巔附近發現年輕女性的右腕，大約是上腕的一半以下部分吧。發現者是當地從事林業的男子，開輕型卡車時發現的。然後今天早上，在這裡──就是這個小碼頭，發現腳部，雙腳都發現了。害我們累死了。我昨天整晚才去幫忙取締紅線（註）強化月份工作，今天一早又發生這事件。」

木下手持長棒向前伸出。

「找不到，只找到垃圾。」

「這裡發現的是腳？怎麼被發現的？」

「發現者是釣客，在湖底──其實也就那裡而已，在海岸線上。」

「喂，木下，湖怎麼會有海岸線。」

青木出言糾正。

「發現者是在那個碼頭的前端看到的，他原本好像是要開小艇出來，結果發現似乎有箱子類的東西沉在水底，還以為是寶箱。真愚蠢，不管它就沒事，卻還拿釣魚竿去捅。」

青木搶走木下的棒子，站在碼頭前端把棒子插進水裡。

「像這樣，捅了幾次後蓋子壞了，於是裡面的東西就──」

「浮上來了？」

記得中禪寺敦子是說腳浮在水面。

「沒浮上來，是釣上來的，聽說用油紙包著。真是嚇死人的寶物，想都沒想過會是腳吧。」

案情已經如此錯綜複雜，可見傳聞有多麼不可靠。

「箱子上纏著重錘？」

「不，箱子以堅固鐵板做成，大約這麼大。」

青木雙手一比，約有二尺八吋（約八十五公分）左右。

「箱子的寬與高都很短，簡直就是四角形的煙囪。腳就恰恰好收在裡面，或者應該說塞在裡面才對。所以當然浮不起來，畢竟箱子是用鐵作的，而且還打造得很堅固，不容易壞。或許是丟進湖裡時蓋子撞到湖底的石頭毀損了鎖，所以才會被簡單撬開——」

之後就發生大騷動了——年輕刑警說。木下接著青木的話：

「於是開始展開大規模搜查，但目前還沒找到其他部分。本來差不多也該結束了，可是這裡的搜查主任個性很執著。」

「搜查主任原來不是木場啊？」

「嗯，畢竟搜查的主要單位是神奈川縣本部嘛，我們只是來幫忙的。縣本部申請了二十名左右的警力來支援，他們最近還在忙其他案子。」

我瞪了鳥口一眼。什麼簡單推理，場所既然在相模湖，當然是由神奈川縣警出動，哪可能輪到木場這種下層警官當現場指揮啊，稍微想想也知道吧。鳥口搔搔頭不好意思地笑了。

「對了，怎不見木場？他性格暴躁，不會跟當地警察吵起來了吧？」

我一提到木場，青木一臉困擾地與木下互

註：紅線，即所謂的「紅燈區（red light district）」。戰後日本於一九四六年發佈公娼廢止令至一九五八年發佈賣春防止法期間，可公然進行賣春的區域。

望，然後無力地苦笑。

「木場前輩不在這兒，他最近實在很奇怪。」

「奇怪？」

「嗯，現在跑去插手管跟他完全無關管轄不同的事件。因為是擅自行動，上頭氣得很呢。這幾天我也沒看到他，今天原本該來的也是他而不是木下，大家都很生氣呢，對吧？」

木下點頭。

「完全無關？是什麼事件？」

「嗯，那也是神奈川縣警管轄的事件──啊，這個就算是關口兄也不能說，上頭下令要保密，就是所謂的搜查機密。」

木下制止原打算繼續說的青木，用下巴指示小艇小屋方向，兩三個穿制服的警官與一個穿開襟襯衫的刑警望著這裡。

「啊，糟糕，那個神奈川的警部補可是凶得很。抱歉，該走了。」

木下輕輕點頭致意後，似乎想避開警部補的視線，從我們來的方向走去。站在碼頭上的青木也一副奇妙表情地說：

「唉，煩死了。我也先走一步──」

說完，快步跟在木下身後。臨行前彷彿想到什麼，又回頭說：

「──啊對了，關口兄，剛剛那個陰陽師的妹妹，當雜誌記者的──臉蛋很可愛的──那個女孩去那邊的民家採訪了，現在或許還在吧。」

中禪寺敦子也來了。

兩人離開後，我跟鳥口除了呆望著倒映在湖面的夕陽外也沒事可幹，只好準備回家。不知今天究竟來這裡幹什麼，當然這附近也沒半家賣紅豆湯圓的店。

正當無事可做準備回車上時，眼熟的嬌小

女性——方才提到的中禪寺敦子朝這兒走來。敦子認出是我後，失聲驚訝地說：

「哎呀！老師怎麼會在這裡？」

「沒什麼，我來吃紅豆湯圓的，對吧鳥口。」

我的話中帶刺，但鳥口似乎絲毫沒有察覺。

青年直盯著敦子瞧，說：

「關口兄，這位小姐是？」

看也不看我一眼，低聲詢問。

「喔，這位是在那本有名的《稀譚月報》裡擔任編輯記者的中禪寺敦子小姐。」

「稀、《稀譚月報》！嗚哇——」

青年從鼻孔噴出大量空氣。我想，那大概是自卑感與尊敬與羨慕交織形成的氣息。站在《實錄犯罪》之流的糟粕雜誌立場，《稀譚月報》與自己之間的差別就好像是天與地，等級全然不同。

加上中禪寺敦子是名女性，又很年輕。縱使實際年齡已超過二十歲，外表仍像個女學生。再加上她的容貌十分美麗，只要稍做打扮肯定會變成個大美人。構成中禪寺敦子的所有要素彷彿都像在命令鳥口的鼻孔噴氣。

我察覺出鳥口的心境，沒安好心地替他介紹。

「敦子，為妳介紹一下。這位青年叫做鳥口，或許妳沒聽說過，他是《月刊實錄犯罪》這本了不起雜誌的編輯，希望妳能跟他好好相處，我平時——很受到他的照顧。」

但是鳥口毫不害臊，以平常的態度說：

「討厭啦，就算我平常很照顧老師，在別人面前公開我身分很不好意思耶。」

哪有不好意思，根本是徹徹底底的厚臉皮，我不知道這青年身上究竟哪個部分含有**害羞**的成分。

敦子看起來有點疲倦，不過還是努力裝出

和藹的笑容，說了句「你好」後恭敬地行禮致意，接著說：

「我拜讀過《實錄犯罪》。追蹤『光』俱樂部的那篇報導很有意思。」

從記得報導內容這點看來，應該不是恭維話而是真的看過。鳥口聞言似乎頗感訝異，但沒過幾秒，立刻又恢復原本懶散的表情，以平常的滑稽聲調說：

「唔嘿，那篇的原稿，是我……」

停頓幾秒後，接著說：

「從袋子裡拿出來的。」

看來打算搞笑到底的樣子。

敦子似乎很疲倦，當我問起採訪的前後經過時，她回答：

「嗯，似乎白跑了一趟。」

湖畔開始暗了下來。現在要搭電車回去多半很辛苦，反正也同方向，便邀她一起搭車，敦子非常高興。看到那輛冒牌達特桑時也連呼好棒。鳥口很得意地說：

「看，連敦子小姐都讚不絕口呢。批評這輛車的只有關口老師而已喔。」

「坐上去就知道，等著瞧吧。」

我這次確實地拿著地圖坐上前座。

「我有個疑問，犯人幹嘛要切割屍體啊？肯定很花時間，找個地方埋起來不是比較快嗎？」

鳥口握著依舊不斷細微震動的方向盤說。

「大概是想埋也沒地方埋，居住地點不方便吧。」

我隨口回答。

「是嗎？——有人會因為這種理由切割屍體嗎？我猜大概是因為怨恨吧。死者多半是犯人殺上千刀也不厭倦的傢伙。」

「不，會殺人者神經基本上都不正常。犯

罪時已失去平日的理性，那時的情感恐怕已超越憎恨變成了瘋狂。對吧，敦子。」

我怕敦子一人孤單坐在後座太無聊，把話題轉到她身上。不過回頭一看，似乎也不盡然，見她似乎很快樂，大概很喜歡兜風吧。

「這個話題我之前也跟哥聊過喔。」

「喔？京極堂怎麼說？」

我想聽聽敦子的哥哥——京極堂的意見。

我這個乖僻的朋友具備大量與日常生活毫無關係的知識，肯定對這類話題有異於常人的扭曲見解。跟平常一樣啊——敦子笑著說。

「不過也說或許有可能是為了阻止死者復活的詛咒儀式行為，不然就是企圖干擾身分調查。」

「咒術的因素暫且不論，我想這麼做也無法干擾身分調查吧？頂多造成一時性的干擾而已。最近科學辦案發達，就算丟了頭也還是瞞不住身分。」

「嗯，哥哥也這麼說。往後的時代大概僅憑身體組織的一部分就能確定個人身分吧。因此他說會分屍的決定性理由應該是不方便處理屍體、太重無法搬運——之類的物理性理由。到這部分為止跟老師的意見相同，只是——」

「怎著？後面還說了什麼？」

敦子湊向前座。

「關於切割屍體時的精神狀態嘛，老師剛剛說那不是正常狀態下做得出的事——對吧？」

「理所當然吧？怎麼可能正常。」

「是，我也是這麼想。」

敦子先同意我的意見，接著說：

「可是，哥認為——切割屍體時的精神狀態恐怕是非常正常的，應該說犯人就是想從殺人時的非日常狀態回到平時的生活——日常世界，才會動手切割屍體的。他認為犯罪者應該是透過切割屍體來使原本異常的精神狀態恢復正常。」

「這怎麼可能？為什麼切割人類屍體的殘酷行為能達到恢復正常精神的效果？相較之下，分屍反而還比殺人更異常不是嗎？過失殺人還有可能，但絕無所謂過失分屍吧。這麼考慮起來當然是分屍時比較異常啊，對吧鳥口。」

鳥口淡淡地回答：

「可是要明確分別出正常與異常很難吧。例如衝動之下一刀捅死人的情形，這該算異常嗎？還是正常啊？」

「那一瞬間算異常吧，你是指一氣之下失去自我的情形對吧？生氣的瞬間是異常，不然不可能會作出殺人這種划不來的事情。如果用得失損益來判斷或社會的倫理規範的話，九成九不可能犯下殺人行為的。」

「嗯，哥哥也這麼說，殺人行為九成九是衝動造成——或者是像疾病般突然發作——」

「不過也有計畫殺人吧？例如為了計謀、怨恨、想要錢、或者守護地位與名譽等等因素。殺人肯定有動機呀，敦子小姐。要描寫犯人心理關口老師最擅長了。」

鳥口如此說完看了我一眼。

「根據哥哥的說法——雖然我不太懂，他是說這類動機其實都是事後為了方便他人附加上去的。為了使犯罪得以成為犯罪，必須要有個社會共識上的動機等理由，算是一種約定俗成的習慣吧。」

「為什麼？沒聽過這麼愚蠢的說法，雖說很有京極堂風格。」

無論如何，當然是先有動機才有犯罪，說什麼動機後來才附加的，開玩笑。

「不，只論動機的話任誰都有，只作計畫的話大家都會，這些要素並不特殊。犯罪者與一般人的分界線在於是否碰上**能將之付諸實行的環境**這點而已——哥哥的意思似乎是如此。」

「他是說不論是誰，如果偶遇能自由殺死對象情況都會下手嗎？根本是歪理嘛。」

「我也不太懂他的意思。只是根據哥哥所言，動機之類的心理因素、環境之類的社會因素，以及是否能實行犯罪的物理因素應該分開來考慮才對，創造出犯罪的不是個人而是社會與法律。」

「啊哈哈，確實沒有法律就沒有所謂犯罪了，就跟沒車就不可能有交通事故一樣。」

鳥口不管任何話題都用相同語氣回答。

我在想，當我和恨之入骨的對象對峙，對方處於無法抵抗的狀態，而我手中又握有足以殺害對方的武器時——

我會殺他嗎？

不，多半不會殺吧，因為事後會被問罪。

但是若假設犯行絕不會被發現呢？或者如果這世界沒有法律，殺人不會被問罪的話——

或許會下手吧。

背脊發涼了起來。這種狀況不可能到來，所以不必費神擔憂。但是除去最後的條件後卻不敢說絕不可能到來，那是有可能的。如果那時，我失去了最後的條件——社會性規制的話——

很有可能動手吧。對犯人而言不管是動機還是計畫性或許都不重要，跨越最後一道防線的扳機，說不定只是一些小事——動搖、誤會、激動這類日常常發生的小事。

「話又說回來。」

鳥口打斷了我危險的思緒。

「不管怎說，切割屍體還是很噁心吧，我還是覺得這不是正常人做得出來的。」

「對啊，敦子。動機問題先放一旁，妳說分屍是想從異常回到正常的行為實在難以理解。我怎麼想都覺得這是殺人事件的當事人被逼入極限狀態下，無法維持正常的精神活動時才會做出的異常行為。」

後照鏡上映照出摩擦著雙手，陷入思考的敦子。

大概正在回想哥哥的話吧。

「大家還記得——荒川事件嗎？記得上個月的《實錄犯罪》也有報導。」

荒川分屍殺人案發生於今年——昭和二十七年五月，一名小學女教師殺害任職巡警的丈夫，與母親合力將屍體分割為頭、腕、腳等部分拋入荒川丟棄，是一件轟動全國的離奇殺人案件。犯人為職業婦女，且還是教育者，帶給社會很大的衝擊。一開始女教師與情夫合作共謀的傳聞臆測煞有其事地廣為流傳，結果發現原來是和母親共同犯下的罪行。

「那案件連犯罪的手法都很奇怪呢。」

鳥口的表情透露出他似乎知道詳情。我不清楚這案件，便向他詢問手法有何獨特之處。

鳥口以不變的迷糊口吻回答。

「首先用了警棒——這可說是丈夫的吃飯工具，在上頭纏上繩子卡在雨窗上，繩子的一頭先固定起來，接著趁丈夫睡著時纏在他脖子上用力拉扯另一頭。」

「這算很奇怪嗎？」

「很奇怪啊。要說有計畫，使用的道具未免太草率，感覺像隨手拿身旁的物品充數；但要說是衝動，行動又太冗長，還意外地周到，所以真的很怪。」

「但這也還好吧？又不是說沒有動機，稱不上衝動殺人吧。」

敦子接著我的話說：

「確實主嫌犯——妻子打從心底厭煩粗暴又花錢不知節制的丈夫，可說自平常就懷有動機。但一直到犯案當晚，收拾飯桌時才突然想要付諸實行。只不過那時還不敢動手，畢竟丈夫是個無賴，職業又是警察，貿然行事下場肯定會遭到反擊。加上身為教育者的她也很清楚殺人是多麼反社會、多麼不為公理所容的行為。只是當晚丈夫睡著之後，**那個突然來臨**了。」

「來臨？妳說殺意嗎？」

「該說──殺意嗎？或許該說是──好時機。」

「好時機？」

也就是指──殺害條件具備的狀況吧。

「現在殺得了，殺了也無妨，殺了就輕鬆了──想到這些，什麼憎恨都已不再是問題了。成為問題的，就只有如何更有效率，不失敗地完成殺人行為而已。因為最麻煩的問題此時已經解決，所以殺人行為的社會性意義也就失去。至於動機──也就是日常的怨恨又如何呢？由於她這時心中所想的是只要殺了丈夫就能一了百了，所以動機也不存在。這時只考慮如何把警棒牢牢固定在窗子上，或是如何綁牢繩索之類的問題而已。也就是說，能稱為異常的就只有**那個來臨的瞬間**，之後的狀態便與平時無異。」

「哈哈，除了對象是人、行動目的是殺害以外，其他不管是把棒子固定在窗子上或纏上繩索、拉扯繩索等行為的確都與平常做的事沒兩樣耶。」

「但我還是覺得這是詭辯，不愧是京極堂的意見。就算犯罪時的精神狀態不算異常好了，之後的分屍行為他又如何解釋？」

「嗯──鳥口先生說的沒錯，這之間要劃上分界線是很困難的──不過硬要分的話，精神最異常的時刻恐怕不是實行中而是行動剛結束的瞬間吧。在**來臨的那個完全退去**之後──也就是，完全殺害之後。」

「是──這樣嗎？殺害完畢的狀態比殺害時更異常？」

「對──當那個來臨的瞬間，姑且算不正

常好了，但犯案中意外地仍能維持正常的判斷。可是在犯行全部結束時——犯人就會領悟到自己處於一種極端非日常的狀態下，身邊躺著屍體，犯下罪行的是自己，大半的人都會精神錯亂。於是犯人便會透過後悔、反省、或自首等行動來矯正這種非日常性。不過還有另一條路，那就是只要讓社會放過自己就好。簡單說，只要不被發現即可，亦即，犯人可以選擇以掩蓋犯罪事實的方式來回到正常。精神最動搖的時期大概就是從殺害完畢到決定掩蓋罪行的這段時間。這段時間有長有短，人人不同；有些人會立刻決定如此，也有人會猶疑不決，而做不到的人多半會遭到逮捕。」

敦子似乎完全想起老哥的話了。

連話語語氣也多少有點京極堂味道。

「這邊我還能理解，但就算如此，分屍行為又有什麼意義？」

同樣地，我也彷彿自己正面對京極堂般提出質疑。

「若以荒川事件的情形為例，聽說提議分屍的是母親。她的理由很簡單，那樣做**較容易搬運也不易被發現**。又大又重的東西分割了就能輕鬆清理——就這麼一句極為日常性判斷的建議將犯人從異常的精神狀態拯救出來，這個理所當然的意見甚至顛覆了犯人心中『殺人為重大的反社會行為』之價值觀。因此接下來重要的只剩下如何有效率地切除肢體而已，其他問題在此時暫時被拋在腦後。聽說母女倆只花了兩個小時就將丈夫像條魚般完全肢解掉。」

「原來如此，這時她們考慮的是這條筋很難切割、被脂肪包住的菜刀要加熱一下才好切等等問題而已。至於丈夫有多可恨之類的問題大概已拋諸腦後。嗯嗯，這一瞬間，她們變成肢解肉類的專家了。」

這些話從鳥口開朗的口中說出來更叫人噁心。

不過剛剛的敦子真像是京極堂附身，所說的話一點也不像是轉述。

「回到剛才的問題。所謂透過分屍來恢復正常——妳剛剛還說聽不太懂妳哥說的話，明明已經懂了嘛。而且多經過一層消化，還比從本人口中說出更容易懂。對吧，鳥口。」

沒有回應。

在我們沉迷於談話中時，天色已變得完全黑暗。開了好一段路，也該到中野了吧。

「嗯嗯，現在我們到哪兒了啊？」

糟了，但太遲了。

破車慢吞吞地減緩速度，晃動著車體在路旁停下。幸好後方與對面皆無來車，但路上也沒街燈，只看見附近有幾條類似阡陌的小路。

「喂！看你很有自信才放心交給你——結果居然連路都不認識就一直開嗎？」

「可是關口老師自己說要當嚮導的，地圖您也拿去了，我想如果走錯您應該會立刻指正才放心開的。」

「啊！」

確實地圖集在我手中。

「姑且不論作家的實力，至少作為一個嚮導老師很無能。」

他竟然無視於自己作為駕駛的無能。

鳥口把車開上路肩，從我手中拿走地圖確認現在的位置。但是就算想確認也無從確認起，不是開玩笑的，這次真的迷路了。

「唉，這裡到底是哪兒啊？是這裡嗎？還是這裡？」

「我不知道，我平常不坐車的。」

「這條路應該是國道十六號線的樣子。也就是說我們在途中、或說在很早以前就走錯路了。」

眼尖的敦子發現標誌。

「也就是說——」

「我們現在應該來到橫濱附近了吧。」

敦子十分冷靜。

「橫濱？」

好一趟漫長的兜風旅程，時間已超過八點。

「橫濱也不算很遠啦。說走錯路其實也只是走錯一條路後便筆直來到這裡。所以只要回頭就能回到原本路上了。」

敦子鼓勵鳥口。原本擔心的駕駛彷彿得到天啟似地，立即打起精神。

「哈哈哈哈，確實如此，只要做一百八十度回轉就好了嘛。關口老師，別用那麼怨恨的眼神瞪我哩。」

鳥口愉快地說完後，便發動車子，但稍微一轉卻開進右方的小徑裡，究竟想去哪兒？

「你幹嘛進這條小路？不是要回去嗎？」

「咦？所以我轉彎了啊？」

「但是現在進到小路了。」

這條小路十分狹窄，兩旁有樹。隨著進到深處，樹與樹的距離變得越來越窄，不久兩旁的樹木像是森林般茂密起來，怎麼走都只有這條小路。

「我說你啊，這條路一直走可是沒辦法回到原路的。鳥口，你走錯路了。」

有點，

不祥的預感。

「似乎是死路。」

三人似乎都察覺到了。但是路幅太窄，也不好一直倒車，決定向前走到能回轉的地方。

討厭的感覺。

前方好像沒路了。

這時突然前方一片亮白，左右方強烈的燈光照射過來，亮得睜不開眼。鳥口突然減速，車體搖搖晃晃地震動著。

我因緊急煞車而向前摔出，跌坐而撞到屁

股。

從光的方向竄出數條人影，正前方也有好幾人。是警官。

示意要我們停車。

鳥口更用力地踩著煞車，而我則再一次撞到屁股。

「那、那是？那是什麼——」

敦子指著前方。在強烈光線下我瞇起眼睛看。然後在警察大隊的背後，看見了難以相信世間竟有此物，且是充滿壓迫感的**固體**。

那是個巨大的箱子。

是一個高度超過三樓、不、四樓建築的，非常巨大的箱子。

建築物上——從大小看來肯定是建築物——絲毫不見任何類似窗子的部分，只有正面入口上方有一條縱向封死的窗型縫隙，其餘部分就全是清一色的黑色水泥固體。四角形、或說正方形，不——該說立方體才對。

巨大的、純黑的立方體，在威嚇性照明的照射下，聳立於夜空中。

不祥之光景。

箱子——建築物前面有塊像是廣場的空地，停著四五輛車子。一輛似乎是卡車，其他多半是警車。

箱子後方有兩根類似煙囪的管子。其中一根比澡堂的煙囪更大。

這究竟是什麼？

不知不覺我們的破車已被警察團團圍住。警察大概有十名左右，真的就是被包圍的狀態。警察探視玻璃後面的駕駛座，叩叩地敲了幾下。不知是要我們開門？還是要我們下車？

鳥口搖下車窗。

「你們是誰？要做什麼？為什麼來這裡？」

對方口吻強硬，像在盤問犯人。

「呃、唔、我們迷路了──」

「迷路了？迷路不可能開到這種小路來吧。太可疑了，總之你們先下車。」

遇上麻煩了。

我這邊的窗子也有另一個警官叩叩地敲著，要我下車。我看了敦子，敦子沉默不語。

只不過，這裡的警備未免也太森嚴了。對了，這棟建築該不會是舊帝國陸軍的祕密基地還什麼的吧？不，不可能。戰爭中尚且不論，現在不可能有這種東西存在，就算有也不可能還繼續在使用。

正當我要打開車門之際，從建築物方向又跑來好幾名男子，其中一個認出打開車門露出半身的我，慌忙跑過來，大喊：

「喂！你怎麼會在這裡！」

是木場。

在意想不到的緊張狀況下，遇上意想不到的熟人，說真的安心了不少。但是木場依舊表情嚴肅，默默地走到我身旁抓住我的胸口，再度問道。

「關口，你怎麼會在這裡？」

俗話說地獄亦有神佛來助，但此時木場看起來更像是地獄裡的惡鬼。

「我、我們只是迷路而已啊。開車的是我朋友，他走錯路才會跑到這兒來。」

「他是誰？」

鳥口正被三個警察包圍，嚇得臉色大變不敢作聲。

「他是雜誌社的編輯，叫鳥口，是我的朋友，不是可疑人物。」

「雜誌社嗎？」

木場發現坐在後座的敦子。

「──哼，連京極小妹也在──太可疑

了。」

「一、一點也不可疑啊。鳥口姑且不論，我跟敦子的身分大爺清楚得很吧。」

木場沉思了一會兒，他背後站了兩個看似刑警的人物。

「木場，你在幹什麼？別忘了你在這裡沒有任何權限，別想擅自亂來，盤問是我們負責的，讓開。」

木場露出更可怕的表情，狠很地瞪了發言的男子一眼。

「喂！關口，你們確實是迷路嗎？不是為了雜誌報導的題材才來這裡四處打探的吧？」

木場彷彿警告似地問。

「什、什麼打探，我、我們才不是。」

「好，我知道了。」

木場冷漠地說完，把我放了開來，轉身向背後的警官說：

「這些人是我的朋友，身分我能保證，事情鬧大只會更麻煩而已，現在先放他們回去。」

「放回去……你在說什麼？你在這裡沒有任何權限你懂嗎？可不可疑由我們判斷，你已經妨礙到我們了，快讓開。」

「我的意思就是，盤查絕對無關的人也只是浪費時間而已。如果在浪費這些時間的時候，發生了什麼事的話又該怎麼辦？沒必要浪費人力來盤問他們。如果這些人跟事件有關的話——到時候我願意負起責任。」

男子們——多半是國家警察神奈川縣本部的刑警吧——的表情像喝了苦茶般苦澀。

「喂！木場，你不過只是個巡察部長而已，就算你不自量力想負全責也負不了，如果出事就來不及了！」

「所以說萬一在這裡浪費時間的期間出事了你又該如何負責？巡察部長不夠格的話，警部總成了吧？到時候就由你來負責吧。」

木場毫不退縮。

刑警們以審視犯人的眼神打量著我們。

我最不擅長面對這種情況，完全沉靜不下來，無法保持泰然自若，所以看起來更加可疑。我盡量讓自己心情平復，視線卻不由自主地飄來飄去。

警官的臉、刑警的臉、夜空、月亮已升起。

四角形的箱子正上方月亮輝映，我的視線由月亮移到建築物上，沿著箱子的細縫緩緩下降，見到建築物入口處有名女性一臉擔心地探視這邊，逆光下看不清臉龐。

突然耳鳴。不，這不是耳鳴，莫非是地鳴？近似在軍方工廠聽過的轟轟作響的動力聲。

「你們打算僵持到什麼時候？我是無妨，但你們時間很寶貴吧！」

失去耐心的木場怒吼。

「好吧，木場，我妥協了，不過至少讓我們登記一下他們的身分資料。」

熬不過頑固的木場，刑警的態度總算軟化。

鳥口拿出駕照，我與敦子也說出姓名地址。木場像個地獄的鬼儸般雄立一旁，他背後有強光照射，臉部一片黑，看起來真的就像金剛力士一樣可怕。在他身後有座常理無法形容的巨大箱子聳立，箱子的入口處佇立著一名女性身影。

天空高掛著月亮。

這一切景象都像是惡夢一般，越來越不真實。

木場走到我旁邊，用難得的低沉嗓音威逼：

「關口，聽好，今晚的事情什麼都別問，乖乖回家，然後在這裡發生的事情，不管所見還是所聞都別說出口。答應我，也叫那個男的跟京極小妹閉嘴。如果你不遵守約定的話，我——我本人絕不饒你。」

木場的聲音，聽起來彷彿由背後的箱子發出。

我們宛如失去思考的力量，只能乖乖遵從箱子的命令。

於是，對我而言，印象非常深刻的八月三十日就這麼結束了。

（前半部略）

然後，開始尋找那個女孩吧。

決定先留宿在站前的木造旅館。安置好行李後立刻上街去。該問誰好沒半點頭緒。總之先進食堂好了。幾乎沒有食慾，只點了一瓶酒與烤魚。

座位與桌子的數量不對稱，令人心煩。一張桌子就該配四張椅子，卻有些三張有些五張。為何人們不在意呢？

向送酒瓶來的中年女性詢問女孩的事，果然不知道。

菜單上的文字寫得很不整齊，歪七扭八的。而字也寫得忽大忽小，留下一堆空白。

心情變得很糟，筷子動也沒動就起身離去。

到鬧區看看好了。

下流的看板跟穿著華麗衣服招呼著客人的男性映入眼簾，令人不快。顏色的挑選毫無規律。不整齊的形狀無統一美感。怎能做得這麼亂七八糟的呢？每一家店都任性地主張著自己的店比別家好、勝過別家。缺乏協調感。不只外觀，連精神也低劣。而看板就是其具體呈現。所以由看板所構成的鬧區，乾脆從這世上消失還比較好。

並不是反對資本主義或自由競爭社會，但發生於商業主義下的這種欠缺品行的現象卻令人很困擾。若不趕緊建造具統一感、整齊畫一的景觀，人們恐怕會變得越來越愚昧吧。

穿著邋遢的街娼發出淫蕩的聲音招呼著。濃厚的化妝花了一角，非常醜惡。見人露出明顯的厭惡感，她又說出「哎呀，小哥，心情不好嗎。」之類多餘的話。吐了口水叫她滾，罵了聲「笨蛋、瘋子。」走掉了。

（中略）

這世上的女人，都跟剛才的娼婦一樣愚蠢嗎？

思考缺乏一致性。心中充滿空隙。空隙裡充滿了鄙俗、可笑、又愚蠢的想法。

所以不管對她們說什麼也無法理解。

女人都一樣。天生是缺陷品。

只聊表面話還好。一旦稍微深入交

往，她們缺乏理性與邏輯的特質便會浮現，關係也會瞬間瓦解。
聽說女人是用子宮思考的。身為男人，不瞭解這種器官會對精神造成什麼影響。若摘掉這器官女人是否就能變得理性又合邏輯吧？
那麼那個箱子的女孩又如何呢？

過去認識的所有女性都討厭那副完美的箱型寢具。明明沒有任何寢具能超越它。
那麼那個箱子的女孩又如何呢？

非得找出來不可。
需要那個女孩。

（以下略）

3

沒錯，原來如此。

楠本賴子逐漸這麼認為。

那天晚上以來，一直覺得**不對勁**的部分總算逐漸變得合理。

自從加菜子**變成那樣**之後，賴子每天過著近乎隱居的生活。

並沒被人監禁或軟禁，只是自己也不想外出，故結果上說來是相同的。隔著一層紙門，客廳裡有噁心的母親二十四小時癱坐著，光是想到母親**在那裡**就會發冷顫，更別說如果想離開自己房間出門的話肯定會與母親碰上。

賴子思考。

如果，加菜子**就這樣**死去的話——

死去？加菜子會死？

無法想像。

加菜子是自己的來世，最後卻落得這麼悽慘的下場。不對，不該是如此。

那不就**等同自殺**了嗎？

自殺？不對，不是這樣的。對了，不見得死了。或許加菜子現在也仍活著，還活著？如果還活著的話——

不行，這樣也**無法圓滿收場**。

賴子的思考陷入矛盾之中。

不幸與幸福、強者與弱者、正與負，這些對立的要素，不是該以今世來世或前世今世的方式達到平衡嗎？今世不幸者來世就該獲得幸福。那麼，現在絕對稱不上幸福的賴子，應該在來世——也就是加菜子的人生中獲得幸福才對。為什麼，

為什麼哭了？

無法理解。

那顆痘子又代表什麼？

那是五衰，五衰來臨了。所以，所以加菜

子非死不可？

所以——

對了。或許加菜子已經捨棄人生，變成天人了吧？

模糊的記憶中，中國傳說裡人死後能轉世成仙人，好像叫做什麼、屍解仙之類的。

衰亡是人之常理，而加菜子討厭這個——所以為了這點小小理由，加菜子打破輪迴的牢籠升天而去了——

這或許是個**好解釋**。

不，不行。這也不行。因為這樣一來，這樣一來，加菜子的來世不就不再是自己——楠本賴子了嗎？

不，不對。不應該如此，

想到好解釋了。

非常好的解釋。

但是，如果加菜子還以人的身分繼續活著的話——還是**無法圓滿收場**。

全都不對，不行，加菜子究竟變得怎樣了？

賴子坐立不安，在無解的思考中反來覆去。

腦中一片混亂，想先確認加菜子的生死，這是最重要的。

確認之後再來思考吧。

手腳扭曲，大量失血，像是壞掉人偶的加菜子。

那之後，加菜子究竟變得怎樣了？好不安。好擔心。好可怕。

那天晚上——

加菜子的美麗姊姊——陽子出現之後不久，賴子的母親也趕到醫院。母親穿著污穢的襯衫與蒙塵的裙子，連凌亂的頭髮也沒整理，而且還穿著骯髒的涼鞋出現。與平時相同沒化妝，顯得非常醜陋，跟同樣慌忙中趕到現場的陽子之差異極為顯著。

母親以醜陋的樣子在走廊上奔跑到賴子面前，晃動著肩膀大口喘氣，以尖銳刺耳的聲音說：

「小賴！妳又幹了什麼好事！」

賴子覺得母親很愚蠢，不想回話。頭也不回地只盯著陽子瞧。陽子似乎有點吃驚。母親停頓了一下後，又喊：

「賴子！」

同時揚起手，大概要賞賴子巴掌。想打就打吧。但那隻揚起的手卻被壯碩的刑警——好像叫木場——的粗壯手臂抓住了。

真愉快。

「妳是這女孩的母親？」

「你又是誰，放、放開我。」

「我是刑警。搞到現在才來，一來就想打人，妳究竟在想什麼？難道不能先聽女兒的說法？總之先把手放下，大庭廣眾的，很難看。」

很難看——刑警也這麼說，果然如賴子所想。

母親的容姿、母親的行為，真的難看到極點了，但包圍母親身旁的下流男子們卻被母親沒品的媚眼所誘惑而毫無所覺。賴子從來沒想過要倚靠男人，不過斥責母親的硬漢刑警似乎有點不同。

——如果有父親的話大概就是這種感覺吧。

賴子彷彿事不關己一般。

「放、放開我。母親要對孩子做什麼外人管不著吧！這孩子，這孩子她——」

「深夜出門連聯絡也聯絡不上的傢伙有資格稱作母親嗎？妳有資格責罵半夜出遊的孩子嗎？」

刑警說。

母親沉默，把手放下。

「我一點也沒興趣插手管別人的家務事，但妳既然是母親，就該先聽孩子說什麼。孩子如果做出壞事，妳就該在責罵孩子之前先反省自己監督不周才對。這孩子的重要朋友就在她面前受重傷，現在她的思緒正處於混亂之中，難道妳連這點小事也不懂嗎？」

母親像是快哭出來似的，真是活該。但是臉一皺，原本醜陋的臉更顯得污穢。想到這麼醜陋的母親暴露在眾人視線之中便覺非常羞恥，如果母親沒來迎接就好了。

賴子想。

在母親很後方的柱子背後，見到了笹川的身影。連這種地方也跟來，多麼討厭的男人啊。

「總之妳女兒是唯一的目擊者，明天警察會上門問話，在那之前別亂跑。順便也告訴我妳的名字吧。」

「楠本君枝。」

母親回答。

賴子羞愧得彷彿臉上要噴火似的。

加菜子的手術還沒結束前，賴子被母親強行帶回家了。雖然加菜子的安危非常令人擔心，但不知為何賴子卻不想抵抗，乖乖跟著母親回去。果然，笹川已先在黑暗的走廊等候，對母親說了幾句之後，以像在憐憫人、既缺乏感性又令人作嘔的視線上下打量著賴子。

三人擠了擠坐上笹川的卡車回家。流出汗的肌膚彼此緊密接觸，那種濕黏黏的觸感與酸味，令賴子不知想**反胃**多少次。

想著加菜子的事。

加菜子究竟怎麼了？

到家的時間約早上五點半左右。

笹川送賴子她們到家後就不發一語地回去了。笹川離開後，母親與賴子之間的距離彷彿又拉大，兩人之間的言語似乎死滅殆盡。

母親沉默地鋪上睡墊。

無法入眠。

第二天中午以前警察來了。

完全不想回想任何事，所以什麼也沒說。

母親一反昨日變得十分低姿態，一直鞠躬哈腰的，令人看了反而一肚子火。母親一邊為賴子什麼也不說的事情道歉，一邊又回過頭來責罵賴子。

說什麼「這孩子不是不良少女，只是自小沒爸爸，真對不起，請原諒她。」

這跟沒爸爸又有什麼關係了！況且沒爸爸不是自己的母親——妳的責任嗎！要道歉更應該向我道歉才對吧——賴子憤恨地想著這些事，但最後還是決定保持沉默。

連開口都嫌麻煩了。

來的不是昨天的那個巡警。認真又愚蠢的警官似乎很頭痛，繼續僵持下去他也很可憐，於是賴子哭了。警官見到賴子哭泣，說：

「啊，想必受到很大的打擊吧，真可憐。」

點點頭，並對母親說：

「太太，妳也別太責怪女兒了。想不出來也是沒辦法。目前上頭似乎也認為應該是自殺，等她想出什麼再來附近警局報告就好。」

母親聞言，又再度低頭道歉。

還抓著賴子，強行要她低頭道歉。

害得賴子忘了詢問加菜子的狀況。

加菜子是否還活著呢？

「媽媽。」

賴子隔了不知幾個月再度呼喚這個名字。

接著以聽不清的小聲說：

「媽媽大笨蛋。」

「媽媽死了算了。」

不知道自己為什麼會說出這種話。

耳尖的母親聽見了，臉上浮現極為悲愴又不可思議的表情。

母親明顯變得奇怪是從那天的翌日開始，她冷靜不下來，彷彿在害怕什麼似地環視房間，一直坐立不安。

賴子原本就對母親想做什麼沒興趣所以並不關心，但有時出門前見到她的雙眼……

那不是母親的眼睛。

混濁不清，卻又帶著一種鮮豔的銳利；眼神渙散，卻又緊盯一處。眼白滿佈血絲，鮮紅的色彩。

「賴子，妳果然是**魍魎**。」

「咦？」

「都是妳害的，害我……」

「什麼啦！」

「滾出去！**魍魎**！」

母親突然撲上來，就像裝著發條人偶的玩具——對，就是嚇人箱——的蓋子打開時一樣突然，她長滿黑斑與皺紋的醜臉在賴子眼裡變得清晰無比。與其說是恐怖，賴子更覺得噁心，反射性地躲開，同時推了母親一把。失去目標還吃了一記反擊的母親，向前趴倒在地。之後就維持這個姿勢一動也不動。

賴子在逃開的時候踩碎了幾顆女兒節人偶跟武士人偶的頭部。

母親一時之間動彈不得。

不久，她開始嗚嗚地啜泣起來。賴子覺得母親有一點點可憐。但同時也對她齷齪又醜陋的樣子更加失望。

搞什麼嘛，這女人。

加菜子——現在究竟怎麼了？

那事件發生後的第三天下午，那男人來了。

帶那男人來的是笹川還是母親，賴子並

不知道，或許是兩人一起找來的。

男人穿著白神袍，頭戴像是山伏的帽子——好像叫作兜巾？最奇怪的是他背在背上的箱子——那似乎叫做笈？

賴子想看清突然造訪者的樣子，躲在紙門的細縫後面，監視著他的一舉一動。

母親始終低著頭不斷行禮。

而笹川也一副和順表情。

男人快步走進客廳，用稅務署員上門查緝似的銳利眼神環視房間。母親每見男人轉動頭部就如同驚弓鳥般怯怯不安。

「請問這房子有什麼問題嗎？」

笹川問。

「不好。」

男人簡短地回答。

母親小聲地發出悲鳴。

「什麼時候開始的？」

「喂，君枝——妳說妳從戰時避難回來之後一直住在這裡嘛？」

笹川代替母親回答，母親點點頭，用小到快聽不見的聲音說：

「有六年——七年了吧。」

「夠久了。」

「果然有嗎——？」

「有。」

「魍、**魍魎**。」

母親彷彿起痙攣般發出短短的叫聲。

而男人則以尋仇似的銳利眼神再度看了一遍房間內的所有東西，朝向母親粗聲大喊：

「屋子房間也是一種箱子！箱子是種容器，不管造得再堅固裡面空蕩蕩也無濟於事，重點在於如何充實內容。人也同此理，不管表面粉飾得如何華美，內容充滿空虛醜惡之物便是無用。聽好！」

男人說出一連串唱戲般的台詞，同時慢慢

逼近母親。母親完全陷入慌亂狀態，神色大變。笹川兩眼骨碌碌地亂轉，不停擦汗，全身沾滿髒污的汗水。

「污穢不管怎麼封印都封印不完，這樣下去不行，繼續留在這裡的話——」

「您的意思是要我們搬家？這太殘酷了，對吧君枝。」

笹川同時詢問男人與母親雙方。

「面相不好，因緣不好，這是因為妳賺的是不義之財。」

母親身體僵直。

「我想，多半是靈魂污濁的——男人的錢。是靠賭博贏來的吧——」

母親抓著一頭未經梳理的亂髮，指尖發顫。

「是——是我第二任丈夫的房子——他是流氓。他賭博跟人家起糾紛——離婚時——留給我這間房子。」

「那男人的本性腐敗至極。原來是發生糾紛才離開的嗎？總之這房子藏著相當不好的因緣。」

「大師看得出來嗎？」

笹川詢問。男人大喝一聲，閉起雙眼。

「他的右邊臉頰上有傷疤，眉毛細長，鼻樑筆挺，前齒缺了兩齒，左手小指應該不是在戰爭中失去的。這房子——是從孤苦無依的老人那裡靠賭博騙來的——他的名字叫萩……，不對，叫直山——」

母親像是快暈倒了。

笹川有點慌忙地接著問：

「不對吧？君枝，妳之前的老公不是叫做萩原什麼的？」

「是的——去登記時才知道，那是假名——是化名，本名叫做——直山利一，剛剛大師說的全部——是事實。」

母親不停發抖，聽不清她的話。

賴子還記得那個男人——直山，也記得曾被他揍過好幾次。是個渾身酒臭，非常討厭的人。但是賴子卻不曉得母親曾與那名男子有過短暫婚姻。

那種人也算父親嗎？

「求、求求您告訴我該怎麼辦！教主大人！」

母親顯得更慌亂了。男人銳利地盯著紙門——賴子的房間看。賴子以為男人見到她了而嚇得跳了起來，不過似乎是沒注意到。

「捨去不淨之財是最好的方法。賣掉這間房子，把錢捐獻出來作為淨財，總有一天便能恢復。」

「這太……」

「做不到的話我也無能為力。」

「教主大人！」

「那麼！」

男人又大喝一聲。

「只有把窩藏家中的魍魎精鬼一一封進深祕的御筥神內，除此之外別無他法。」

「求求您，不管花多少錢，花多少錢我都願意——」

「愚蠢！這不是花錢就能解決的問題！」

男人發出更粗魯的聲音。母親簡直嚇軟了腿，搖搖晃晃，快跌倒之際，笹川扶了她一把。

「君枝，在教主大人面前妳可不能說這些失禮話。教主大人幫人封印妖魔不是為了賺錢。妳這麼說，簡直是說他在斂財——太齷齪了。妳不也早就聽過好幾次教主大人的教誨了嗎？」

「啊啊。」

「聽好——魍魎不會棲息在清澄通透的場所，專門出現在停滯混濁之地。心中有所障壁，就會生出虛無，而邪惡之物就躲在虛無之中。魍魎就是生於心靈**空隙**之中的——」

「心靈的——障壁。」

「心之壁是邪念，是物慾，故魍魎好財氣。所以必須捨盡污穢的財產，打通障壁，讓心靈暢通才行。我只是暫時幫妳們保管污穢的財產並將之洗淨而已。」

男人朝廁所方向走去。

「建築物也是相同道理。通風不良處會生出邪惡之物，會冒出魍魎。」

接著咚咚地敲了廁所的門，大喊：

「鬼門（註）方向有不淨之處！」

轉回來面對母親她們。

「不吉之物流入，坤角上有玄關！邪惡由大街流進這裡，無處可去在此盤旋，是故鬼門生魍魎。」

「呀啊啊。」

母親驚聲尖叫。

「好！」

男子做出誇張的動作踏響地板。

「天神御祖有詔曰：若有痛處者，令此葦之空穗之深祕御筥，曰一二三四五六七八九十，而布瑠，部，由良，由良，而布瑠，部。」

沒聽過的話，是外國話嗎？

賴子心臟緊張得跳個不停。或許是有不知會發生何事的討厭預感，也可能是男人的說話聲太大了的緣故。

男人唱誦外國話，伴隨著奇妙的動作在地板上用力踏了好幾次。

接著打開背上笈的蓋子。

「速請御筥降臨此地，在此擊退魍魎！」

男人順勢在廁所前單膝及地，再次以聽不懂的外國話大聲唱誦咒語。

之後又大喝一聲，蓋上笈的蓋子。

賴子不想繼續看下去，輕輕拉上紙門鑽進被窩裡。

是騙子。那男人肯定是騙子。母親多半被

笹川所騙才會去那個瘋子家裡吧。每週每週，每到星期五晚上都去做這些怪事，究竟能有什麼幫助？母親太笨了才會想倚靠那個騙子。

根本就是大笨蛋。

賴子什麼也不想看，什麼也不想聽，把棉被緊緊蓋著。同時——她也想像得到愚蠢的母親她們接下來會說什麼話題。或許那個瘋狂的男人會打開紙門進來，管他什麼**魍魎**，真希望那個男人快點回去。

心中的空隙會生出**魍魎**？記得剛剛他是這麼說的。母親說加菜子是**魍魎**。那麼那個男人也會把**賴子的加菜子**收進背上的小箱子裡嗎？

不能讓他收走。

反正這些怪人也對付不了加菜子。

但是——

加菜子她。

加菜子她還活著嗎？

不想聽見的聲音傳進耳裡。是母親的聲音。

「我女兒、也請收服我女兒的魍魎。」

「君枝，冷靜一點！」

「我女兒、我女兒也是魍魎！那個女孩——」

「別急，先清靜這個房子要緊。現在這房子的魍魎精鬼已經被御筥神收服封印起來了。改天，等妳改變生活後再來參拜。」

「可、可是。」

她們說什麼？賴子也是**魍魎**？**魍魎**究竟是什麼？

——什麼不會變老，妳說什麼夢話！不會變老的根本不是人，

註：陰陽道思想中鬼出入的方位，也就是艮角（東北方）。

——不是鬼怪就是**魍魎**啊！

魍魎不會變老。若真如母親所言，賴子與加菜子真的是**魍魎**也說不定。

如果那時與加菜子去看湖的話，現在不知會如何？而背箱子的男人待會兒會進房間來嗎？

結果與猜想的不同，沒人進賴子的房間。賴子想著這些事情，不知不覺間睡著了。

翌日，玄關被牢牢封住了。不僅在生活上非常不方便，也讓賴子覺得很丟臉，彷彿一家人漏夜逃跑了似的，也像是遭人查封了一般。

廁所裡也設置了巨大的鏡子與奇怪的箱子。而現在唯一出入口的後門上，明明不是新年卻掛上注連繩（註）。

母親說這樣做就能變得更幸福——根本相反，母親比以前顯得更惶惶不安，比以前更憔悴，其醜陋也達到顛峰。母親幾乎毫不工作，除了準備三餐以外，呆坐著的時間一天比一天多。只要稍微聽見什麼風吹草動，立刻嚇得東張西望。如鬼魅般的可怕人偶頭堆放在房間角落。

看到總是在害怕的母親，賴子的厭惡感也達到最高點。

糟透了。

不管被她責罵還是鼓勵、哭泣還是吼叫都好。不，就算是被打也比現在的情況要好上太多了。母親乾脆死了算了，齷齪又愚蠢不堪，醜陋到極點了。

賴子不想看到這樣的母親，於是也不再出房間。想說出去走走也好，卻想不出有哪裡可去。白天的話外面有夏日發威，而晚上則又被母親嚴厲禁止出門，即使想逃也逃不了。這種近乎軟禁的日子就這樣又過了幾天。

賴子決定去咖啡店坐坐。

想再聽一次那首外國音樂。

想讀文學雜誌。

賴子決定這麼做的時候，恰好是那事件經過半個月，暑假的最後一天——八月三十一日。

進到空無一物的客廳，只見母親一如往常孤單地癱坐在房間正中央。一如往常用充滿血絲的混濁雙眼望著賴子。

「明天就開學了。」

賴子極力以不帶情感的平板語氣說。

「是嘛。」

母親則是以毫不關心的語氣回答，這就是無法溝通的母女對話吧。

「我要買筆記本跟鉛筆，給我錢。」

賴子說。經過一段說短暫又嫌太長的沉默後，母親回答：

「嗯嗯，說的也是，妳等等。」

此外沒說半句話便搖搖晃晃地起身從後門出去了。

什麼嘛，這女人。

約三十分鐘左右，賴子在無人的家裡以方才母親的蹲坐姿勢等候。這時候才發現，這個家原來這麼寬敞。雖不寂寞，但令人感到不安。人偶的視線彷彿針刺般令人痛苦，於是賴子拿起布巾往堆在角落附近似乎已蒙上一層灰的噁心人偶頭蓋上。

也不知是從哪調度來的，母親拿著些許錢回來了。或許是當鋪，也可能是去預支來的，總之這個家裡目前已沒有母親能自由動用的現金。

全都交給那個背著箱子的奇妙男子了。

「賴子，這些拿去——」

註：一種繩索，形狀為粗大麻繩底下每隔一段距離綁著菱形紙片串成的紙串，象徵著聖與邪的分界。常見於神社周圍或神像周邊，新年時掛在玄關驅邪祈福。

賴子從母親手中奪走錢，快步從後門飛奔離去。後方似乎傳來母親抗議的悲傷呼喊，但賴子早就對母親的心情毫不在意。這錢究竟哪來的，一點也不重要。

外面晴空萬里，天氣很熱，久違的陽光很刺眼。加菜子說過，萬物受到陽光照射，會加快死亡的腳步，她說的應該是對的。

來到書局，加菜子常看的雜誌是哪本呢？總之先買了兩本貼上「今日發售」、「好評發售中」宣傳紙條的雜誌。

裝成大人進入咖啡店裡，一如往常點了紅茶。

店內播放的是聽慣了的那首音樂。

賴子邊喝紅茶邊隨意翻閱雜誌。隔了半個月，總算覺得自己又像個人了。只有這種時刻賴子才算得上是個人。管他什麼**魍魎**，已經無所謂了。

啊，多麼令人懷念。

我在前世經常做這些事呢。

還是說，這是來世會做這些事的預感呢？

缺欠的部分一一填滿，多麼充實，多麼滿足啊。

但情緒卻突然反轉。

快樂的背後聚滿了不安與焦躁，以及絕望感。

無法平心靜氣。

這樣下去不行，總之必須先去見加菜子。必須確認她的生死才行。

但是，

不知道。

視線僅是逐著鉛字跑，那首外國音樂傳入耳朵裡。

就只有表面上與往日相同。

那時才總算懂了。

——沒錯，原來如此。

楠本賴子逐漸這麼認為。

那時候加菜子她——

的背部。

使盡全力——

※

「她被人從背後推下去。」

「可以請妳再說一次嗎？」

難以置信，懷疑自己的耳朵是否聽錯。

「加菜子是**被人推下去的**，**被那個男的**。」

「男人？」

「是個男人。使盡全力，很粗魯地。」

「這是真的嗎？」

「咚地一聲推了下去。好過分，真的太過分了。」

「嗯嗯。」

福本巡警感到困惑。

眼前的少女開始哭泣了起來。

若被人誤會是自己惹哭的話十分難堪，所以帶著賴子到行人難以看到的角度，也就是派出所的角落去。姑且不論作證內容，眼前這名少女突然說了一大串話後，卻又因自己的話而傷心地哭泣起來。人生經驗尚淺的福本，面對目前狀況不知該如何處理才好。

「賴子小妹，應該沒叫錯吧？妳剛剛說的全都是真的嗎？什麼時候想起來的？」

「我才、才沒有說謊呢！」

「我沒說妳說謊啊。可是都已經經過半個月了，怎麼會現在才……」

「可是、可是是真的嘛！加菜子真的被男人……」

「是個怎樣的男人？」

「太暗了臉部看不清楚。穿著黑色的衣

服，動作非常迅速。」

「嗯嗯。」

福本捂住自己的嘴。

如果這是事實可不得了。

當上警察才剛滿一年，福本從未遇過像樣的事件。但是如果相信這名少女的證言，這毫無疑問地是一起殺人——未遂事件。

只是被害人現在——

被害人現在似乎又被捲入別的事件。聽說該事件的管轄單位是國警神奈川本部。

那天深夜，或者該說清晨，把她送到那間奇妙的醫院——或者該說研究所——總之是那間怪異的建築物後，福本就完全沒聽說柚木加菜子的狀況了。那名少女究竟又被捲入什麼事件裡——已不再是福本的職權所能干涉。

那天回到派出所時已過了中午。

那之後福本還被上司狠狠地訓了一頓。

記得是本月十六日的事，距今也有半個月了。

一方面不知不覺已過了半個月，同時也驚覺居然只過了半個月。好像昨天才剛發生，又覺得像是很久以前的往事。大概是因為這次經驗太過超乎現實的緣故吧。

十六日是星期六，是福本的休假日。不只熬了一整夜還放棄休假前去幫忙，原以為會被褒獎一番，作夢也沒想到換來的居然是一頓訓斥。只是被罵的話也罷，福本還被前輩揍了兩拳。被揍的理由大概是插足無關的事情或四處亂跑卻又毫無聯絡之類的吧，福本想。所以到現在被揍的真正理由福本還是搞不清楚。而其實搞不清楚狀況正是他被揍的理由，這點福本也還是搞不清楚。

福本回想起來。

那一天——

現在站在眼前的少女被家人拖回去之後。

手術室朦朧不明的指示燈轉暗，被包得像

木乃伊的柚木加菜子從手術室裡出來——

美波絹子與雨宮——他應該就是傳聞中絹子的那個跟班吧——熟悉演藝界消息的福本這麼想——緊抱著加菜子。護士勸阻他。原本在一樓的那個螳螂般的護士不知何時現身了，朝頂上微禿的老醫生跑了過去，小聲地不知討論了些什麼。多半是關於轉院的問題吧，可惜聽不清楚，可能是那時太累的緣故。之後增岡也加入談話之中。福本只聽見一些隻字片語。

「危險——不合常理——人道的——骨輸血——腎臟——脾臟——」

意見似乎還未一致，上面躺著加菜子的擔架車就已發出喀啦喀啦的聲音前進，鼻子口中等處還連著點滴管、輸血管等**隨車贈品**。

木場刑警跟著走。福本想，他真值得欽佩。聽其他人說，木場不過是恰巧碰上事件而已，照理說根本不需為本案負起什麼責任。就算他中途回去，不，甚至打從一開始便回絕幫忙也沒人有立場責備他的。福本想，這就是天生幹警察的料子吧。福本現在只因為美波絹子是事件關係人就興奮得昏頭轉向，而這位粗獷的同行卻紋風不動。或許是沒興趣，也可能是壓根兒不認識美波絹子。所謂的刑警，所謂的警察就該以他為榜樣才對。

想到此，福本也決定跟在木場後面走。

在護士的聯絡下，救護車已在外面等候。全身纏著繃帶的加菜子在護士與救護隊員敏捷的動作下被抬入車中。能與救護車同行的只有一人，而雨宮無論說什麼也都要跟加菜子一起，不肯退讓，絹子似乎感到非常困擾。於是福本便自告奮勇提議願意載絹子到轉院處。他想，身為警官就該如此。

「那麼木場先生——您打算怎麼辦呢？」

「當然也去。都到了這個節骨眼了還要我回去我才不願意，回程順便麻煩你載我到武藏小金井吧。」

聽完這番話，福本對這名不親切、一臉凶惡的刑警更有好感了。

究竟會如此福本自己也不清楚。

增岡向護士詢問轉院處的地址，護士似乎要他向絹子詢問，於是增岡腳步發出喀喀巨響走向絹子，問了同樣的問題。

「每碼版進帶衣學言就所。」

絹子究竟說了什麼福本實在聽不出來。

絹子坐進前座。不知是香水還是脂粉味，淡淡的香味刺激著福本的鼻腔。

木場則是坐鎮在後方的座位上。

「真抱歉，給您添麻煩了，那間——每碼版進帶衣學研究所——位於國道十六號線的附近。」

名稱是什麼還是聽不懂。不過目前事態緊急，總之先發動車子再說。知道位置的似乎也只有絹子，因此由福本的車在前方引導，救護車跟在後方。

後照鏡上，扭曲地映照出默默送行的醫生、護士以及增岡的臉。

「你的工作沒問題吧？」

木場問。

「今天我沒值班。」

「——原來是這樣啊。真是抱歉了。」

「人命關天，我認為這是我的職責所在。」

福本心情變得有點愉快，雖然這對被害人與家屬很失禮，反正不說便沒人知道。雖仍處於緊繃的狀況，福本手中的方向盤轉動卻是十分輕鬆。

穿過野猿街道應該就是十六號線了，接下來，在絹子下達新的指示之前，沿線走直即可。清晨車道很空，由窗口流入的涼風令人心情舒爽。

絹子與福本雙雙沉默著，但福本已經逐漸

習慣這種沉默，畢竟從昨晚以來一直如此。

不知走了多久。

民家逐漸消失，取而代之的是樹林森林等令人感到寂寥的景觀。

「快到了，啊，請右轉彎進那條路——」

絹子以電影裡聽到的聲音說。

那是一條小徑，沒鋪上柏油的小徑。

繼續前進一段時間後視界突然廣闊起來，福本對眼前景象訝異得合不攏嘴。

廣場上停了一台卡車，同時，

眼前有座巨大的箱子。

「就是這裡，這裡就是每碼版近代醫學研究所。」

絹子說。福本略顯狼狽神情，狼狽之下一直隱忍住的睡意終於冒出頭來，不小心放鬆了方向盤，車子打滑了一大圈後緊急停車。

「糟糕。」

匡啷，一聲巨響。

一直注意著箱子，不小心撞上卡車後方的載貨台。

「喂，在搞什麼！」

木場怒吼。

「後面有救護車，車上有患者啊！萬一追撞上來該怎辦！」

「對、對不起，請、請問是否有受傷……」

「我沒事，請您繼續。」

「嗯嗯。」

幸虧救護車沒事，正準備停在箱子入口前。箱子——不，應該說像箱子的建築物入口打開，一個穿著白衣的矮個兒男人走出來，是個體型只比小孩大上一號、眼神凶惡的中年男子。救護車門一打開，救護隊員與雨宮立刻急急忙忙跑出來，狀況肯定很急迫吧。至於雨宮，用滾著出來形容他是再貼切也不過。

絹子也連忙跑過去，而木場則是帶著可怕

表情雄立背後。福本不知該做什麼才好，還差點忘記自己的警察身分，只一直在意著剛剛撞到卡車的事情。

躺放著加菜子的擔架被抬出來，上衣穿著工作服的男子打開建築物的正門好讓傷患進入。大批人像是被箱子吸入般朝入口前進，木場也追過福本跑去。

福本偷偷確認了一下卡車的載貨台。**鎖扣**的部分受損，稍微凹陷進去。伸手一摸，**鎖扣**似乎鬆掉了，而開來的吉普車上也有凹陷。

怎麼辦，開車時心情還頗愉快，現在卻一點也高興不起來。

白衣矮個兒把正門關上。

回過神來只剩自己被留在外面。

天色已經完全轉亮。或許因為周遭都是樹林，四處傳來不知是麻雀還是雲雀——對無法分辨鳥類啼聲的福本而言，什麼鳥都一樣——的嘈雜啼聲。

仔細一瞧——這棟建築物真的很奇特。

正面呈現完全的正方形。從高度看來應該不可能只有一層樓挑高，應該有三層樓、不、四層樓以上。

入口是對開式的兩扇大門，寬度較普通大門稍寬，兩扇加起來約有二點七公尺長。外圈鑲以牢固的金屬框，上半部嵌入毛玻璃。正上方設有約五十公分的遮雨棚。奇特的是雨棚上方有一寬約三十公分，如溝般的細縫一直延伸到頂樓。細縫上鑲嵌著與大門同樣的毛玻璃，應該是嵌死的。

這棟建築讓人看來感到奇特的最主要原因是，至少在正面能見的範圍內，除了這道細縫以外完全沒有任何窗子類的開口。

靠近建築，大門右邊掛著一塊招牌。

「美馬坂近代醫學研究所」

原來如此，絹子所說的是這個啊。

福本走向側邊，側面看起來也近乎正方形。

也就是說，這棟建築是個正立方體。

側面完全沒有窗戶。只有幾個固定間隔設置的抽風扇。

另一邊大概也差不了多少吧。

走到背面。背面有個類似院子的小廣場，同時建築物的正後方則像附屬設施般設置了特大型的焚化爐。焚化爐上有根令人無法相信是以磚塊堆成的超巨大煙囪。當然背面也沒有任何類似窗戶或後門之類的開口，看來這棟建築物只有一個出入口。是個完全的立方體，有如一顆骰子。

剛剛在正面時沒注意到，原來屋頂上還有另一根煙囪。

目前兩根都沒冒煙。

究竟這棟建築是什麼？這顆骰子真的能拯救少女嗎？

福本想說繼續待在這裡也沒意義，便又悵然地回到正面廣場。

來錯地方了。睡眠不足的福本已經累得連裡面正在進行什麼也無法想像。或許該打開門進去看看，但不知為何卻不想這麼做。以金屬和厚重玻璃製成的大門彷彿正抗拒著年輕巡警的進入；同時也覺得，像個愚蠢哨兵般傻傻地看守玄關似乎更合乎自己身為警察的身分。

但不管看守多久也沒人到訪，而箱子之中也沒人出來。

福本擔心卡車壞掉的載貨物。保持沉默是犯罪，應該通知車主才對，但也不知道是誰的卡車。看起來像是軍方轉售民間的設備，相當老舊。若真是如此，搞不好卡榫原本就是壞的？

不，這是不可能的。

福本很確定。

廣場兩邊豎立著原木製成的電線桿，電線

桿沿著小徑設置了一整排，電線由國道延伸過來。遠方的電線描繪出柔軟彎曲的曲線，連接到箱子底部。應該是電話線吧。

電話——該向派出所或管區警署報告現在狀況才對。但是別說是建築物附近，就算出了國道，這一帶也沒有能發揮電話功能的東西。就算福本現在的思考能力已經降到谷底，也還是知道這四周的狀況。但心情上又百般不願去打開那道門。

裡面應該有護士吧？或者——

鳥的啼聲停了下來。隨著啪啦啪啦的振翅聲，森林中的鳥兒一口氣全部飛了起來。

視線朝空中一望，煙囪裡冒出煙來。

突然聽見彷彿地獄的油鍋鍋蓋打開般的巨響。

隆隆隆隆——

這是什麼聲音？

令人非常不愉快。

箱子震動起來了。

箱子

※

「送進箱子裡了。」

「箱子？」

賴子聽見箱子這個詞便想起那個到家裡的怪男人。

真不可靠，這個狗臉巡察像個毛頭小子一樣。

同樣是警察，那個巨漢——好像叫做木場吧，木場更值得信賴上好幾倍。木場不在嗎？如果是那個一臉凶惡的男子，大概就能拯救賴子吧。

照這樣下去，

照這樣下去賴子會，

「加菜子現在被送進箱子裡？巡警先生，

你剛剛是這麼說的吧？」

「啊？呃，嗯，是這樣沒錯。」

「加菜子還活著嗎？」

「妳真的不知道嗎？家人沒跟妳說過嗎？」

這個警察果然是狗，夠愚鈍。輕蔑他算了，賴子心想。

「嗯，我想應該還活著吧，沒聽到手術失敗的消息，況且如果已經死了，也就不會有綁架——」

「綁架？」

「啊，關於這個……」

總之似乎還活著。

太悲慘了，照這樣下去，**賴子的未來**就會變得一團糟了，沒有來世還比較好呢。

「我想見她，我想見她！請帶我去見加菜子吧！」

「咦？可是，這個——」

「加菜子是被人推下去的，被黑衣男子推下去！我知道真相，今天以前卻一直想不起來。真的，這是真的！如果加菜子還活著，我一定要見她一面，求求你。對了，那個刑警先生。」

如果是木場應該會幫忙吧。

就算加菜子還活著，肯定也已經不在三鷹那家醫院了。可是對連加菜子家的地點也不知道的賴子而言，如今只能靠警察幫忙。這隻狗沒用的話，只有靠木場了。箱子？他說送進箱子是怎麼一回事？

聽賴子提到木場，福本皺著眉頭思考了一下。接著又問了一次賴子，所說之事是否真實之後打起電話來。賴子覺得不該聽對話內容，便盡量分心去思考別的事情。

於是那首外國音樂有如耳鳴般在鼓膜內側響了起來，賴子眼中的福本的嘴巴像是機器般不停地一張一闔。

機器狗放下話筒，暫時看著天花板，突然

又好像發作似地立刻拿起話筒。於是支配了賴子鼓膜的那首音樂的不定型意象逐漸消退，狗的吠聲再度恢復成人話。

「但是，就算您這麼說。是的，所以說這時屬下該怎麼辦——不，不是的。可是既然有可能是殺人事件，啊不，是殺人未遂事件的嫌疑，是的，殺人未遂。如果她的證言屬實的話——嗯嗯，所以說，嗯嗯。」

「所以說屬下究竟該如何處理才好！」

「真是——這些傢伙——照這樣看來如果直接跟神奈川本部聯絡，肯定會被懲戒免職吧。」

福本說完放回受話筒，似乎被掛電話了。

福本用瞳孔又黑又大的小眼睛凝視賴子。

此時自己在對方眼裡究竟是什麼模樣，賴子多半知道。

就算不那麼悲傷，就算不那麼難過，也能讓別人相信自己是十二萬分地悲傷、難過。只要流點眼淚大部分的人都會相信自己。

這招數只對同年代的同學沒用而已。

是否也能瞞騙過那對狗眼呢？

果然——福本一副為賴子擔心的樣子。

「小妹，聽我說。柚木加菜子還活著，只是現在有壞傢伙想傷害加菜子，警方正出動大批警力嚴密保護她，所以他們似乎**沒多餘心思**來管這件事。不過妳所說的那個黑衣男子，如果真的是推加菜子下去的犯人，我相信肯定跟目前的事件有關。只是不管是警署還是本廳都沒辦法幫妳，畢竟轄區不同，沒辦法讓妳去見她。只是能肯定的是加菜子還活著。但由於事故是發生在我們的轄區內，由小金井署的刑警負責搜查。所以說，賴子小妹——應該沒錯嘛？剛剛說的妳懂了？」

「見不到加菜子嗎？為什麼不能見她呢？什麼轄區的我不知道，可是、可是。」

哭給他看試試。

「好了好了，聽我說，賴、賴子小妹。嗯，該怎麼辦呢……」

太有效了，福本明顯露出很困擾的神情。

「木場——先生的話——那個人會怎麼做呢？」

福本說完，又看了一下賴子，似乎在徵求她的意見。年紀老大不小的警察居然還向哭泣的十四歲小女孩徵求意見，賴子覺得很可笑。

福本像是關在動物園裡的熊一般，在狹窄的派出所裡不安分地來回走動。不久，另一個警察騎腳踏車回來，是到過賴子家的那名警察。

福本看到同僚立刻抓住他不知商量些什麼，另一個警察非常驚訝地看了看賴子與福本的臉，

他說：

「可是你、這麼做的話，」

「肯定會被罵咧。不，我說福本啊，這次搞不好會被免職咧，你自己也很清楚吧。」

「但總不能放著不管吧。你看她哭得好可憐，一心掛念朋友。這是殺人事件啊。」

「就算如此，交給我們署的刑警調查不就得了？」

「我覺得兩者一定有關聯，這是很重要的情報。可是神奈川跟我們之間又有奇妙的地盤意識，等到能好好跟對方說明都不知道是何時了！所以——」

「想幹就幹吧，我不管了。我會裝作沒聽過。」

警察說著，拿起警棒敲敲自己的肩膀。

福本幹勁十足地轉過頭來，說：

「我帶妳去見她吧，賴子小妹。」

「我會帶妳去見加菜子的。加菜子小妹現在跟木場刑警在一起——應該還記得吧？就是妳剛剛說的那個刑警先生，那個人現在應該在加菜子身邊。木場先生一定能瞭解我們——」

那個人現在跟加菜子在一起？

「我沒錯，這麼做是對的。」

福本帶著愉悅的表情，彷彿自我催眠般地說。

木場刑警真的跟加菜子在一起？

那個人正在保護加菜子？

「我相信木場先生。」

福本好像正說著什麼。

但他的話語已經幾乎無法傳達到賴子耳裡。

木場刑警——

木場——

「木場先生一定能瞭解我們的。」

※

「木場！木場修太郎！」

——又在叫了。

木場厭煩地抬起臉。

這次又是什麼事了？本廳來傳喚了？如果是的話——

可能就是最後通牒了。

木場忽視上頭命令單獨行動已快一個星期，自己感覺到，這幾天來的任性妄為已即將進入尾聲。取締紅線或保護要人並非自己的工作，自己既非公安也非防範課，殺人案件才是自己的專門範疇——之前老是用這些話來說服自己，但聽說最近發生了殺人分屍案，這麼一來這些藉口就再也說不通了。只不過分屍案發生地點是神奈川，自然是神奈川縣本部的負責區域，輪不到隸屬於東京警視廳的自己出馬。

啊，這豈不是自我矛盾？

現在木場所在的位置是神奈川縣而非東京都，目前所進行的工作才真該是神奈川縣本部的工作，而且針對綁架預告進行的警備工作——

——更是輪不到木場出馬。

——青木肯定很生氣吧。

實際上生氣的應該是上司的大島，性格溫厚的青木也不可能真的發脾氣。這些事情是早就知道的了，但木場此時先想到的還是青木。

而木場也開始考慮辭去警察工作後自己該何去何從。自己能做什麼？自己不適合在組織裡工作？所謂的組織又是什麼？

有巡警，有巡查部長，還有警部補、警部、警視、警視正、警視長……，階級簡直像軍隊一樣明瞭，卻又讓人覺得無法釋懷，覺得不合情理。

難道這就是所謂的民主主義？木場會這麼想是因為他覺得在佔領時期結束後，組織的規模好像一口氣**膨脹鬆垮**了起來。

如果這是軍隊的話——

忽視命令任意行動的木場肯定會被關禁閉吧。不，忽視本部的命令，最慘的下場恐怕連命都不保。

但是現在卻容許木場大大方方地任意行動，而且目前還未有嚴重的懲處下來。雖說不久應該就會有所處分，但頂多也只是懲戒免職，不會有更重的懲罰，送命之類的更是絕對不可能。如果受到的只是減薪或訓誡等**不像樣**的懲罰，木場就打算乾脆辭職。

不過就算辭掉警察的工作，木場也不知該找什麼職業。

總之既然會處罰，木場希望乾脆快點，警察機構真是個鬆垮的組織，這種組織不存在還比較好哪。

說歸說，木場其實也不怎麼瞭解警察機構的細節。警察機構的組職系統極為複雜且不斷變化。木場剛當上警官不久就頒布了新的警察法，去年又經過一番修訂，制度每變更一次組織也隨之變化。去年修訂後除一部分地區外，各地方自治團體的所屬警察變成受到國家警察的管轄，組織上經過一番大規模的整合。但是聽說隨著和約（註）成立，不久警察法還會再有一番波動。

木場不認為這是無意義的行為，但不斷變更的法令實在令人無所適從。何必在誰都搞不清楚的部分上面浪費那麼多工夫？況且現在名稱上是國家地方警察某某縣本部之類，表面上似乎很了不起，骨子裡還不就是市警、鎮警、村警的集合體。就算名稱改變、上層的管轄改變，組成分子沒變就沒有用。組織裡依舊充滿著地盤意識，彼此之間毫無休戚與共之感。想到這些，木場不由得憂鬱了起來。

既然那麼在意彼此的地盤，就該更確實地規定出內部的職權劃分才對。連一個造反者都無法公正懲處，僅在意著面子問題，能粉飾太平就粉飾太平。

想到此，木場突然注意到一點。

——啊，這豈不是和自己一樣？

內容空空如也，只有外在很牢靠，就好像空的糖果盒。

不由得覺得可笑。

「木場！既然在就早點回應。我跟你不同，可是忙得很。」

國家地方警察神奈川縣本部的某某警部站在焚化爐旁，額頭上冒著青筋。木場很清楚他嘴裡說很忙，其實也只是一整天在那一帶晃來晃去而已。所謂的警備就是這樣。

「反正我是個不速之客，所以故意躲起來不去礙到你們的眼。」

木場一臉不情願地站了起來。

警部則像是見到髒東西般厭惡地說：

「你究竟為什麼天天往這跑？為了來這睡午覺？東京警視廳可真是個輕鬆的職場。可惜我們的管區沒那麼閒，我現在恨不得有好幾副身體可以用。」

「那為何不把這麼輕鬆的工作交給部下負

責，自己趕緊去辦要緊事？聽說最近不是發生分屍案了，那邊還比較缺人手吧？」

「殺人案件不是我負責範圍。那才是你的專門吧？才剛聽上頭抱怨說向本廳申請支援，結果來的幾個都中看不中用。像這種殘酷的殺人案件才應該是你這種硬派刑警負責的吧？」

「哈！說東說西，結果還不是眷戀這個輕鬆工作？就算你有好幾副身體，我看也全專挑輕鬆的做吧！不過這樣也好，像你這種**軟腳蝦**跑去殺人現場——只會添麻煩而已。」

警部氣得額上青筋都快要爆開似地惡狠狠瞪著木場。他身材瘦不拉嘰的，怎看都像是個坐辦公桌的官僚，與木場並列一起時難以相信這兩人皆是警官，到了殺人現場多半會貧血暈倒吧。想像著那種狀況，木場不禁微笑起來。

「哼、哼！木場，這些放肆的話想講就趁現在，反正我已經向東京警視廳作嚴重抗議，處分很快就會下來了。」

「那是當然的，我忽視上級命令，不遵守命令便是違反警察官服務規程。東京警視廳要對我下達什麼處分，我都坦然接受。但是我不認為我有添到你們的麻煩，我不是只靜靜地待在這裡而已？沒道理被你們抗議吧？」

「有你在這就會造成管轄混亂！總之不管出什麼狀況都是你害的啦！」

警部歇斯底里地以尖銳的嗓音吼叫。

出狀況時，為什麼就該把責任轉嫁給什麼也沒作的人？

木場無法理解。

「管轄混亂不是因為有我在這，而是你的統率能力太差的緣故吧。這麼多警官在這兒，

註：即舊金山和約。一九五一年九月日本與二次大戰戰勝國於舊金山簽訂的和約。於翌年的四月二十八日正式成立，隨著和約成立，聯合國最高司令官總司令部（GHQ）在日本的佔領也正式結束。

卻只能一整天呆呆地站著，就算是傻子也會厭煩吧。況且你說萬一出什麼狀況，像現在這樣才真的什麼狀況也出不來。這麼誇張的警備狀態，原本會發生的事件也發生不了了。我看神奈川本部才真的閒得不得了了吧？為了保護一個小女孩，而且還是全身包滿石膏繃帶動彈不得的傷患，居然出動一整個中隊。在這種隨便丟顆石頭都會砸到員警的狀況下，還論什麼統率，別笑死人了！」

這裡的員警人數確實毫不尋常。當初木場以為只會派兩三個警官輪流看守，想說或許人手不夠，有點擔心才來這裡的。結果沒想到人數一天比一天多，現在已有三十個警官配置在建築物的裡裡外外，自然也就沒有木場幫忙的餘地。只是連續來個三天後也不好打退堂鼓，不知不覺間也快一個星期了。

見到木場依然故我的不遜態度，神經質的警部終於發飆。

「木、木場，你一而再、再而三地說這些失禮的話是什麼意思。警備沒有所謂的萬全準備！跟殺人事件不同，我們要保護的是活人，若有個什麼萬一就來不及了。要防範犯罪於未然，比解決已經發生的犯罪得更細心才行！跟你這種見一個抓一個的野蠻殺人課刑警的工作是不一樣的！」

警部的話裡已見不到理性，完全是衝動性發言。看到對方越興奮，木場就變得越冷靜。而這種時候，木場總是會不小心說出一兩句多餘的話。

「那我問你，就算對象是個**普通的**小女孩也會警備到這種地步？」

「普通的——你什麼意思！」

「我想問的就是，如果柚木加菜子只是個普通的窮人家的女兒的話，你也會這麼嚴密地保護？」

警部一時為之語塞。

沒錯，因為柚木加菜子並非一般**普通的**女孩子。所以若是像預告信般加菜子真的被綁架的話——這對警方而言自然是大大的失態。神奈川，不，恐怕全日本警察的臉都丟大了。

得知此事實是在綁架預告信送達的第二天。消息是怎麼傳進上頭耳中的木場並不清楚，但明顯地上級肯定承受到很大的壓力，警備增加的原因當然也是基於此吧，木場想。

據說加菜子是擁有日本幾分之一財富的財經界龍頭之直系子孫。說「據說」是因為木場畢竟只是個局外人，縣警們並沒有正式向他告知詳情。所以木場連那個大人物的名字是什麼也不清楚。但得到此消息後，木場總算有點瞭解那天晚上的對話意義。那個叫做增岡的討人厭傢伙大概是律師之輩吧。也就是說，那天晚上他與加菜子的監護人陽子她們在討論的應該就是財產的分配問題。

——我的立場重視的是對現實的正確瞭解，而非帶著期待的預測。

——侮辱我就等於侮辱我的委託人。

——只要加菜子先死亡的話這件事就不算數了。

先死亡？先死亡究竟是什麼意思？

總之既然需要議論，就表示加菜子雖是直系，在立場上也沒有正當繼承權。或許是小妾的女兒，不然就是因其他理由在戶籍上沒被登錄成嫡子。既然如此，對其他主張自己有正當繼承權的人而言肯定很礙眼吧。但奇妙的是姊姊陽子好像沒有繼承權。陽子與加菜子很相像，血緣上有關係是毫無疑問的，或許是異父姊妹也說不定。

——你不就——很高興？

沒錯，加菜子死亡的話，肯定會有人高興。

如果陽子的話屬實——那個人肯定是增岡

的雇主吧。

那麼加菜子綁架計畫的首謀者應該就是這派人馬當中的一員了。

但如果這些都是事實，反而會產生矛盾。這麼誇張且愚蠢的警備態勢依木場的推論應是那個大人物的要求，不知是對公安、總監還是本部長，總之是直接對上層要求，所以眼前才會有這麼森嚴的警備。

但如果增岡的雇主是那位大人物的話，事情豈不很矛盾？綁架的首謀者卻要求加強警備，太不可思議了。

木場這幾天的推理老是想到這裡便陷入瓶頸。

木場本來就與財產繼承之類的事情無緣，所以其實也不清楚實際情形如何，只知跟大筆金錢扯上關係的話三教九流什麼的都會一個個冒出來，而財經界還不就是魑魅魍魎的巢穴，這些人各懷鬼胎，會做出什麼木場料想不到的事情也沒啥好驚訝的。

木場暫時沉默地思考著這些問題。

而這段時間，警部則不斷微微顫抖地忍耐著憤怒，等待木場的回應。最後終於無法忍受，誇張地揮舞右手大喊：

「喂，木場！你到底有沒聽到我說的話啊！」

木場聞言，不由得對眼前這名男子沒用的樣子憐憫了起來。

警部似乎敏感地感受到他視線裡的憐憫之情，連忙裝起威嚴來。

「總、總之，木場，有客人上門來找你了。算是我求你，去把他們趕回去吧。當然，你也一起離開是最好不過了！」

「客人？」

是誰？由警部剛剛的話語推論，可以肯定不是東京警視廳的人。但——除此之外應該沒人知道木場在這才對，不——

木場想起昨晚的騷動。

——關口知道。

再三要求他閉嘴，沒想到他還是說出去了。

警部像個忍受被人欺負的幼兒般緊抓著褲子的口袋，再度以歇斯底里的尖銳聲音說：

「對，什麼緣故我不知道，總之他們指名要你出面。他自稱是小金井派出所的巡警，還帶個女孩子。總之對我們已經造成困擾，有時間毀謗我還不如快去見他們吧！」

木場一出來，便見到站在電線桿旁的福本。

「木場刑警！是、是我，福本。」

依舊是一副呆模呆樣的狗臉。木場隱隱約約地想起了半個月前的事情。

「怎麼了？不用值班嗎？還是說你今天也沒班？」

「不，我今天是為了公務而來。」

「公務？」

「呃，或許不該說是公務，對。賴子小妹，妳解釋一下。」

原來身旁的女孩是楠本賴子，躲在電線桿後面看不清楚。

木場因見到意想不到的訪客而大大動搖。不知為何，見到賴子秀麗容貌的瞬間，心臟便劇烈地跳動個不停。

「究竟怎麼了！發生什麼事了嗎？」

在賴子開口前福本大聲地搶先回答。

「她想起那天晚上的事情了，這是殺人未遂事件！」

「你說什麼！」

「加菜子是被推下去的，被一個黑衣男子。」

賴子說完注視著木場的眼睛。

木場把頭側向邊去。

「話說回來，這麼森嚴的警備是——為了保護加菜子小妹嗎？好厲害啊，簡直像在保護大人物一樣啊。」

福本像個來觀光的遊客般不住地左顧右盼，說起話來還是老樣子，不經大腦。木場想，這就是這個人最糟糕的地方了吧。接著視線回到賴子身上，與她一直注視著木場的視線一相交，木場的視線彷彿被彈開似地又立刻跳往別處。

「加菜子呢？現在加菜子怎麼了？加菜子還活著嗎？」

賴子不客氣地質問木場，木場則是如那天晚上般有點支吾其詞。

「應該還活著吧，我想。」

「應該？」

這次換福本詢問。

「我這半個月來也只看過兩三次那女孩的尊容，一直都是謝絕面會中。」

「她、她現在能說話嗎？」

「誰知道？沒聽過她開口，只不過——似乎是還有意識。」

木場原本想說「況且我自己在立場上也沒辦法大大方方地跟她見面」，想想還是作罷。

不知賴子是感到安心還是反覺不安，露出難以言喻的表情。

「總之——把詳情說來聽聽吧。」

木場邀請兩人進入箱子裡。

箱子——美馬坂近代醫學研究所——的大門比外表看起來還更堅固沉重得多，多半是特別訂作的。材質不是用鋁而是以鋼鐵製成，玻璃當中也嵌入密密麻麻的鋼絲，又厚又重，就算有汽車撞上這道門大概也不會壞吧，簡直是戰車的裝甲。

不，不只是大門，整棟建築都堅固無比。

這已超出防範或警戒的範圍，擺出一副不容外人入侵的態勢。這裡與其說是研究所更像堅固的要塞。沒錯，形狀上看來根本是一座碉堡，一座防禦陣地。在這麼和平散漫的時代裡，這箱子究竟想阻隔什麼？保護什麼？

剛進來時，木場的心中便如此質疑。但隨著那道沉重大門關上的瞬間，木場似乎想通了一些事情。

想通了什麼木場自己也不明瞭——或許是睡眠不足與持續忙碌的疲勞造成的幻想——但想通了之後，木場好像又找回了安定感與活力。

木場試著思考，最後想出的原因是，箱子已被填滿。名為木場修太郎的空洞箱子如今已經被填滿了。

而填滿這股空虛的，大概就是柚木陽子。

木場想，自己就像一個箱子，那麼不就與這棟奇妙且堅固的建築物相同，是為了保護某物而存在嗎？不知不覺間，內部的空虛中已有了陽子的存在。當箱子不再空虛時，便產生了存在理由。換句話說，木場現在已成了保護陽子不受外敵侵害的箱子。

至於敵人到底是什麼，目前尚不明確。但能從這個未知敵人的手中保護陽子的人，恐怕就只有自己。那正是自己來到此處的真正理由——木場產生了這種錯覺。

對於已經搞不清楚何為正義何為邪惡，誰是敵人誰是同伴的木場而言，這樣的錯覺卻能讓他獲得救贖。既然要在法律倫理之中劃分善惡敵我界線很困難，而不劃分卻會讓人痛苦不已的話，那條線就只好由自己來決定。

凡是不利於陽子的便是敵人，也就是邪惡——木場想通了的大概就是這個道理。縱使目前敵人的真面目還不明朗，但對木場而言，只要敵人確實存在便已足夠。因此他才會再度感受到久違的安定感與活力吧。

只是，木場自己並未察覺到這種感受正是一般所謂的戀愛情感。

要塞只有在打開大門的那一瞬才容許外界入侵，當關上的瞬間來臨，完全獨立的小宇宙又於焉形成。空間中湛滿了深沉安靜的重低音與蒼白的人工光線，空氣沉澱，充滿緊張，不斷震動著。在不容許一絲自然光線入侵的這個空間裡，一切存在物均受到螢光燈的洗禮，有如電影影片中的景物般失去現實性。要塞內部——箱子當中是個確實阻隔了外在世界的次世界。

木場感覺到，就連自己發出的聲音也彷彿電訊般經過分解重組，變成了有如喇叭的聲音——是的，就像電話裡的聲音。當然，木場知道這是因為長期待在這裡，腦袋在受到不斷傳來的那股低沉機械音的影響下呆滯了的緣故。

內部的情況毫不輸給外在，呈現同等的異常狀態。

打開大門見到的是一條與大門約略等寬的筆直走廊。不管是地板、牆壁還是天花板皆以水泥造成，毫無裝飾性，就像是隧道一樣。

天花板上嵌入縱一列的螢光燈，左右牆壁上設置了似乎同樣是鐵製的門，左三道，右兩道。門上連一道窗戶也無，彷彿彈藥庫的大門一樣粗糙而牢固。

走廊盡頭處也有一道鐵門。那並非通往外界用的出口，而是巨大電梯的入口。當時躺在擔架車上的加菜子便是一直線被吸入那座電梯之中。

木場心想，一樓應該是動力室之類的設施吧，這星期以來見到好幾次類似燃料的東西搬進裡頭。收容加菜子後持續聽到的這股機械聲肯定是由一樓房間，不然就是由底下——雖不確定是否有地下室——傳來的。而這股低迴沉重的聲音，毫無疑問地與戰時被送往戰地時，在運輸船上動力室傳出的那股聲音屬同一類。放置於房間裡的，肯定是發電機之類的機器。

走廊在電梯門口處往右拐彎。

位於拐彎盡頭的是個透天直達三樓的空間，這裡設置了一座鐵製的螺旋階梯。

那一天，由於來不及搭上電梯，木場與陽子便是由此上去。

木場帶領帶著充滿好奇四處打量的福本，以及眼裡閃爍著不安與害怕神色，一動也不動的賴子——如同那天一般——走上階梯。

二樓與一樓的房間配置完全相同。

與一樓不同的部分只有靠近階梯側的兩扇門為木製，以及出入口側——建築物的正面——的牆壁上，有一道縱一直線的細長窗戶這兩點而已。

木場打開階梯附近的木門。

裡頭另有一條走廊。

走廊上有四道門，都是很普通的木門。走廊左邊牆壁正中央有一道，右手邊等間隔有兩道，走廊盡頭還有一道。盡頭的房間是廁所兼小浴室。令人訝異的是，這麼大的建築物卻只有這裡有廁所，因此警備的員警增加之後總是擠得水洩不通，畢竟警力人數有三十人以上。

神奈川本部最後還是決定設置起臨時廁所。木場每次見到都會失聲笑了起來，搞不清楚他們究竟是為了防範犯罪而待在這裡，還是為了待在這裡而待在這裡。況且，警力配置多到必須設置臨時廁所的地方真的還會發生犯罪嗎？不過反過來想，或許廁所的設置也代表著這裡具有足以遏止犯罪的能力。

但總覺得很滑稽，可笑至極，因為這樣根本是本末倒置。

滑稽的不只臨時廁所，這棟建築物隔間的滑稽程度更超乎其上。

不論警察在不在此，這個箱子的隔間配置都完全超越了常理範圍。例如正中央的走廊與這道走廊的交界處，一般而言是不需要設置門的。

木場一開始也覺得很奇怪，如今早已習慣。

右手邊的兩個房間供給住進這裡的兩名所員生活起居使用。當然，木場從未進去過。前面的是一個叫做須崎的矮個兒男子的房間。這名男子老見他穿著白衣，所以應該是醫生或研究員吧。內側，也就是靠近廁所的房間住的是一名叫做甲田的中年男子，總是穿著工作服。木場猜他應該是操作一樓動力室機器的技師。這不只是由衣服而來的猜想，不管是動作還是表情，都讓他有這種印象，當然這也可能只是木場的偏見。

這棟研究所裡，除了所長以外就只有這兩名所員而已。

所長的房間則是位於他們房間的另一邊，也就是靠建築物正面那邊。

打開走廊左邊的門，這裡似乎是一間小型的接待室。說似乎，是因為這間房間絲毫無法令人感受到歡迎氣氛。大小約有十坪，地板上貼著單調花樣的磁磚，隨意擺置著簡陋的桌子及十來張椅子，除此之外就只有堆著堆積如山紙卷的書架而已。

房間角落有座洗臉台，大小與廁所裡的盥洗台相差無幾，但牆壁上裝設了鏡子，因此可知這是洗臉用的而非盥洗台。對面角落裡則放了寫字用的桌子，上面也堆滿了資料。這裡就是這麼個殺風景的房間。

打開房門立即見到陽子站在桌前。

「木場──先生。」

此情此景，與一星期前的那天一模一樣。

木場有強烈的似曾相識感，當然這是錯覺，自己也知道只不過是因為先前也有過相同的情景罷了。

那天陽子見到木場開門大大吃了一驚，同時從她手中滑落了加菜子的綁架預告信。

「請問有什麼事?·這位記得是——」

「我是武藏小金井站前派出所的福本。」

福本抬頭挺胸回答，但很明顯地，位於陽子視野中心的並非福本，而是賴子。

「這位記得是——加菜子的朋友——」

「我是楠本。」

賴子簡短地回答。

「妳今天來這兒是為了——木場先生，請問這是——」

「加菜子據說好像是被人推下去的。對吧，福本。」

「是。這位小妹作證說，這並不是事故，也不是自殺，而是很漂亮的殺人未遂事件。」

「混帳東西，殺人哪有分什麼漂亮不漂亮，總之快把詳情交代一下。」

此時木場才總算發現房間裡有須崎在。須崎靠在書架旁的牆上望著木場眾人，矮小的身軀恰好完全被書架擋住，完全沒注意到。

須崎由書架旁露出略微浮腫的臉，然後

「哼。」

的一聲，滿臉不高興的表情。他頭大手腳短，眼神卻比常人凶惡一倍。

「抱歉，麻煩你先離席一下吧。」

木場嫌麻煩開門見山地便說了。他本能地討厭這名男子，沒有理由。

須崎大概也是同樣想法，瞥了木場一眼，一語不發乖乖地離開房間。只不過在關上門前，須崎回頭見到陽子，朝她微笑了一下。

木場調整桌子方向，讓賴子和福本坐在對面，請陽子坐在自己身旁。陽子一動也不動，滿腹狐疑地看著賴子。

「陽子小姐，妳也仔細聽聽比較好。」

聽到木場的話，陽子小小地嗯地一聲，坐了下來。但似乎還有點摸不清狀況。

「好了，小妹妹，就請妳告訴我們那天妳一直不肯回答的事情吧。為什麼直到今天才突然想說？」

「我──總算想起來了。覺得很可怕，才──」

「那之後已經過了半個月，為什麼到現在才突然想起來？」

「屬下認為，或許是當時受到的刺激太強烈了才想不起來的吧？比方說──」

「沒人在問你的意見。」

木場並不認為福本是個糟糕的傢伙，但屢屢不經大腦的發言還是讓木場惱火起來。

「我不是問為什麼想不起來，而是問**為什麼突然想起來**了。」

「我覺得很落寞──所以去了咖啡廳──就是常跟加菜子去的咖啡廳。然後看了加菜子常看的雜誌後，就突然──」

「想起來了？然後呢？」

「加菜子是被推下去的，被人從背後用力推下去。」

「被誰？」

「一個穿黑衣的男人。」

「是認識的人嗎？」

「不認識！我完全沒見過他。突然從後面跑出來，碰地一聲從背後推了她一把。」

真的嗎？木場完全無法相信。

但是事到如今才撒這種謊，對這女孩一點好處也沒有。

那麼──目的是開玩笑嗎？或是想嘲弄大人？

但她的眼神卻又如此真摯。

「那、那是真的嗎？」

陽子出聲詢問。

「──妳真的看到了？」

賴子突然慌張起來，真摯的眼神中浮現動搖的色彩，連忙像是要藏匿眼神般低下頭去，顯得惶惶不安。

「是、是真的啦——才不是——說謊呢。」

語尾帶著顫抖，眼中噙滿淚水。在眼淚的遮蔽下，賴子的真意扭曲變形，就算憑著刑警的銳利目光也無法分辨其真實性。

木場實在不瞭解這個女孩的本質。或許她並不是在說謊，但她一句句話裡卻見不著真實感，總覺得像是虛構一般。

木場只知道，這女孩的話絕不能照單全收。賴子的話語對木場而言，沒錯，感覺上就像是在聽電影中的台詞般虛浮。內容設計得很完善，話語中也富含情感，但說穿了不過是照著劇本所寫的台詞念罷了。不管演員多麼賣力地讓演出更具真實性，所扮演的角色依舊是虛構，所表現出來的永遠不是演員本身的性格，與現實接觸到的真實性不可相提並論。若真是如此，賴子恐怕是比陽子更優秀的名演員吧。

但這個建築物的內部並非外在的現實世界，因此楠本賴子的話在進入這箱子之後反而變得真實了，同時這也打亂了木場的判斷能力。

「可以麻煩妳說的更詳細一點嗎？比如說，對了，站立的位置。把這裡當作是月台好了，這裡過去是鐵軌，這張椅子當作電線桿。當時加菜子應該是站在這裡。」

木場設定起假想的現場狀況，自己扮演加菜子的角色站在位置上。如果賴子說謊，詳細追問應該會露出馬腳。

「我——站在這一帶。」

賴子倏地起身移動到木場右斜後方。距離約三尺至四尺（一公尺至一點二公尺）處。

「我包包放在這裡，加菜子則是在這一帶。」

動作一點也不遲疑。

「但這豈不是很奇怪？妳們兩個不是要一起去什麼——湖？要去那地方所以才在這等車

吧？一般而言朋友出遊不是都肩並肩站在一起？總會談天說笑的吧？」

或許這只是木場這種年過三十男子的刻板印象，搞不好年輕女孩子沒這種習慣——木場腦袋的角落隱約地這麼認為，但立刻否定了這股想法。

普通情況下，應該還是會肩並肩等候才是。

「因為加菜子她——哭了。我第一次看到加菜子哭，所以……」

陽子的表情籠罩上陰影。

「哭了？楠本同學，妳說加菜子那天哭了嗎？」

「是的。所以我才不知該怎麼跟她說話才好，所以，才會覺得不要看她的臉比較好。」

所以才站在她身後三尺（一公尺）的地方吧。

「然後呢？那個男人又是？」

「我一直注意前面，不知道他是從哪裡跑出來的——大概是那方向。」

賴子指了自己的左後方。

「福本。」

木場指示福本。愚鈍的年輕警官這次倒還挺機靈的。

「這樣嗎？」

福本從左後方繞過來推了木場的背。

「不是這樣，還要更用力一點，碰地一聲推下去。我嚇得跌到地上。不，不對，那個男人順著推倒加菜子的反作用力，也順手從背後把我推倒在地。」

「那麼，就是這樣囉？」

福本雙手碰地推了木場一把後轉身再推了賴子。

「不——我想大概是逃走的途中撞上我的。」

「啊，原來如此。」

福本轉身故意用身體衝撞的樣子。

「而我則是這樣。」

賴子身體旋轉半圈後跌坐在地。確實，記得那時賴子是癱坐在地上。

「我懂了，那妳有看到他的臉嗎？」

「是一張很可怕的臉。」

「更具體一點。說可怕，我的臉也很可怕咧。」

木場或許是開玩笑才這麼說，但似乎沒人這麼覺得。

「眼神很銳利——可是見到他的臉只有一瞬間，沒看得很清楚。只記得全身穿黑衣，手上還戴著手套的樣子。」

描述得很具體。木場看了一下陽子。

「這女孩的話，妳覺得如何？是真的嗎？如果是的話——這確實是犯罪行為。對了，陽子小姐，加菜子現在能說話嗎？一直都沒機會問妳這件事，如果能說話的話應該有聽她說過什麼吧？」

「很遺憾的，加菜子還沒辦法說話。意識有時會恢復，但還是很朦朧。所以我也沒聽她說過事故——事件發生時的狀況。」

「刑警先生，你在懷疑我嗎？」

賴子又再次朝木場放出他窮於應付的那種眼神。

「我、我才沒有說謊——」

「哭什麼哭！」

木場大喝一聲。

再也受不了了，不能老是被小姑娘的眼淚牽著鼻子跑。

現在的木場已經與跟賴子初次見到時的木場不同。

賴子似乎受到很大驚嚇，眼淚也停了。

敵人的真面貌已經逐漸明朗，木場的脊椎似乎又再度湧出乾涸了數年的能量。

「如果這女孩的證言屬實，加菜子小姐便

是差點被某人殺害。而現在又有某人下預告信要來綁架，我不認為這之間毫無關聯。很明顯的，有敵人針對妳們姊妹而來。我是局外人，所以一直沒有機會向妳詢問詳情。陽子小姐，如果妳方便，是不是能對我說——」

「請等一下——」

陽子沒看著木場，出聲打斷木場的話。

「——木場先生。為什麼你那麼執著地要捲進這件事情當中呢？就算楠本同學所言不虛，你只需向石井警部進言即可，不是嗎？畢竟你只是個偶然碰上事件的、過路人。」

石井就是剛才那位神奈川本部派來的警部。

「如果跟石井報備事情就能獲得進展，我早就退出這件事了。那傢伙太沒用了，官僚主義外加只會幫上頭抬轎，唯唯諾諾察言觀色，唯恐惹起風波。那種傢伙就算來個幾打也沒辦法打倒妳的敵人。我看妳的敵人，來頭恐怕不小。」

「木場先生，那您就能打倒——那個敵人嗎？」

陽子雙眼注視著木場。

「敵人，就是為了被打倒而存在。」

「您說什麼也不願意放棄嗎？」

「恰好碰上殺人未遂現場的是我，恰好碰上恐嚇信送達的也是我，我想這之間一定有某種緣分在吧。」

陽子忍耐著痛苦，帶著悲壯的神情思考了一番，頓時陷入一片靜默之中。

說話聲停止的同時，機械聲又再度充斥整個房間，建築物本身持續著難以察覺的細微震動。

「能不能——見加菜子一面？」

打破沉默的是賴子。陽子反射性地嚇了一跳，再次望著賴子。

賴子也凝視著陽子。

福本只能沒用地一旁觀看這個局面。

木場心臟鼓動逐漸加快。

「楠本同學——妳叫做賴子對吧？我聽加菜子說過關於妳的事，加菜子很喜歡妳。今天妳會來這裡，或許並非偶然吧。我去向院長拜託看看，看能不能讓妳見加菜子一面。木場先生，剛剛的事稍後再詳談好了。」

陽子說完起身。

「木場先生，呃。」

福本終於開口。

「關於這個事件，屬下也覺得實在……」

「我懂。你回去吧。別學我，會被開除的。」

「可是，屬下也對目前地盤意識過強的警察機構很……」

「不用說這些大道理，我不是因為對現況不滿才這麼幹的，我只是想這麼幹就這麼幹。」

「可是……」

福本的發言到此被打斷，因為雨宮進房間來了。

「我聽陽子小姐說了。賴子小妹，謝謝妳願意跑這一趟。」

雨宮的打扮與半個月前一模一樣。這半個月來，木場也見過他好幾次，幾乎都穿著同樣的衣服。

「謝謝，也辛苦兩位了。」

雨宮向木場和福本鄭重地道謝。在雨宮眼裡，警察大概長得都一個模樣，對木場插手管閒事似乎絲毫不在意。至於穿著制服的福本，在他看來大概也跟外面守衛的員警差不了多少。也就是說，雨宮對警察絲毫不抱警戒。

雨宮依舊一臉睡眼惺忪，維持著看不出喜怒哀樂的表情，走近賴子身旁。

「能見到妳，加菜子一定很高興。我常聽她訴說妳的事喔。」

「不知加菜子是否還——認得我？」

「當然還認得啊，跟她說話也有反應呢。而且她也還認得我跟陽子小姐。」

賴子的臉急速扭曲了起來。

「加菜子——」

賴子抱著自己的肩膀——就像那天晚上她在三鷹那家醫院維持的姿勢——搖搖晃晃地顫動起來。

「放心好了。加菜子**不會死的**。」

雨宮緩緩地說。

傳來一聲特別響亮的敲門聲，一位穿著制服的警官進入房間。

「面會批准了，請來上面等候。」

警官說完這些便轉身離去。木場緩緩起身。

依木場、賴子、雨宮、福本的順序，眾人排成一列走出房間。這或許是受到建築物格局的影響吧。

快到螺旋階梯面前時，賴子的腳步停下，不住發抖。雨宮溫柔地擁著賴子肩膀。

木場在背後看著雨宮熟練的動作，不知為何覺得有點討厭。

只是——此時的木場想也沒想過，那其實與名為嫉妒的情感非常相近。雨宮又以無機的聲調溫柔地說：

「沒關係的，儘管放心好了。去見見加菜子吧。不，求妳至少看看她的臉，好嗎？」

「加菜子、加菜子她——對我——」

「她說妳是她最重要的朋友喔，而且她跟班上同學也處不來。」

「處不來？」

「嗯——因為加菜子的家庭環境很複雜啊。她經常交不到朋友，從小就老是孤單一人，所以能交到妳這麼好的朋友她真的很高興唷。」

雖只有短短一瞬間，賴子的臉恢復了她原本應有的表情——至少在木場眼裡看來是如此。賴子的雙肩在雨宮的臂膀的包容下，彷彿踏在快崩壞的階梯上似地，一步一步膽戰心驚地走上樓。雨宮仍舊維持著非哭非笑的獨特表情，有點興奮地走過木場身旁。

「不、可、能。」

賴子以幾乎無法判別的聲音小聲地說了。縱使混雜在低沉嗓音般的機械震動聲中，這道過於細微而難以相抗的空氣震動卻比迄今為止木場任何聽過的賴子的話更直接地傳達過來。

最上層——三樓與一樓、二樓的隔間有很大的差異。

螺旋階梯走到底立刻見到一條走廊。一、二樓的走廊位於建築物正中央，筆直地把建築物切分成兩半，但三樓的走廊卻沿右方牆壁朝正門方向延伸。因此靠右側牆壁這邊什麼也沒有，左側牆壁上有兩道門。前面——靠階梯側的是木門，後面——也就是靠近建築物正面的是鐵門。因此三樓連那唯一類似窗戶的那條細縫也見不到。那條細縫開在——這麼說或許有語病，畢竟這細縫已經嵌死，實際上也開不起來——鐵門深鎖的房間裡。

更奇妙的是，三樓連電梯出口也不在走廊上而是在房間裡。也就是說，若搭電梯上三樓，一出門便已身處房間之中。

雨宮擁著賴子肩膀，穿越木場來到電梯出口的那個房間——前面的房間，打開門。

機械聲變得更響，彷彿進入軍工廠。

「請進。」

雨宮先帶賴子進入，再出來引領木場與福本入內。木場要進入房間前，感到一絲躊躇。木場曾進過這房間三次，第四次——則受到石井警部阻擾。

這裡是加護病房。

房間呈巨大的L字形。這棟建築的隔間均以方形構成，L字形的房間照理說是不可能存在的，理所當然地房間裡另有一小房間。小房間大概是處理室，不，應該是手術室吧。

打開房門，右手邊是電梯門。門旁有一垂直伸出的牆壁，壁上有道與電梯門大小相當的左右對開式門，樣子很像電影院的大門。加菜子被抬進這裡那天，由樓梯跑上來的木場與陽子見到了加菜子被送進這道電影院的大門裡。木場判斷這是處理室的理由在此。

處理室還有另一道門，在角度上從入口處看不見這道門。當時不便在房間裡亂逛，所以另一道門的樣子如何木場不是很清楚，應該是與這道很相近的門吧，因為加菜子是由那邊出來的。

木場回想那天發生的事。

那天——送進處理室的加菜子。

盡完職責的急救隊員準備打道回府。

只留下陽子和雨宮，以及木場三人——

想到這，木場才發現一件事。

那個時候**還沒有機械聲**。機械聲是在加菜子被送進處理室後才突然響起的，之後迄今半個月——至少木場留在這裡的時間內——未曾間斷過。

手術一直持續到下午。木場叫福本先回去，向甲田借了卡車出去購買一些食物。回來後先到那個招待室小睡一下。這段期間內，陽子和雨宮似乎一直待在這個房間。

室內擺置著大大小小機械與計量器，全是箱型的，彷彿亂立的墓碑。墓碑上裝設了宛如戰艦雷達的示波器及許許多多收音機上可見的旋鈕，這些墓碑之間則以各式各樣的管線連結起來。

巨大箱子裡面也仍然滿地是箱子。

在這些箱子圍繞下，房間的中心架設了半

圓形塑膠膜製的帳棚。正確的名稱是否叫帳棚木場不得而知，這只是他從自己語彙中選出的較相近的暫稱罷了。如果是以布料製成的話，木場或許就會改稱它做蚊帳了吧。

垂掛在天花板上的帳棚分作好幾層——或許由這層意義看來，稱呼作蚊帳還比較合適——從外面的墓碑引進好幾十條大大小小的管線入內。薄膜本身是半透明的，但經重疊後內部情形已模糊難辨，只能見到有些影子映在上頭。影子如同墓碑一般四四方方，可見帳棚裡也擺滿了機械箱子。

加菜子就躺在裡頭。

木場記憶中的加菜子除了臉以外，全身包著繃帶和石膏，宛如埃及的木乃伊。身體上插著好幾條不知是點滴還是什麼的管子。鼻孔裡也插著細管，臉上戴著像是氧氣罩的東西。第一次見到時在睡眠之中，第二次時看著木場，第三次則看著空中。

每次見到她木場便想，剛發生事故不久，關節扭曲出血不止時候的加菜子甚至比現在更富有生氣，令木場覺得她還有得救的機會；但現在躺在床上的加菜子縱使確實活著，卻反叫人覺得恐怕沒救了。這種感覺第二次來比第一次強烈，第三次又比第二次強烈。不知這次看過後會有何感想。

短短時間內木場把這些事回想過一遍後進入房間。

墓碑之間擺了幾張椅子，陽子與石井、以及幾名警官坐在那裡，也有幾名員警靠壁站著。

木場一進房，大家全都朝向他看。

這景象好像一群人在墳場賞櫻，賞櫻客石井走過來。

「我聽說了，木場，這麼重大的事情你怎麼沒告訴——」

「別在這裡說這些事，待會兒再談吧。」

木場的性格比起方才在後院談話的時候似乎又更凶惡了點。

石井警部被他的氣勢壓倒，噤口不語。

「教授很快就會來看診了，剛好加菜子現在醒著，去看看她吧。」

陽子說完起身，在墓碑與警官之間迂迴前進，來到帳棚前停下，掀起帳棚的**接縫**。賴子避開雜亂的墓碑群到達那裡，木場隨之前往，福本也慢吞吞地跟在身後。墓碑與墓碑之間盤據著彷彿蜷曲著身體進行冬眠的蛇般的電線管線堆，窒礙難行莫過於此。

等到木場們到達，陽子掀起了第二層的帳棚，接著掀起第三層、第四層——也就是說帳棚總共有四層。

陽子突然踉蹌地向前跌了一跤，原本掀起的帳棚又一層層蓋了回去。

「唉呀，不好意思。」

雨宮迅速走近，伸手扶住她的肩膀，細心程度真是**無懈可擊**。

「陽子小姐，千萬別硬撐呀，大前天才剛抽出那麼多血而已。況且妳平時就有點貧血的毛病呢。」

「抽血？」

「因為要輸血啊。除了陽子小姐以外，沒其他血型相合的人了。」

難怪臉色這麼蒼白。

這麼一說才想起來，那天——加菜子手術結束後陽子走起路來也搖搖晃晃的，還以為是太過疲勞的緣故。那時應該剛抽過血，多半是在木場出外購物的時候，不然就是小睡一下時進行的吧。

小睡醒來，原本房間裡的大批人群已經不見。

那時只見到臉上毫無血色的陽子彷彿一個

壞掉被拋棄了的賽璐珞娃娃般，四肢癱軟地坐在椅子上。雨宮雙手抱著頭蹲在陽子身旁。

氣氛非常凝重，一時之間還以為加菜子已經過世。

恰好須崎——那時還不知道他的名字——穿著染血的白衣從處理室出來。由於無法從陽子他們的反應判斷出加菜子生死與否，木場便趨前向須崎詢問。須崎似乎很疲倦，而且心情還很不好。他回答：

——血管的選擇啊，真的是辛苦得不得了，不過幸好主動脈弓跟胸部動脈的接合狀況不錯，應該沒問題了。

木場聽不懂他說的意思，只聽得出加菜子應該是有救。須崎以下顎指示後面，木場回過頭，那時才第一次注意到帳棚的存在。

陽子在雨宮的保護下，坐在石井警部的隔壁。臉色一片蒼白，唯有眼睛周邊些許紅腫。比那時更憔悴了。

「木場，大前天晚上你回去後加菜子又動過一次大手術。原本這種面會是要盡可能避免才對，念在陽子小姐向所長千拜託萬拜託才答應讓你們見面，麻煩你們可要盡量長話短說哪。」

石井警部快速地說。

木場掀起帳棚，輕輕地推著依然抱著肩膀不住發抖的賴子。指尖碰到賴子肩膀時，緊張的感覺彷彿觸電般傳來，建築物的細微震動與賴子的身體同調。原來如此，木場似乎能理解為何這女孩在這棟建築物中反能維持真實感的理由了。接著自己也探頭進去，而福本也跟著走到木場前面，彎下腰，探頭守望內部的情形。

加菜子在裡面。

全身插滿無數的管子。

只靠點滴過活，變瘦也是理所當然。

似乎又變小了點。

見到從白色毯子下伸出的上了石膏的雙腳，內心一陣刺痛。

彷彿窺視著蠶繭內部一般，帳棚裡像是個異世界。在這異世界裡也同樣設置了各式各樣的小箱子。

今天加菜子沒戴上氧氣罩，秀麗的容貌沒有一絲傷痕。加菜子緩緩地將頭轉向木場眾人的方向。或許是跟不上脖子轉動的速度，眼神稍慢了一會兒才捕捉到大家的身影。那是一雙彷彿會把人吸入般的深邃大眼。

同時，她露出一副難以言喻的表情。

與陽子一模一樣。不，少了多餘的部分，加菜子可說是個更純粹的美女。啊，該說美少女才對。

床上的美少女以幾乎感覺不到的速度緩慢地移動視線，賴子進入視野之中。

嘴角揚起，她笑了。

「拉。」

嘴形看來似乎想發這個音。但沒聲音傳出來。

木場想，應該是想說「賴子」吧。

「加菜子——加菜子！」

賴子擠出帶著強烈金屬質感的聲音。

「加菜子！」

「再繼續下去會造成病人負擔，到此為止吧。」

木場背後響起石井警部的聲音。

警部像是要扒開木場跟福本般將他們拉離帳棚，抓住正想更靠近一步的賴子，

「好了小妹妹，我還得向妳問話呢。」

說出這句與現場氣氛最不相稱、最糟糕的台詞後，隨即將她帶到外面。

但石井自己卻有好一會兒維持著向後看的不自然姿勢——一直凝視著加菜子。

警部回過頭來——臉上表情充滿了訝異。

木場見狀火了起來，說：

「怎麼了警部，你該不會目前為止一次都沒看過要保護的人吧？」

「不，怎麼可能——只是，我看她好像想說什麼的樣子——」

「什麼？加菜子說了什麼嗎？」

陽子問。她額頭上滿滿是汗，看來身體狀況真的很糟。

「不知道，我沒聽清楚。」

石井警部做出很愚蠢的回答。

聽見機械聲，深沉地，寧靜地，由地底傳上來。

電梯的門打開。

最後的主角搭著**升降舞台**（註）出場了。

美馬坂幸四郎——

精悍的表情、嚴格的眼神、緊閉的嘴角、寬廣而聰明的額頭，其容貌彷彿就像理性的集合體一般。年事雖高，一頭後梳的直髮卻仍烏黑有光澤。穿著不帶一絲縐折的白衣的科學家。

年紀大約是五十過半。

須崎跟在身旁。

註：將地板的一部份分割，其下方設有裝置使其能自由升降，演員或道具、場景等可由此登場以增添效果的一種舞台裝置。

須崎手上抱著箱子。

是個寬三十公分，高四十五公分，長約有二十幾公分的金屬箱子。

大概是新的機器。

「看診時間到了——」

須崎以百無聊賴的聲音宣告。

美馬坂無視於木場與石井警部他們，筆直地走向帳棚入口。須崎從那附近的墓碑上拔起幾根電線與管子，接在自己帶來的箱子上，跟著抱起箱子拖著管線，進入帳棚。

美馬坂站在入口前，似乎打算等待須崎先在裡面準備就緒。

突然，慌張地傳出喀喳喀喳的聲響。

又發出咚、磅地巨響，緊接著轉變成驚叫。

「呀啊啊啊。」

須崎的聲音。

「須崎，怎麼了！」

美馬坂問完，捲起帳棚。

「這是怎麼一回事！在幹什麼！怎麼會發生這種事。」

美馬坂回頭瞪著石井。

石井連忙跌跌撞撞地起身。

「怎、怎麼了？」

「你自己看！你們到底在搞什麼！」

美馬坂以宏亮的聲音大聲怒吼，用力地拉下帳棚。天花板上傳出劈哩啪啦的斷裂聲，半透明的薄膜一半被扯到地板上，內部的異世界呈現在眾人面前。

須崎嚇軟了腿。

看到好幾個小箱子，分不清哪個才是須崎剛剛帶來的。

有張床。

床上有條堆成一團的毯子，同時，

除此之外，床上

什麼也沒有。

柚木加菜子，在眾人環視下，忽然地，真的是忽然地消失了。

加菜子她──

※

加菜子她升天了。

沒錯，果然如此。跟我想的一樣。

賴子心想。

加菜子笑了，她瞭解我的想法。

我──

我的**未來**，終於得救了。

（前半部略）

需要那個女孩。

回到旅館。難以入眠。用棉被把自己包在房間中央來度過漫漫長夜。

種種思緒來去腦海之間。

父親的事，母親的事，以及祖母的事。過去的回憶毫無窒礙連綿不絕地一一想起，引人進入心急、焦躁與不安之中。

（中略）

想回自己的房間，在這棟充滿空隙的房子裡無法成眠。

彷彿要被空隙所壓碎。夜晚在空隙中膨脹，夜晚伸出魔手，夜晚從鼻子入侵。

腦袋在壓迫下變得愚蠢。

只能淺睡，作了個夢。

滿月月光的照耀下，挖掘著祖母的墳墓。

潮濕的泥土味，混雜著苔蘚、黴、微生物屍體的有機臭味傳來，快醉了。

指甲裡塞滿泥土，這種感覺倒是頗舒服。不久見到棺蓋。挖開蓋子，拉出祖母的屍骸。

祖母已開始腐化，零零落落的身體好難抱起。

用力一拉，胸骨斷裂，腐爛了。這倒好，真是太剛好了。

先把上半身放到地上，挖出整個棺桶。

拆下外箍，將之分解。一片片木板仔

細地捆好。

再把洞埋起來，拿出準備好的箱子將祖母塞入。

當然，塞不進去。

這不過只是小事一樁。

塞不下，把祖母分解就行。

從骨盤拆下腳部，扭轉方向，與方才木板相同，用繩索捆起。手臂也如法炮製從肩膀拆下。因為屍骸腐爛了，分解變得很簡單。就像擰下蟋蟀腳一樣簡單。

手臂也漂亮地取下來了。

手臂也以繩索捆好，總算能塞入箱子裡。經過分解，能不留空隙地塞入。用力填滿，剩餘的空間以散落一地的五臟六腑填補。

箱子裡，祖母緊密地充滿著。

總算能安心了。再也沒有討厭的東西能入侵的空隙了。埋葬本該如此。

祖母安心地張開眼，

「呵。」

地發出一聲。

闔上蓋子前，天亮了。

原來如此。事情居然這麼簡單。那個箱子裡的女孩肯定也是這般創造出來的。

這個夢，一定是神明的啟示。

就算繼續找下去，也沒人能保證找得到那個女孩。休假只剩三天。

那麼就靠自己親手創造吧。

得先準備好箱子才行。

（下期待續）

4

那天，我醒來時已過中午。

感到輕微頭痛，倦怠感佈滿全身各個角落，前天的宿醉仍殘留體內。

前天，稀譚舍文藝部的寺內前來我家。自短篇集在莫名其妙中決定發行的那天起已過了將近二十天了，這段時間內我也曾參加過幾次商討細節的宴席，不過寺內親自上門訪問倒是頭一遭。

當初，我完全沒打算對已發表的作品進行任何添筆潤飾或修正，所以對於短篇集的出版事宜一直都是採取悉聽尊便的不負責任態度來應付。

因為我覺得文章——不，不只文章，我認為一切作品都像是排泄物。

如同攝取食物般，那就像是我個人在吸收攝取名為人生的養分後，剩下來的殘渣——對我而言我的作品頂多就是這類東西罷了。所以我認為去加工、修改排泄出來的殘渣是非常無意義的。

所以我討厭添筆。

某次在與稀譚舍商討時，我吐露出上述心聲，寺內說：

「老師，您這麼說的意思不就認為讀者們欣賞的是您的排泄物，更進一步地說，評論家之類的人士便是對著您這些、這種髒東西品頭論足地發表高論了？您毫無顧忌地放言實在令人感到痛快至極，可是嘛……該怎麼說……」

寺內話尾說得含糊不清，不停苦笑。我沒辦法，只好勉強辯解說：

「哎呀，我也很感謝那些為我論評的書評家們啊。對、對了，這就跟給醫生檢查排便來診斷健康狀況的情形一樣。評論家們看了我的作品之後，對我提出缺乏營養、有血便、有寄生蟲之類的警告；我則根據這些警告，連忙正襟而聽，改正每天的生活態度。」

寺內聽了更是苦笑地說：

「那麼我們這些讀者，不就是對老師不健康的排泄物感動不已了？這樣形容起來可真妙。」

我聽到他這句話才總算慚愧地真正體認到我現在的立場。

我不只是撰寫作品而已，我已經將之發表出去了。若只是撰寫，不管要當作排泄物還是髒污皆無妨，但問題是我已經將這些作品販賣出去了，而且是賣給與自己非親非故的陌生大眾。

我已經不單單只是個專事表現的人，而是所謂的賣文者。如果剛剛的發言是真實的，那我便是對不特定多數的他人——讀者潑灑我的屎尿，並靠潑灑這些屎尿換來的些許金錢養家活口。

我不由得臉紅起來，趕緊收回方才不當的發言，並告知寺內我願意校正預定收錄的那幾篇作品。寺內沒能看出我的內心轉變，滿臉訝異地答應了。

我向來很不擅長向人傳達這類細膩的想法。

寺內先給了我十天期限，前天就是第十天。

雖說原本沒打算修改，結果一重看，不只發現有錯字，還有漏字。改個小地方整體的印象也會隨之變化，最後還是仔仔細細地修正了好幾個部分。

重讀自己的作品。這十天來的工作彷彿是在反芻自己的過去般，令人陰鬱不已。

我的文風本來就十分陰鬱，就算是自己寫的，反覆閱讀下來會讓精神狀態變得陰沉自然是不言而喻。進行修改原本是想對作品多盡一點責任，但重讀對我來說卻幾乎成了一種痛苦。

所以我決心徹底以工匠精神來面對。

或許是這個決心有了成果——因此沒引發憂鬱症的老毛病，平安無事地完成工作。

來訪的寺內收下修改過的稿子，問我：

「真的這樣就好嗎？這是老師的作品，請儘管修改至您滿意為止，不必在意時間問題。雖說公司有自己的考量，無法無限期地等下去，但如果重視出版進度更勝於作品本身反而是種本末倒置，所以——」

多半因為這是我的第一本單行本，寺內特別費心著想。

但對我來說，若不給個期限恐怕會拖拖拉拉一直改下去；另一方面也覺得要是這工作繼續持續下去，恐怕憂鬱症就真的會復發了，所以我先向寺內的體貼道謝，說：

「這樣就好。」

雜誌與單行本的排版方式不同，反正將來肯定也還會校正好幾次，沒必要著急。可是，在看到寺內將稿子收入皮包時，內心卻又充滿難以言喻的不安，近乎後悔的不捨之情在心中迴盪，久久不去。

接著，我難得地在家中開了一桌酒席。

聽小泉女士說寺內愛好杯中物，所以細心的妻子特別設宴款待。

寺內一開始說著不行、這樣不好、我會挨罵——之類的話，非常客氣地婉拒了。但接下來，明明我們也沒很積極地勸酒，他卻舉杯說「那麼，一杯就好」，一飲而盡。結果幾乎都是他一個人喝光的，看來他真的很喜歡喝酒。或許是想抹消單行本出版的不安心情，也或許是心情真的很好，連喜歡酌酒但不怎麼能喝的我也在不知不覺中失去節制，所以才會嚴重宿醉，都第三天了還得忍受頭痛。

但這種倦怠感也很令人舒服。

啊，夏天也快結束了——我躺在床鋪中想著。雖然夏天在日曆上早就結束了，但在我心中仍持續著。或許多少也受到與這幾天的稱作殘暑的炎熱氣候影響，但在我心中夏天仍持續的最主要的理由，應該還是因為我至今依然無法擺脫那個雜司谷事件的影響吧。

對我而言，今年的夏天就等同於那個悲傷的事件。

但是沒想到在反覆推敲寫下以該事件為題材的〈目眩〉期間，我心中或許也隨之產生了一種近似結論的心情。

事件已隨著夏天結束了。

一想及此便覺得有點寂寥。

但不論我是否願意，季節依舊流轉，秋天已經到來。

唉，今天非去一趟京極堂不可了——

我想。

自那個事件結束之後到現在，我還沒去過京極堂。與京極堂本人也只有在接受警察偵訊時碰過一次。雖然也曾講過幾通電話，但總提不起勁前往，空白的時間也接近兩個月了。或許這股想去拜訪京極堂的心情，正表示著在我心中已經作出結論了吧。

我想去找京極堂商量事情。

想問他關於順序的問題。

我正苦惱著單行本收錄短篇的順序該如何處理才好。

目前暫訂以發表的順序來收錄，這是寺內等編輯部成員的提議。我對這個提議基本上沒什麼異議，但總覺得哪裡有些不對勁。可是就連是哪兒不對勁我自己也搞不清楚。

這不是藉口，我絕非想推拖責任，只是想參考怪脾氣朋友的意見來決定自己作品的順序。

我在想，京極堂的話，肯定能對我究竟感到哪裡不對勁提出一套說明吧。就算不夠明確，也一定能說出一些道理來吧。

不管他的解釋是否就是真相——至少能給

我一個既合理又明確的完整說明，他就是這樣的人。

但我昨天終究沒去成。並非身體狀況真的很糟，而是怠惰已滲透全身所致。畢竟這十天來一直足不出戶。不過今天一定要出門了，要去京極堂——

雖然下定決心要出門——我卻怎樣也離不開床鋪。伸手拖了菸灰缸過來，決定先抽根菸再說。可惜雖有菸灰缸，香菸卻不在伸手能及的範圍內，於是我又輕易地放棄抽菸，把臉埋在枕頭之中。枕頭上柔軟又溫暖的凹陷彷彿貪眠的具體化身般，再次毫不留情地誘我入睡。

我作夢了。

見到巨大的黑箱。箱子之中另有箱子，在其之中又是另一個箱子，彷彿俄羅斯的小芥子木偶（註一）。箱子的數目無窮無盡，最後的箱子是最初的箱子。這是克萊因瓶（註二）嗎？還是莫比烏斯帶（註三）？抑或是自噬自生蛇（註四）——

整個世界只有箱子，箱中有世界，彷彿所謂的壺中天，不，該叫做箱中天才對。

一名男子站立於箱前，他頭上套了一個箱子，是箱男。

箱男腳下散落著女性的手臂或腿部，他渾身是血。

沒臉的女人在他身後的箱子裡望著我。

註一：常譯作俄羅斯套娃。為俄羅斯名產，一種形似不倒翁的木製玩偶。內部中空，類似多層皮的洋蔥般由大至小一個套著一個。

註二：數學中的一種概念，為一種二次元曲面，沒有邊際與裡外之分。

註三：數學中的一種概念，為一種只有一個面與一個邊界的環帶，沒有表裡之分。

註四：古代埃及、希臘等文明中可見的一種象徵，造型為蛇銜著自己的尾巴，代表不斷循環再生之意。

非常令人討厭的感覺。

有聲音。

「老師，老師在家嗎？」

「還在睡覺嗎？」

似乎有人來訪。看來妻子在我睡覺的時候出門了。這麼說來這幾天她好像說過要跟京極堂夫人一同去看電影《亂世佳人》，原來是今天。

看了時鐘，離剛剛放棄抽菸的時刻還不到一分鐘。看來妻子應該更早以前就出門了。這麼說來，剛剛的夢原來只是一瞬間的白日夢。

——是什麼夢？

大概是有關於上個月底，剛被告知我的短篇集企畫案的那一天，所經歷的那個奇妙事件的夢吧。夢中情景與那個體驗之間也有部分相呼應。可是為什麼直到今天才作這種夢？明明在近來的忙碌下，我都快忘記這事件的發生了。

「您不在家嗎？關口老師。」

訪問者的呼喚冷酷無情地持續著。

我帶著滿腔不捨，離開床鋪走向玄關。

睡夢中汗濕一身的身體被冷冽的空氣所包覆。我失去了床鋪的強力保護，像隻搬家途中的寄居蟹般軟呼呼的，很沒用。

玄關似乎沒上鎖，來客已經站在玄關的水泥地板上等候沒用主人的到來。

「啊，您剛剛在睡覺喔，是不是把您吵起來了？」

來客原來是鳥口。我瞭解剛剛為何會唐突地作了那個夢了，肯定是聽到鳥口聲音產生聯想。當時同行鳥口的來訪刺激了我的記憶，才會一瞬間誘發了那段令人不愉快的影像。

「鳥口，你找我幹嘛？我沒睡著，只是躺著而已。」

「老師，您說謊也沒用喔。看您眼睛紅

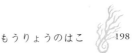

腫，分明就是宿醉的臉。一看就知道是睡到剛剛才起來。」

他還是老樣子，愛搞笑裝迷糊。

「不管我是睡了還是沒睡都無關緊要吧。你找我幹嘛？」

鳥口露出大膽的笑容，說：

「又發現了喔，分屍案的屍體。」

我莫名地覺得不快。因為，聽到這件事令我變得難以分辨剛才的夢是過去發生事件的重新構成，還是未來即將發生事件的預知夢。

「你別一有屍體被發現就來我家，我可不是專門撰寫分屍案的作家哩。」

「您說什麼啊，我為了這件事來這裡今天也才第二次而已耶。而且屍體幾乎是每隔三天就有新發現耶，您可別說您不知道啊。真是的，老師總是愛把事情說成對自己有利，真傷腦筋。」

開端於八月二十九日的那個相模湖的分屍殺人事件，案情發展一天比一天更超乎常理。分屍殺人演變成連續分屍殺人，現在被稱作武藏野連續分屍殺人事件，街頭巷尾議論紛紛。我只知道這麼多，更詳細的部分就不清楚了。

「怎麼了？鳥口老弟，我不像你那麼清楚啊。身體總算找到了？還是首級找到？如果像你說的每三天就發現一部分屍體那應該也齊全了吧。死者身分查出來了？」

「問題是都只有腳跟手而已啊。目前為止已經發現四隻右手、三隻左手，右腳有三隻左兩隻。昨天發現的是左右腳。沒這種長得跟章魚一樣的人啦，所以至少死了四個了喔。」

身體與頭部尚未發現，無法判別被害者身分，搜查陷入瓶頸——記得曾在報紙上看過這個消息，那時報導中提到被害者目前發現三人。如果我的記憶正確，應該還發現了其他屍體的部分。總之這事件是近年少見的離奇犯罪。五月發生荒川分屍案，八月初還有千濱村的事件，今年可說是分屍殺人案的豐年，但是這些事件在武藏野事件面前全都相形失色。

「那你來找我有何貴幹？我可不想再碰到上次那種情況。」

「這個嘛，上次的確很慘，真是一場災難。」

什麼災難，也不想想全都是他自己害的。

「敦子小姐好像也受到很大刺激喔。聽說那棟建築好像是叫什麼什麼研究所的，但關於那個戒備體制是怎麼一回事則完全查不出來，上頭似乎下令嚴禁祕密外洩。」

「你──去查那個箱子了？」

「不，是敦子小姐查的。」

「敦子小姐查的……也就是說你後來還有跟小敦見面了？」

「別胡亂猜想喔，只是工作上的情報交換嘛。您也知道，我們都一樣是編輯嘛。」

「什麼叫都一樣啊，分明就是天壤之別。你這樣做我很困擾，要是被小敦她哥知道有她身邊跟了條怪蟲可不得了，連我都會遭殃。那女孩的老哥可是可怕得很。」

京極堂要是知道了真不知會做出什麼事。

不過鳥口真是個不容小覷的人，完全被他平時裝迷糊的個性與好好先生性格給騙了。從他的口吻聽來，肯定已經與中禪寺敦子不知碰過多少次面了。

「這樣啊，我有聽說。敦子小姐的哥哥真的那麼恐怖嗎？是個肌肉結實、高聳入雲的巨漢嗎？」

我不由得爆笑起來。

「哈哈哈，京極堂跟什麼肌什麼肉的毫不相關。別說是巨漢，他簡直就像塊枯木。」

「那，這種沒肌沒肉、像木耳一樣的人有什麼好可怕的嗎？我不懂耶。」

我選擇了京極堂最愛用的，那種盡可能誇大又無聊至極的形容方式來形容他。

「關於這個嘛，烏口，假設你現在站在隧道正中間，出口有兩邊。前門是怒火攻心、擺好架式蓄勢待發的栃錦（註一）守著；後門則是一臉怨念深厚的芥川龍之介（註二）的幽靈朦朧不明地飄盪著，你會選擇往哪邊走？」

「嗯嗯，栃錦還活著吧？那我當然選栃錦那邊，並且五體投地、全心全意地求他原諒。跟幽靈作對太可怕了。」

「對吧，她哥的可怕之處就在這裡。」

烏口發出一聲「唔嘿」，緊閉起嘴巴。

「話又說回來，我到現在還搞不懂，到底你來要做什麼？先說好，我可不想再碰跟分屍案有關的事了。」

「這樣啊。不用擔心啦，分屍案現在鬧得很大，我們已經不可能拿來當獨家報導了，因為現在不管哪家雜誌都在講這個。所以我已經改換目標，跑去調查那個三鷹的御筥神了。結果發現一件很有趣的事情。我是偷偷潛進他們那裡調查的，發現對方可真是棘手。」

「棘手是什麼意思？」

「我明明什麼也沒說，可是想什麼都會被猜到喔，雖然我覺得應該還是詐騙啦。不過我被發現是混進去調查的，一下子就被趕出來了。」

「廢話，那是因為你的臉看起來很可疑吧。那你說很有趣的事情是什麼？」

「看來老師您也感興趣了嘛，不過我可不能跟您講，除非你願意先答應願意幫忙。」

「搞什麼，真是討厭的傢伙。別想用這招吊我胃口，我不會中計的，而且我也要出門了。」

註一：昭和二十年代著名的相撲力士，第四十四代橫綱。

註二：西元一八九二～一九二七年，日本小說家。作品以短篇小說為主，為日本近代小說的代表人物之一。

鳥口眉毛歪成八字形，說：

「老師，你最近對我好冷淡喔。」

接著說：

「說真的，那個御筥神絕對是詐騙。我採訪過的信徒們有八成都遇過悲慘的事情，不能撒手不管。我原本是想給他們點顏色瞧瞧才隻身潛入，可是他們的狐狸尾巴一點也沒露出來。我拿宗教這種東西一點也沒輒，所以才想來請老師賜給我一點寶貴意見。」

「喔，沒想到你們可說是糟粕雜誌標準模範的《犯罪實錄》也會有這麼社會派的企畫案啊。專趁人之危的惡毒宗教的確不該放任不管——但我實在無法相信，你竟會只為這麼點理由就行動哪。」

「被您看穿了，可是——再說下去就太深入了，暫時不能多說。如何？您願意幫忙嗎？幫忙我揭穿御筥神。」

看來是條大新聞。

「嗯嗯，不過這類問題有個人比我更適任，而且我剛好也要去他那裡。怎樣？要不要一起去？」

「老師都這麼說了，我當然跟著去。不過是哪位先生啊？是對宗教很熟悉的大學教授嗎？還是幫人算命的？」

「呵呵，是芥川龍之介的幽靈那兒啊。」

鳥口再度發出「唔嘿」的慘叫聲。

徒步到京極堂大約三十分鐘路程。

這一帶整體地勢有點傾斜，山坡很多。

登上夾在巨大墓地的狹窄坡道後，京極堂就到了。這塊山坡叫做暈眩坡。由於坡道的起伏高高低低，爬到七分之處平衡感會有異狀而產生暈眩，故有此名。

車子開不上暈眩坡，因此鳥口把他那輛破車停在我家一起走去。肩膀上的行李似乎很重，我覺得很奇怪，為何不乾脆放在車子上？

京極堂是家舊書店，店主是個神主，也是

個陰陽師。

店門沒開，掛著一張主人親筆書寫、不知該說神妙還是拙劣的木牌，上頭寫著「本日休息」。

我們繞到主屋的玄關。

拉開拉門，恰好碰上京極堂夫人正在排鞋子。

「哎呀，關口先生。」

「嗨，好久不見。」

夫人——中禪寺千鶴子抬起頭來親切地對我們微笑。白皙的膚色配上水汪汪的大眼，看起來頗有西洋美人之姿。

但，既然她現在人在這裡，那我妻又是到哪兒去了？

「千鶴姊，妳今天沒跟雪繪一起出門啊？記得說要去看亂世——」

「啊，你說電影嘛。那個預售大排長龍，沒買到票呢。我記得雪繪好像說今天要去購物的樣子。」

「原來如此啊。」

多麼少根筋的丈夫啊。千鶴子望著鳥口，似乎覺得很奇妙。

「對了，我跟妳介紹一下，這位青年叫做鳥口，算是我認識的、編輯。」

「敝姓鳥口，經常受到、呃、敦子小姐的照顧。」

「哎呀，是是，有聽說過呢。也請您多多指教——哎呀哎呀，怎麼站在門口就講了起來了，來來，先上來吧。」

千鶴子露出爽朗的笑容引領我們入內。

「千鶴姊，今天書店好像休息，京極堂不在嗎？」

「嗯，不過客廳裡倒是有尊擺臭臉的地藏石像。」

「客廳？」

雖然京極堂怎麼看都無心做生意，但也很少沒理由就休息，可是他休息時大多會悶在書房裡。

「哎呀，因為伊佐間先生來訪，一直待到剛剛才離開的關係。」

「伊佐間屋的伊佐間？真難得。」

「聽他說好像要去旅行。」

伊佐間屋——伊佐間一成是我們共同的朋友，在町田開了一家叫做「伊佐間屋」的釣魚場，是個很獨特的人。跟京極堂一樣，商店名稱直接變成了外號。他這個人像是魷魚絲一樣越嚼越有味。可惜到町田的交通不方便，沒什麼機會與他相見。

簷廊面向庭院，庭院整理得很乾淨。不知是夫人整理的，主人整理的，還是請了專門的師傅來整理，總之我從沒見過這對夫婦在整理庭院的模樣。

「剛剛那位女士是敦子小姐的姊姊嘛，長得好像喔。」

鳥口說話像女人一樣扭捏起來。

「很遺憾的，你的猜想大大錯誤。跟敦子有血緣關係的是那個傢伙，你看。」

我用眼神向鳥口示意。

一如往常，簷廊上睡著一隻徹底欠缺警戒心的貓，紙門敞開的客廳上坐著一個穿著夏季和服的芥川幽靈。

白天出現的幽靈還是老樣子，帶著彷彿親戚全都死光的臭臉讀著古書。

在我們踏進客廳前，幽靈頭也不抬地發出聲音。

「嗨，關口，好久不見了，可是久歸久也該有個限度；要來時幾乎每天都來，而不來時卻又整整兩個月不來，能不能拜託你別把我拖進你那種亂七八糟毫無規律的人生態度裡？」

別說抬頭看我們，他的視線甚至未從書上

移開。

「唉，會那麼忙我也很意外啊。我今天來是有點事想找你商量。另外，這位是——」

「——《月刊犯罪實錄》的鳥口守彥是吧。」

「咦？」

鳥口不僅來不及被介紹，也失去打招呼的機會。

「怎麼，你們兩個別老是站著，找個位置坐下如何？看，連坐墊都幫你們準備好了。」

京極堂總算抬起頭來，微微笑了。

我與鳥口的心情像是被狸貓作弄了一般，依言乖乖坐下。

「請問。」

「初次見面，我叫中禪寺秋彥。跟這位關口先生是學生時代至今的朋友——不，應該說，算是彼此相識而已。」

故意訂正是想表示，他跟**這種傢伙**算不上朋友，而所謂的這種傢伙指的當然就是我。說明白點，他就是故意要瞧不起我。今天的說法還算多少有點收斂，京極堂平時一向毫不諱言跟我不算朋友的。

但這一連串的先發制人實在幹得很漂亮。我們還沒來得及說什麼，就先被拖入對方的步調之中了。

可是京極堂為何能斷定我帶來的這位青年就是鳥口？我本想開口詢問此事，卻被按捺不住的鳥口搶先。

「這樣啊，我們今天——」

但他的發言沒受到允許。

「對了鳥口，武藏野分屍殺人事件多半是不可能快速解決的，所以我想是趕不上下一期的截稿日了。雖說我也不敢肯定貴出版社的《實錄犯罪》是否有心在下個月出版下一期。」

「嗄？」

完了，已經深陷於京極堂的步調之中了。

京極堂還是一樣維持著他那張臭臉，但老交情的我多少看得出他心情逐漸變好。但這是我才看得出來，對於初次見面的鳥口而言自然不可能知道，所以他當然滿臉疑惑了。

「所以說鳥口，你拖著坐在那裡的三流文士到處跑也是沒用的。況且你們總編——叫做妹尾——是嘛，就他而言既然無法搶得獨家消息，同時刊載現在進行式的事件也違反了貴雜誌的編輯方針的話，應該對分屍殺人事件的採訪沒有什麼興趣才對。」

鳥口嘴巴微張，兩眼瞪得大大地看著主人，似乎訝異得說不出話來。

「另外——這算是我個人的苦口婆心，為了你們自身安全，最好別去調查你們誤闖的那棟神祕建築，別涉入太深比較好。」

京極堂以明晰的語調說完後，闔起方才閱讀的古書。我不甘心就這麼乖乖聽話，便代替鳥口插嘴說：

「你老是愛自說自話的說一大串，我們來到這裡連一句話都還沒說咧，況且我也還沒跟你介紹他就是鳥口吧？」

「難道不是？」

「不，是沒錯，可是……」

「怎、怎麼知道的啊？」

鳥口微張的嘴巴似乎不是說不出話來，而是想講的話被先擋住，正等候著時機說出口。難怪他的嘴型一直維持在「怎麼知道的」的「**怎**」字。

既然開頭的部分已經講出口，鳥口像是河水潰堤般排出阻塞住的話語。

「沒錯，我就是《實錄犯罪》的鳥口，同時也因為我想在下一期刊載分屍殺人事件的獨家報導，消極的妹尾每天都在勸諫我。然後由於報導還不齊全，下期也真的考慮暫緩出刊。可是為什麼初次見面就能知道這麼多事？不，更不可思議的是，我們不小心誤闖那棟長得像箱子的建築物的事情——」

鳥口暫停發言，斜眼看我，大概是在問我是否跟京極堂提過這件事。我快速左右搖頭否定。

「我可沒說啊。我跟京極堂最後一次見面，是在誤闖箱館那一天的很久以前。」

「那麼為什麼這位——中禪寺先生會知道**這件事情**？難道這位先生也學過什麼心靈術？」

京極堂舉手制止鳥口的質問，神色嚴肅地說：

「鳥口，我還知道其他種種關於你的事哪。」

說完，他銳利的眼神凝視著青年的眉間。

「例如說，嗯，你年幼時應該——經常在神社境內遊玩。境內有一座、兩座，不對，有四座祭神小屋。然後——有棵大樹，是杉樹。附近插了好幾根旗幟。」

鳥口垂下肩膀，嘴巴再次張開。

這次就完全是所謂的驚訝得合不攏嘴了。

「喂，鳥口，你怎麼了？京極堂不會真的全都說中了吧？」

「不，真的說中了，完完全全命中。太、太令人佩服了。」

「真的說中了？」

究竟怎麼一回事，我每次來拜訪這裡常會被他唬到，但這次真的怎麼看都是心靈術。難道說我沒來訪的這兩個月，我的朋友學會了什麼神奇的法術？

「喂！京極堂！你太過分了，快點揭曉謎底吧。別跟我說暫時沒見面，你真的跑去學你以前討厭到極點的心靈術了喔？」

聽我說這句話，京極堂總算望向我，揚起單邊眉毛，表情顯得很得意。

「不，這就是心靈術啊。」

京極堂不懷好心地說，點燃從懷中取出的

香菸。

「心靈——你不是最討厭什麼心靈什麼超常的玩意兒嗎？難道說你在沒跟我見面的這段期間連宗旨都改變了？就算你驟然斷言這就是心靈術，我也無法接受啊。」

你這傢伙在想什麼——京極堂呼了口煙，接著說：

「——我這幾十年來貫徹始終，從未改變過我的論點。對於**一般人以為的**所謂的心靈術與過去無異地——不，甚至比過去更加覺得可笑。但是哪，否定某事物與是否知道該事物的機制是不一樣的；同時，喜不喜歡跟辦不辦得到也是另當別論。」

「你的話還是一樣難以理解。今天現場有個初學者鳥口在，能不能說得更好懂一點啊？」

京極堂撫摸著下巴，帶點不耐地回答：

「嗯嗯——譬如說，有個人討厭用剪刀剪紙，他是個剪刀否定論者，所以他多半不會使用剪刀。但這並不表示他不知道剪刀為什麼能剪紙的道理。相反地，恐怕就是很清楚才不想使用的吧……這個比喻似乎沒什麼一般性。對了，武器——許多人認為不該擁有及使用手槍，但這並不表示他們不會使用手槍。我的意思就是如此。」

「這點我懂，但我想問的是，你為什麼能像個算命的一樣準確說中鳥口的身分與過去現在發生的事情？鳥口，你的確是跟這個人初次見面，且他說的也全是真實發生過的嘛？」

鳥口難得顯出一副乖順的模樣，說：

「是的，小時候的事情忘光了，不過都是真的，我真的在神社裡玩耍過。」

「既然如此，京極堂，你是怎麼知道的？你也是今天第一次見到這個青年吧？你為什麼能知道連熟人的我都不知道的，不，甚至連這個青年本身都不記得的過去？快讓我們瞭解你的把戲的幕後真相嘛，怎麼想都很不可思議啊！」

京極堂微笑，呼地吐出香菸的煙霧，接著說：

「這世上啊，沒有任何一件事情是不可思議的哪，關口。」

「不，這次我可不讓你矇混過關了，你每次都用這招來欺騙我。」

「誰欺騙你來著了，別破壞我的名聲。」

「那就快給我交代清楚，這把戲到底是怎麼玩的。」

既然是京極堂，肯定不會說出什麼靈視什麼讀心術之類的話來。所以一定有什麼玄機。

「既沒把戲也沒玄機，我是**早就知道了所以瞭解**。」

「什麼？」

早就知道了？什麼意思？

「京極堂，你說早就知道了，可是這不可能啊。鳥口來我家是偶然，而我臨時起意帶他來這裡也是偶然。況且決定作這些事情也僅是在三、四十分鐘前，你不可能知道啊。」

「為何如此斷定？不管你們作這決定是在三十分鐘前還是十分鐘前都沒有關係，因為我是在五分鐘前知道的。」

「五分鐘前？」

「沒錯。你們來這裡時，我剛好去了一趟廁所，所以人在玄關附近。你不是向千鶴子介紹鳥口嗎？所以我自然知道與關口巽一起來訪的青年是鳥口守彥，我都親耳聽到了嘛。」

「什麼嘛！這根本是詐欺！」

「誰跟你詐欺了。我既沒偷聽也沒先溜回客廳等候，是你們自己來得晚點罷了。」

我們的確是站在門口多聊了兩句。

但鳥口似乎一點也無法釋懷，接著又向京

極堂詰問：

「可是，中禪寺先生也說中我的身分與工作上的事情了啊，還不只如此——」

「哼哼哼，關口，千鶴子在你跟她介紹鳥口時說了什麼？」

——哎呀，是是，有聽說過呢。

有聽說過，夫人這麼說了。

「啊，所以說你們從小敦那裡聽說過鳥口的事情了嘛！」

「正是。敦子那傢伙昨天來這裡一趟，頻頻稱讚鳥口是個懂幽默、令人愉快的青年。所以我事先知道了鳥口的工作地點、工作內容、人品人格——等等的基礎知識。這些以外，鳥口，你也曾跟敦子抱怨過妹尾先生對分屍殺人事件沒什麼興趣是吧？」

「這麼說來，的確曾抱怨過好多次耶。原來如此，那麼那棟箱館的事也是從敦子小姐那裡聽來的嘛？」

京極堂在聽到鳥口提到箱子的瞬間，立刻皺起眉頭，露出不愉快的表情。

「嗯，正是如此。但是——鳥口，奉勸你真的別去深入探究這件事。關口，你也一樣。」

京極堂瞪著我說。

看來他肯定多少知道那棟建築物的內幕。可是現場的氣氛令人難以開口詢問。反正這名男子只要是不想說的事情，再怎麼問也不會洩露半點消息，我便乖乖地點頭了。

且比起這些問題——現在想問的另有其事。

「等等——京極堂，你剛剛的話裡有一點還是無法說明。鳥口說他不記得在神社遊玩過的事情，因此不可能是敦子對你說的。但你不只能說出祭神小屋的數量，還知道杉樹跟旗幟。鳥口，這些都說對了吧？」

「這個嘛，小屋的確是有四間——村子入

口處有棵巨大的杉樹，然後也真的插了一些旗幟。」

「京極堂，你也說明一下這點吧，難道這些也是早就知道了？」

京極堂又再次搔起下巴。

「關口，『知道』跟『瞭解』是不同的。這邊我知道的事實是鳥口的故鄉是若狹（註一）遠敷郡，而且是納田終。這部分是從敦子那裡聽來的。」

「我的確跟敦子小姐聊過故鄉的事情，因為聽敦子小姐提到她小時候也住在關西。」

「我沒聽過納田終這地方，很有名嗎？」

「我不知道有不有名，只是個一無所有的山村而已——中禪寺先生聽過嗎？」

「去是沒去過，不過跟關口不同的是，我多少擁有關於納田終的知識。」

「有知識就能說出剛剛些？別跟我說你連全日本的各市町村落的神社有幾間都知道。」

京極堂這傢伙不見得不知道。

「我當然不知道，只不過納田終比較特別。納田終屬名田庄村，名田庄是土御門家的封地，而土御門家則是繼承了安倍晴明血統的家系。應仁之亂（註二）時，土御門家把晴明的分靈遷至此祭祀。以後這裡的神社便受到歷代的天皇保護，並受封為天社宮。我們家的神社在正統性上雖然頗可疑，但好歹也算祭祀安倍晴明的神社，所以說並非全然沒有關係。」

京極堂的另一身分是神主，神社就設在附近的森林中，名稱為武藏晴明社。

「總之，這些知識組合起來引導出的結論便是先前所說的內容。這是我**瞭解**的事情。名

註一：日本舊行政區名，為今日福井縣（京都府北方）南部。

註二：日本西元一四六七年～一四七七年間發生的內亂，影響擴及全國，並成為引發戰國時代之開端。

田庄位於山中，剛才鳥口本人也說偏僻，自然不會有太多複雜的東西。有的是神社——貴船、加茂、善積川上、以及天社四大支派。因此我推理——鳥口在這種地方長大，自然曾在神社玩耍過，且他外表看起來也不像是完全不玩耍的病弱小孩。當然，這算是大膽猜測，搞不好他實際上並不愛玩，也可能專在山林裡玩耍。不過在觀察他的表情後，我敢斷定我說中了。至於杉樹與旗幟則是從文獻上得來的知識。」

聽完說明便不覺有何不可思議的。鳥口也總算合起了嘴，反覆說著「原來如此，嗯嗯，這樣啊，原來如此啊」，似乎深感佩服。

「話又說回來京極堂，講白了確實沒什麼好不可思議的，可是你為什麼要作這種惡作劇？對初次見面的人太失禮了吧，害我也沒能好好幫他介紹一下。」

京極堂又取出另一根香菸放入嘴裡，說：

「讓關口大師介紹反而會產生誤會吧，況且你們不正是為這類的事而來？」

鳥口聞言，立刻大喊：

「啊啊，那時，也是像現在這樣！」

思考速度較慢的我在理解事情之前，鳥口已經先盤起胳膊沉思起來了。

「怎麼了？什麼事啊？鳥口！」

這次換成是我跟不上話題了。

「老師，您怎麼還沒想到啊，就是御筥神啊。沒錯吧？中禪寺先生。」

鳥口以手肘輕輕頂了我一下，京極堂總算顯露出笑臉來。

「欸，昨天聽敦子說鳥口要潛入什麼可疑的祈禱師還算命師的根據地採訪，既然關口會特意帶鳥口來我這兒，我猜九成九**跟那方面有關**，所以——」

我總算理解了。

京極堂的推測的確很準，我帶鳥口來這裡

正是希望聽聽京極堂對於**那方面**的意見。

「你怎麼不管做什麼老是先人一步兩步，等我們問了你再回答不是很好嗎？」

「但這比囉哩八嗦地說明更好理解吧？」

「話是沒錯啦——」

我找不到什麼話好講，情急之下拿了毫無關聯的話來反擊。

「你們兄妹平時看起來老是在吵架，沒想到竟會互通情報，真是一對不能掉以輕心的兄妹。」

「什麼掉以輕心，我們兄妹啥時作了什麼該被警戒的事了？」

京極堂一臉困擾地說。此時紙門悄悄打開，夫人端著盤子進來。夫人再次向我與鳥口打招呼，細心地將茶與軟羊羹擺在我們面前，說：

「哎呀，這個人又在說些無聊的話了吧？真拿他沒辦法。鳥口先生，真是不好意思，這個人就是這麼個怪人，但敦子跟他一點也不像，個性很正常的。希望別被他嚇到，今後也請您多多指教。」

鳥口突然變得很畏縮，渾身僵直地說：

「沒、沒這回事，也請您多多指教。」

據夫人所言，茶點的水羊羹是伊佐間屋送的，聽說他明天要出發到山陰地方釣魚。

夫人在的期間，鳥口全身像是被漿糊糊住了一般僵硬，當夫人說了聲「各位請慢聊」，關上紙門離去之後，他才像是皮球洩了氣般變得軟趴趴的。這麼說來這位青年第一次來拜訪我家時，見到妻子在場也是全身硬邦邦的。既然鳥口恢復原狀，我也吃完羊羹，話題便又回到原題之上。

「京極堂，剛剛的詐騙算是真正的詐騙，那你的意思是其他的算命師之輩也全跟你一樣是詐騙？」

「別一直詐騙詐騙的說個不停哪，不過

——欸，你說的沒錯。雖說這些分子當中確實有類似榎木津那種特異體質的人，但大體而言都是類似我剛剛的把戲。拆穿了是沒什麼好不可思議的，但若不說，你們恐怕會以為我真的用了什麼法術吧？」

榎木津是我們的朋友，在神田開了家偵探事務所。他似乎具有一種能看到他人記憶的奇妙體質，京極堂所指的就是這個。

「我想會吧。要是你不說明真相，反而拿神佛出來解釋，我們肯定會被你騙了。」

「我可沒騙人哪。我既沒說謊，也沒扭曲或隱瞞事實，只不過與普通情況**在順序上不相同罷了**。」

「這麼說也是沒錯啦，可是你手法的前提是事先知道客人情報吧？我可不認為世上的巫覡卜占之輩能那麼剛好事先知道客人情報啊。」

「不、不見得。只不過有個前提，就是靈感與算命應該另當別論，雖說此兩者在構造上一部分相同。另一點則是，一般人老把宗教跟超能力者之輩的視為同類對吧？這就是造成混亂的元凶。例如說，用批判超能力者的方法論來批判宗教是文不對題，反之亦然。但是敵人對這點也瞭如指掌，所以有時會故意將之混為一談，趁著混亂混淆視聽。這樣一來就算知道他們有問題，但若不瞭解差異所在，想批判也無從批判起。」

「哪裡不一樣啊？」

鳥口發問，不知不覺間他的表情顯得很認真。

「思考整理一下便會發現要分辨其實很簡單。為了方便起見我們暫時先分作宗教家、靈媒、算命師、超能力者這幾類。並列一看的確是很奇特的陣容。正確說來，這種分法在分類層級上是錯誤的，因為這些不是能並列而論的種類，不過暫時就先這麼分吧。」

「層級不同是什麼意思？」

「算命師是職業名稱，靈媒、超能力者是用來表示個人的特異性質的名詞。所以說具超能力的算命師是可能存在的，同時若他又屬於某個宗教團體則又能稱作宗教家。這與蘿蔔、紅蘿蔔、南瓜及小黃瓜同屬蔬菜類的情形是不同的。但是，就算有個信仰某宗教，具有超能力的算命師存在好了，當我們要針對某個事項來討論時，這個人還是會被歸屬於四個當中的某一個範圍之中。只要針對某事項來討論的話，這樣的區分便顯得明確而不重複，故暫且採用這種分法即可。」

「某事項是指？」

「即他們被人批判時的最大理由，同時也是被人混同的最大原因，那就是『奇蹟』。為防止誤解，我先定義一下，這裡所說的奇蹟是指『通常被認為不可能發生的現象』。如此定義下，不管稱法有多少種，我們仍可將他們全視為『以展現奇蹟作為活動一環的人士』。為了使論旨更加明確，現在我們的論點就限定於這個部分吧。當然，他們在這個以外各具有許多種的屬性，只挑這點來討論其實有些過分簡化。但既然批判的對象多集中於此點，且這也是最容易產生混同混淆的部分，那麼將這四種類在這點上的差異性明確化，對於避開針對其他部分的不正確批判並展開有效批判上亦非徒勞無功。另外，也不只限於批判，這對該如何去肯定這四類人亦有所幫助。」

京極堂打量著我們，似乎在看我們理解了多少。

「接著，奇蹟其實也有許多種類。舉個最簡單的、四者均會實行的例子好了。就是剛剛我玩的把戲：得知並說出諸如未來之事、過去之事、自己不知道的事實、第三者不知道的事項等這些正常情況下不可能知道的事情，也就是所謂的『洞悉祕密』。這四者都很擅長洞悉祕密，不管是讀心術或靈視術或卜易，這些方法看似不同，就結果而言全都一樣。簡言之，這種奇蹟就是專門知悉平常不可能得知之事。可是對於上門求助的人而言，這四者看來似乎都一樣。若問什麼部分不同，這四者在各自的目的上，以及對所展現奇蹟的說明體系上其實是有所差異的。」

京極堂有時會搖身一變，成了個煽動家。這麼無趣的話題卻能吸引鳥口大半的興趣。而我由於已經習慣，還不至於向鳥口那麼嚴重——但腦中也快被和尚、算命師以及靈媒給佔據了。

京極堂繼續鼓動著辯舌。

「首先來講宗教家的情況吧。這種人——真正的目的是信仰，以及為了擴展信仰的宣教。奇蹟乃**為此發生**。亦即，奇蹟是為了盡可能增加信徒而發生的。所以表面上應與營利目的的奇蹟區隔開來。」

「增加信徒難道不是為了營利目的嗎？」

沒有信仰的我對宗教存有偏見。

「對你這個沒信仰的傢伙大概很難理解吧。當然不是。」

「是嗎？增加信徒自然就能賺更多點錢，而就是因為能賺錢所以才傳教的，不是嗎？」

京極堂瞇起眼來看我，蔑視著我。

「你的問題會讓論點變複雜，待會兒再說明。接著是宗教家對於奇蹟的解釋。必須考慮其所信仰的對象——絕對者、神之類的存在。此時，說明奇蹟的方法有兩種——第一種是以其信仰的對象，例如說神——直接引起奇蹟作為說明。這用在發生天災地變之類的大事件時最有效。關於這項應該無須多作說明吧？另一種說明則是說其特別力量來自於真摯的信仰心或虔誠的修行。對於他人質問為何能洞悉『祕密』時，宗教家只需回答這是神的啟示便能說明。若是被問及為何能聽見神的啟示，也只需回答一切均是修行的成果，亦即從虔誠的信仰而來的即可。」

「這樣啊，也就是說繼續問下去也沒有意義了？」

「沒錯，因此不直接批判其信仰的對象本身或教義理論的話，也只是打泥仗罷了。」

確實，這類議論大多是雞同鴨講。

「那麼——接下來來講講靈媒吧。」

鳥口重新坐正。

「靈媒與宗教家有所不同？經常聽到修行之後獲得靈能之類的事咧。」

原以為會被反駁，京極堂卻很率直地同意，看來我這次的質問雖不中亦不遠矣。

「——如關口所言，若先切除修行者的宗教教義部分不談，其與靈媒之間幾乎沒有差異。但是我仍認為這之間有一點區隔，那就是靈媒並不以信仰、傳教之類為目的。例如說，有個透過修行獲得靈能的宗教家好了，在與信仰、傳教無關的部分發揮力量時——因為這不是宗教活動，所以此時應稱呼他為靈媒才對。相反來說，有時靈媒也會獲得系統化的教義而成為假性宗教家。但這時靈媒自身的信仰與以靈媒為中心發生的假性宗教信徒的信仰是不能一概而論的。」

「真難懂。」

「會嗎？」

京極堂皺起眉頭。

「以靈媒為中心發生的假性宗教的信仰對象多半是靈媒**本身**。不管靈媒本人要信仰不動明王還是白蛇，信徒們崇敬的是靈媒本人。亦即，靈媒自己與信仰、傳教等等的大義名分是毫無關係的。所以毫無信仰的靈媒也能成立。」

「那靈媒的目的是為了什麼？」

鳥口問。

「——跟信仰或傳教都沒關係嘛？」

「沒錯，大多是為了救濟。」

「那不就跟宗教相同了？信仰還不是也提倡救濟？」

我一說完，京極堂立刻說：

「你可真愛一一反駁哪。」

接著說：

「宗教中的救濟是不同的。宗教中，信徒要靠自己的信仰才能獲得救濟。所以宗教家的目的是傳教，救濟只是其結果。相對於此，靈媒則是發揮其特殊能力**來拯救**信徒，所以救濟本身則成了目的。受拯救者付錢答謝出手搭救的靈媒，換言之，就像在付費享受特殊技能一樣，之後是否有信仰並不重要。因此這可說是一種以救濟為名義，活用特殊技能的行業。除了行奇蹟不求報償的人以外，這明顯可說是**以營利為目的**。」

「那靈媒如何說明他們的奇蹟呢？」

「很簡單，只需說自己具有某某神奇力量即可，至於力量怎麼來的要怎麼回答都沒問題。不限定是修行或信仰的成果。可以說與生俱來的，甚至宣稱自己就是神也可。亦即，相對於宗教家是神的信仰者，靈媒本身在立場上是能與神互換的，也因此才會產生以靈媒本身為對象的信仰。」

鳥口以一副似懂非懂的表情點點頭。

我也似乎有點懂了。

「那麼——再來是算命師吧。占卜分成幾個系統，例如起源於中國的、發生於東方的，或者易經、占星術等等。種類之多，不勝枚舉。但是只要學習該占術的理論，不管誰都能算命。不需修行或信仰，也不需天賦才能。跟成為律師、代書相同，只要用功就當得成。」

還有占卜學校呢——鳥口說。

「沒錯，這種情形的目的非常明確，算命師得擺攤賺錢，所以毫無疑問的是為了營利目的。至於發生奇蹟的理由——雖說此時不叫做奇蹟——也很明瞭，就是根據各自占卜理論而來的。不管是陰陽五行，還是十干十二支、四柱推命、黃道十二宮等等都行。若被人問及為何能洞悉祕密，只要將所學之事諸如木火土水金如何如何、太陽在牡羊座如何如何交代給他聽即可。占卜就是這種東西，不多也不少。若想批判，除了指摘出占術理論的矛盾點外，別無他法。」

「可是京極堂，世上也有所謂的靈感占卜吧。」

「那只是用宗教或靈媒的概念代替重點的占卜理論罷了，會這麼做多半是嫌用功學習占術理論很麻煩吧。總之掛著算命師的招牌，卻在占卜之後說什麼要祭拜祖先或遇上孽緣之類的話根本是搞錯領域。」

他講得似乎很有道理，但對我而言實在很不明確。我平時從沒注意思考過區別，而且就算能明確區分開來，對我而言頂多也只是相當於菖蒲與燕子花的差異性，不具多大意義。只不過大概就是因為大家都像我一樣，以這種**似懂非懂**的態度去面對，所以這種傢伙才會充斥於街頭巷尾吧。

「最後是超能力者。這類人沒有所謂的目的，也不是想當就能當的。他們多半會以科學當作說明體系，不過多半無法完全說明。畢竟若能完全說明，開頭也就不會加個超字了。這單純是一種能力。榎木津若要分類就屬此類。」

鳥口不知道榎木津這個人，因此最後一句話應是對我而說的。

「我們無法去批判這種能力本身，因為那是體質問題。要批判只能批判他是如何運用這種能力的，以及是否謊稱基於什麼原理成立的。只不過在質疑這些之前必須先檢查是否真的具有這種能力，亦即，能力本身是否是詐欺。但是，即使真的具有特異能力，也有許多超能力者誤會其能力的來源，譬如自稱自己是靈媒，或宣稱透過修行開眼，或利用占卜來戲弄別人，所以經常會造成更多的混亂。好，鳥口，到這邊應該沒問題吧？」

「嘿？」

鳥口突然被點名，縮起下巴，發出愚蠢的怪聲。

「現在回到我剛剛的把戲，關口一直說那是詐欺嘛。」

「的確是詐欺啊。」

「剛剛就說了，如果我自稱──我是靈媒，以不可思議的千里眼神通力得知鳥口的來訪，那就是詐欺，因為我在說謊。或者，如果我說──我是超能力者，用讀心術窺知鳥口的內心世界，這也是詐欺。但是這兩種情況中，真的算欺騙的部分只有一點，那就是──我謊稱了我獲得鳥口情報的方式，此外並無其他謊言。而且就算我真的用了靈能或超能力來獲得這些情報，對你們而言也沒什麼好困擾的。」

「頂多覺得世上也有不可思議的事情罷了吧？」

「欸，就算真的有超能力也沒什麼好不可思議。而且若是假的也只需一點簡單的檢驗便能識破。要是對方得意忘形，自稱起具有預知能力的話要識破更是容易。總之超能力就是**這種程度**的東西罷了。但如果我不以靈媒自居，而號稱算命師的話又如何？」

京極堂伸出手來，在茶几上合掌。

「如何？沒變化吧？說謊還是說謊啊。」

「有變化。譬如我宣稱──我以中國古傳的天后算命術算出鳥口會來訪，由其面相骨相看出其懊惱運勢，並藉此導出過去種種事蹟的話，當然這一樣是詐騙，但你們也會相信吧？記得你們剛剛這麼說過。」

「聽起來比超能力之類的還要有說服力。雖說現在已經知道真相了，不敢保證。不過我想多半會相信吧。」

京極堂解開合起的手指，說：

「那麼如果我接著說，鳥口明天會遭逢一股厄運，工作不順、尋人不遇、失物不回，水難、火難、女難加死相——的話，你想會如何？」

「唔嘿」的一聲，鳥口發出悲鳴。看來**唔嘿**是他的口頭禪。

「京極堂，你個性真壞耶，要舉例幹嘛不舉點比較吉利的例子？你看鳥口，他明明知道這是謊話也差點相信了。要是你沒先揭穿謎底直接對他如此宣告，我看他恐怕就直接在樑上上吊了。」

假算命仙不懷好意地看著鳥口，問：

「為什麼你會相信？跟過去現在的事情不同，未來的事沒人能保證說得準啊？」

我代替支支吾吾的鳥口回答：

「你說廢話，既然過去現在的事情都全部說中了，自然也會以為未來的事照樣說得準啊。」

假算命仙大大點頭。

「沒錯。這點就這種情形下最大的詐騙。過去現在的事情只要靠收集資料就知道，說實在的，說得準是理所當然。而剛剛的例子則是利用說中過去現在的事情來保證對未來預言的正確性，但事實上所謂的算命師必須能預言未來才有存在價值，只知道過去是沒有意義的。可是反過來說，我們根本不知明天之事，所以不管他怎麼說也無從判斷。畢竟實際上我們也只能以過去現在之事來作為判斷基準。所以說，老是說中過去現在之事的算命師不值得信任。」

「原來如此，算是上了一課，但你說這些的用意是什麼？？我不懂你的意圖啊。」

假算命仙露出自信的笑容。

「繼續聽下去就懂了。假設我是個算命

師，不管我是行詐騙還是乖乖地用占術幫人算命，總之我的工作在我預言未來的階段就結束了。拿了算命費就可以拍拍屁股走人，不管鳥口會淹死燒死都與我無關。」

「這樣啊，可是這實在是……」

「倒不如說，對我而言真的發生了還比較好，正好可以證明我的確很準。」

「可是這樣太過分了啦。」

鳥口沒用地哭訴。

「別擔心，反正多半算不準。我們沒道理能洞悉未來之事。可是，假設鳥口已經完全信任我這個算命師時，就算沒說中也會以為——他靠著占卜察覺了危險，在警戒之下改變了運勢吧。因此當順利突破難關時，說不定還會懷著感謝之情向算命師道謝，奉其占卜為人生方針。只是如此的話倒也還好，就算算命師是騙子，客人等於是完全中了他的騙術，但求卜的人本身心懷感激所以倒也無妨。而對算命師而言，每次只需隨便講講就能收算命費也不錯，別太過分就不會露出馬腳。但如果說，我不是算命師而是靈媒的話呢？」

「會怎樣？」

「靈媒的話嘛，並不是——只幫人預知不幸未來就銀貨兩訖的，還有後續。」

「後續是什麼？」

假算命仙搖身一變，成了急就章的靈媒。

「當然是，幫人幹起除靈障的行為哪。」

「啊啊——原來如此。」

「沒錯。剛剛不是說了？算命師是做生意的，收了算命費後沒必要還去照顧你的未來。但是靈媒可不同，他們以拯救蒼生為職，必須傳授人避開不幸未來的方法。因此動不動就要幫你除去厄運、幫你驅邪、勸你刻開運印鑑、勸你買開運寶壺等等，這些都比算命費還貴得多了。」

京極堂伸手拿擺在榻榻米上的白壺，高舉

起來。

裡面應該裝了點心吧。

「嗯嗯，原來如此。鳥口啊，換做是你應該會買吧？例如說他手裡的白壺。」

「或許會買吧，有錢的話。」

鳥口小小聲地說。

「可是靈媒頂多也只是幫你驅邪，賣你開運寶物就結束。」

京極堂把壺放在茶几上。

「換做是宗教家的話還有後續。」

「更惡質嗎？」

「倒不見得，只是還有後續而已。」

「還有後續？」

「如我再三強調的，宗教家的本分是傳教，也就是要人入信、改宗。以鳥口為例，為了讓鳥口變成某某宗的信徒，宗教家會把前面的所有行為綜合起來。即，不管是最初詐騙的部分、後續不準確的預言部分、再接下來的加持祈禱部分，都只是為了達到目的的表演，是無關緊要的部分；說謊也只是圖個方便罷了，只要能讓鳥口真誠信仰即可。一旦鳥口成為信徒了，還會管他詐騙不詐騙嗎？不管買了什麼寶壺什麼寶珠，通通成了貴重的寶物；更別說一開始傳教時說的謊言，那根本不足掛齒。因為未來是一片大好光明在等著，入信者得永生。」

京極堂說話的語氣變得像是和尚在說教一般。

受他語氣影響，我覺得像是正在受人矇騙一樣。

仔細想想便知道，這樣的傳教一點也不值得感激。雖然京極堂主張這四種人有所不同，但越聽反而越覺得，不管是超能力者、算命師、靈媒、還是宗教家全都一個樣。

「怎麼越聽越糟啊，說穿了這些全都是詐騙嘛，連宗教也跟詐騙沒兩樣嘛。」

「一點也不糟。因為你先知道一開始使用了詐騙手法才這麼覺得吧？只要不知道就不覺得。」

「話是沒錯，但還不是一樣，都是欺騙行為啊。」

「當然不一樣。這四個雖然都同樣使用了詐騙的手法，但詐騙所佔的位置並不同。首先超能力者的情形，如果他玩了我剛剛用的那類把戲就表示他的**能力本身**是假的。這根本沒什麼好說的，被拆穿了就完了，受人抨擊也無反駁餘地，因為不具這種能力卻自稱超能力者這件事情本身就是詐騙。因此，即使把戲玩得很巧妙**沒被拆穿也該受人抨擊**，因為他該自稱的是魔術師才對。所以，理所當然地只有**真正**具有能力者才能成立。那麼，算命師的情形又如何？如果算命師有玩把戲，就表示對過去與現在占卜是騙人的，但那並不表示後續的對未來的占卜就一定不是真實。即使不是真實，那也可能只是照著自己的理論算出的結果。說白一點，詐騙的部分只是**吸引客人**的手法罷了。我一貫主張人不可能預知未來，但算命師並不這麼認為吧。反正隨口說說也有可能說中，只要中了就好，算命就是這麼一回事。因此就算過去、現在的占卜騙人，以算命師的情況來說我們**沒必要全盤否定**他的行為。那靈媒又如何？其本分乃是祈禱之類的事情，因此最初的部分不管是詐騙還是什麼都無妨，靈媒只要靈能有效就好。」

「真是謬論。不管驅邪是不是有效，一開始的部分都一樣啊，都是詐騙吧。」

「雖然一樣，但沒關係，因為**所謂的靈異就是這麼一回事**。」

京極堂斷言。

「自古以來很多人都搞錯了——或者說即使是現在，大部分的日本人也還是這麼認為。其實所謂的心靈術，只是種用來賦予難以說明的『靈』的觀念一個姑且形式的作業罷了，絕不是什麼不可思議的非科學之力。因此巫女或咒術師不可能知道明天的事情，也沒有必要知道。他們有必要知道的是獲得所需情報的特殊能力，與有效地將這些情報公開的方法論。透過某種形式攝取而來的情報，用最有效果——這裡指的是對第三者具有效果——的形式將之公開，以作為隨後施行的奇蹟之佐證。」

「這跟占卜時以詐騙來吸引客人不是都一樣嗎？」

到現在我仍無法掌握京極堂這番話的意圖，不過雖然掌握不到，卻也已徹底被他的話題所吸引。京極堂一如往常，毫不遲疑地回答我的問題。

「不同。占卜的情形，一開始的手法之作用是為了讓人相信自己的理論，因為人們相信既然能說中過去與現在之事，表示基於『相同理論』也能說中未來。但是就結果而言，**除了偶然說中的情況以外**，大部分的預言都**不中**，因為未來不管用任何理論都無法真正準確預測。」

「不可能——準確預測嗎？」

「不可能。**所謂的占卜本來就不可能會準**。既然不準，就表示理論有錯，可是一開始對過去現在的占卜卻很準，由此便可知這部分是由別的理論——也就是騙術而來的，於是把戲便曝光了。但是靈能並不同。祈禱驅邪**有所謂的效果問題**，跟占卜不同，不可能不準。」

「為什麼？你剛剛不是才說——未來之事不可能預測嗎！」

「所以說未來之事跟靈媒根本沒關係哪。靈媒與算命師不同，不會說什麼『你明天會碰上某某事』之類的話。而是說『**不驅邪會遇到壞事**』、『**不買寶壺無法幸福**』。如果驅邪買壺之後仍無法幸福，就說你心態不正、祭拜不足，要有多少理由就有多少理由，所以說**絕不**

可能不準。因為靈媒的存在意義並非為了告訴人明天會發生什麼，而是明天該做什麼。」

「所以說比算命師更惡質對吧。」

「當然不是。不管他們用了哪些手段，只要有人因此得救，倒也無妨。所謂的心靈術就是這麼一回事。會產生不滿是因為技術差勁、無法救人的靈媒越來越多所造成的結果罷了。只要不能救人，不管是什麼靈媒都是詐騙。因此只因一部分做法是詐騙就大驚小怪完全是錯的。因為對靈媒而言，詐騙本來就是理所當然。」

「只要騙得夠徹底——就沒問題嗎？」

「說難聽點正是如此。因此重要的不是手段，而是手法。採用了立刻會被看破的三流手法才有問題。只要不會被看破，不管用什麼手段都無妨。因此自太古以來靈媒們潛心鑽研收集情報的技巧，如何獲得情報對他們而言是攸關生死的問題。」

「可是收集情報也不是那麼簡單的吧？撇開剛剛你那個靠偶然的把戲得來的情報不說。」

「偶然也是技巧之一啊。從細微的動作到坐姿、語尾等從當中提引出最大限度的情報。正確的狀況判斷、預備知識的累積、基於巧妙口才的誘導詢問，這些就是靈能。當然事先調查亦是靈能之一，這些準備都很費功夫。所以像榎木津那樣能什麼也不做即能洞悉對方祕密的傢伙來當靈媒是再適合也不過了。」

「那麼，京極堂，你是說榎兄是靈媒囉？」

「當然不是。你的理解能力真差哪，我只是在說，用世間所謂的超能力來收集情報是很有效的罷了。那傢伙遑論救人，根本只會造成他人混亂而已。收集而來的情報如何公開才是重點，這方面的技巧比情報收集更麻煩得多了。」

「——也就是說，世上所有靈媒說穿了全

是騙子，是嗎？」

「沒錯，但我還是要不厭其煩地再說一次，是詐騙也無妨。只要不被揭穿，就稱不上詐騙。所以我一開始不就說了？這就是心靈術。可是後來這些心靈術的技巧被那些算不準的算命師或假超能力者拿去亂用，事情才會變得複雜起來。」

鳥口沉思一番後，發言說：

「原來如此，真是完善的手法。但是這樣一來，不就永遠不會有人對靈媒有所怨言了嗎？靈媒不同於算命師，絕對不可能不準；而且只要把戲不被拆穿就不會被人懷疑。」

「不——問題是最近的靈媒都搞錯基本部分，他們不瞭解我剛剛說的道理，所以做法很差勁。手法很快被人看破，驅邪又沒效果，所以救不了人。運氣好的話還有人相信，運氣不好就半個信徒也沒有。當中也有做法差勁卻擅長唬人，一時之間能獲得他人信任，願意讓他驅邪個幾次，但最後露出了馬腳反而會導致不好的批評。於是靈媒這種生意逐漸變得比算命師更投機，最近幫人靈視、祈禱等等的價錢遠比占卜的費用還高得多，而寶壺也貴得離譜。」

「原來高價是這個原因。」

「正是如此。可是當中有些人天生窮酸性格想說既然已經花大錢了，不努力點不行，結果反而真的改變了運勢；也有人偶然碰上好運到來。於是長久下來，倒也能形成剛才提到的假性宗教。這麼一來，就算手法拙劣也能賺大錢。但若沒這麼好運——可就抱怨滿天飛了。」

「所以你的意思是，這些手法拙劣的靈媒忘了靈媒的本分嘛？」

「沒錯。收集情報的手段簡單就被看穿，也有人主動公開原本不該公開——自己獲得靈能的由來。更愚蠢的是，還有些笨蛋自命超能力者；或者反去汲取算命師的理論，做些原本不需做的未來預言，靠此多收金錢，墮落到與詐欺師毫無兩樣的地步。」

「意思是，嚴格說起來原本靈媒並不像算命師會對未來預言？」

「沒錯。靈媒所做的『洞悉祕密』並非是對未來的預知，而是對於招致現在狀況的原因──也就是對過去的因緣作解釋。關於未來，則以『照現在情況發展下去並不樂觀』的方式來表現。對他們而言，能明確看出是否說得準反而是致命的，這由靈媒漫長的歷史便可獲得佐證。預言的風險太大，對他們而言並不划算。因此哪，讓我來說的話，如同只有過去、現在之事說得特別準的算命師不值得相信一般，明確預言未來的靈媒也是三流貨色。」

「原來如此。那麼宗教家又如何？」

「宗教家也不預言。」

「不是有預言者存在嗎？」

「那是預言者啊，意思是預知神言者。聽好，宗教家背後有個全知全能的神存在。如果隨便預言卻落空了，那就表示神的話不準。這樣一來誰能負責？豈不讓神明的面子盡失？所以說沒必要冒著種風險。釋尊還曾禁止人們預言哩。」

「有這麼一回事喔？」

「嗯，在富有強烈初期佛教色彩的南方佛教經藏小部中的巴利語經集裡收錄了佛陀的話語，祂說完全不預測瑞兆與天災地變、看相、占夢，也不判斷吉凶才是修行者之正道。另外同一教典中也說釋迦明白禁止婆羅門的吠陀之咒法、看相、占夢、占星術。」

我雖不清楚他引用的典籍是什麼──不過看來是真的。

「可是好像聽說過有些聖典預言未來之事，也聽說曾有德高望重的高僧預言過國難耶──」

與京極堂不同，我舉不出半點具體的例子。所以我的反駁聽起來欠缺說服力，顯得與小孩子耍賴沒兩樣。

「的確是有你說的情形；但是聖典做的是好幾千年、甚至好幾萬年以後的預言，總之是同時代人無法確認的、超乎常識範圍的預言。正確與否絕對無法確認，所以沒有風險。」

這麼說來的確沒錯，全是些到現在仍不知是否正確的預言。

「另外你說的高僧的預言嘛，這算是特殊的情形。原本進行預言的和尚該算是破戒僧，算不上求道者。可說單純只是個靈媒，不，該說是超能力者吧。這些人嘛，要是說中了教團便會採用來作宣傳，要是沒中便逐出教門。教團在這方面是很現實的。話說回來佛教教團其實連替人驅邪都不允許的，因為佛教基本上並不承認靈魂存在。」

「是這樣嗎？」

鳥口歪著頭反問。

一臉覺得很意外的樣子。確實，我想初次聽見的人都會覺得很奇怪吧。我以前便聽過京極堂說過這類話，因有預備知識故不意外。

鳥口繼續歪著頭，帶著狐疑的表情說：

「——可是我今年才在編輯室附近的寺廟驅過邪耶。」

「編輯室附近——啊，目黑的祐天寺是吧？」

「是的，是祐天寺沒錯。那間應該是有名的寺廟吧？」

「祐天寺是間歷史悠久的名寺，與鬼怒川羽生村那位降服了阿累怨靈（註）之著名高僧祐

註：有名的怪談。故事敘述不良於行的醜女阿助受父親嫌棄，被拋入河裡淹死，後來其父又生出一名與阿助長得一模一樣的女兒，名為阿累。阿累婚後也受丈夫嫌棄，一樣被拋進河裡殺死。死後化作怨靈作怪。

天上人有很深淵源。祐天上人可說是日本史上開創降服怨靈、嬰靈供養分野的高僧，他擔任過淨土宗十八談林的大巖寺、大談林的傳通院、總本山增上寺的住持，最後成為大僧正。可說是一步步爬上淨土宗的最高位的人。但是他在被大幅拔擢成為大巖寺的住持之前，可說是宗教上的無業遊民哩。」

「那又是為何？」

「要說為何嘛——因為他是專以驅除惡靈為職的和尚吧。淨土宗淵遠流長，樸實不華，對他們而言驅除惡靈是偏離正統的行為，覺得不像話，所以才會排擠祐天上人吧。但是由他最後又爬進權力中心這點可知，教團也沒打算徹底與他斷絕關係。不即不離，在教義上雖算是異端但在作為宣傳卻給予高度評價，這就是教團的做法。但基本上他們是不認同偏離正統的行為的。」

「京極堂，聽你說了這麼多，當然我並不是不信任你，但你的話卻總是給我一種詭辯的印象。為什麼會有這麼多恰恰好的例子一個接一個出現？你該不會是看我們不知道便隱瞞不合乎論點的，只舉能佐證的例子吧？」

「很可惜，我得駁斥你的意見。我才不會幹先準備好結論，再為了證明結論只舉足以佐證例子的行為。很可惜地，正確來說是目前留下來的例子全都是恰恰好的例子。」

「你是說不利的例子就會被抹消嗎？」

「說穿了便是如此。」

我的愚蠢質問早早被人駁斥掉了。

「那非洲的咒術師又如何呢？那是宗教沒錯吧，難道他們不預言嗎？」

可是當鳥口問了這個單純的問題時，京極堂卻一臉高興地拍了膝蓋，說：

「問得好，可見鳥口比關口的理解度高得多了。」

「後面那句太多餘了吧，反正我就是沒理

解力。可是──我覺得這個傢伙也只是五十步笑百步而已吧。」

「沒這回事，剛剛鳥口的質問具有重大意義。我在一開始定義宗教家的時候沒定義清楚，是我的錯。我在此所說的宗教家是指『具有許多普遍宗教要素』的傳道者。鳥口說的非洲一帶的宗教並非普遍宗教，而是民族宗教。」

「什麼是普遍宗教？」

「以個人為救濟對象的宗教。佛教、基督教、回教即是。普遍宗教所指通常是這三個，又稱做世界宗教。這些宗教不論人種國籍，任何人都能入信，亦即能透過傳教擴大其勢力。我這次舉的例子並不只限於這三大宗教的傳道者，也包括透過傳教擴大勢力的宗教信徒，所以也包含異端或新興宗教。稱之為普遍有所語病，但與民族宗教又明顯不同，所以先將就使用吧。」

「那，所謂的民族宗教又是什麼？」

「相對於普遍宗教以個人為救濟對象，民族宗教則是專以民族、國家、集落、血緣團體等特定團體為對象的宗教。這種既無傳教的必要，也辦不到。本國的神道等宗教即被分類於此。想信仰這類宗教，就只有取得國籍、成為村民、締結血緣關係等等而已。的確，部族之間是有勢力之爭，而不同民族宗教的集團之間也有權力抗爭，但基本上民族宗教在教義上缺乏增加信徒或擴大勢力的面相。因此民族宗教雖需要咒術師來作為宗教上的象徵，但其存在價值卻與靈媒幾乎毫無兩樣。咒術師雖具有宗教上的向心力，但民族宗教中的咒術師單純只是神的代理人，絲毫不具備宣揚教義、勤於傳教的宗教家性格。而且他們與神本身之間具有互換性，這點從先前的分類來看──也該歸屬於靈媒之中。」

話題似乎又擴大了。

「可是，如果囫圇吞棗地接受你的說法，那神道中的神主，也就是說像你這種人便該算是靈媒吧？可是僅憑我的印象來判斷的話，宮司神主之類的人要說是宗教家還勉強接受，說是靈媒似乎差太遠了哩。」

我的發言總是建立於印象之類的薄弱證據上。

「神主本來就是靈媒。只不過神道的複雜性是長期累積的。神道一開始是發生於血緣宗教，有血緣關係者自然而然會住在一起，後來便又發展成地區宗教。你應該聽說過村落的鎮守神吧？」

「有啊。」

「過去每一族每一集落都鎮守著一尊神，所以說日本有八百萬尊神明。另一方面，隨著國家規模的成形，各集團間產生了政治性的上下關係。最後宗教上神明彼此之間也產生了主從關係或姻親關係，歷經一番廢退統合。」

「神明的廢退統合嗎？」

「沒錯。在原本的村落鎮守神的性質之外，另外產生了一種國家宗教的進化。緊接著更糟的是，這時外來的普遍宗教──佛教傳進日本了。毫無疑問地，佛教在宗教的規模及結構上紮實得多了，因此神道便打算參考佛教的結構來強化體質。」

「神道受到了佛教的影響嗎？」

「當然受到了影響。神道採用了佛教中適合的系統來改革自身結構。結果充滿普遍宗教色彩卻全然不是普遍宗教的民族宗教便這樣逐漸形成。神道在兩種特性交織之下逐漸成熟，到了明治前後，斬斷逐漸分離沉澱出來的地方宗教與具佛教色彩的特性後，國家神道於焉誕生，還裝作自己自古以來便是如此哩。可是溯其本源，神道其實也與非洲的部落宗教沒什麼差別，神主與祕境的巫醫在性質上是相同的。況且，神主原本就是採輪流降靈制的。」

「輪流降靈？」

「沒錯。年年輪流，今年換你當明年換他當這樣。」

「可是中禪寺先生，靠輪流制能擔任起靈媒的重責大任嗎？難道靈能力會像社區傳閱板那樣傳來傳去嗎？」

「當然可以。靈能力並非什麼特殊能力，只要懂得方法誰都辦得到。而且這種輪流降靈制還是非常有效率的制度。若是世襲制，還得擔心神職家系有絕後的可能性，因為神主得當犧牲者。」

「為什麼神主是犧牲者？」

「任職中什麼也沒發生的話倒也還好，只需把神傳給下一個即可。但是萬一發生了天災地變，也就是所謂的不測之禍時，神主是必須擔起責任的。」

「要怎麼負責？」

「以死負責啊。因為發生災害是靈媒、也就是神的責任。原本應是全能的神卻發生過失，當然只有以死謝罪了。聽好，太古時期，**傳達神言出錯的巫女是必須一死的**。所以，當神職與權力劃上等號的時候開始——也就是神職開始轉變成世襲之後，神主——靈媒便不再隨口傳達未來預言的神旨了。雖然表面上不提，預言不準是人人心知肚明的。」

「因為風險太大了嘛？」

鳥口作出比我更確實的回應。

「正是如此。如鳥口剛才所言，未開化地區現在仍存在著『進行預言的靈媒』，但是他們也同樣必須負起相對的責任。所以說靈媒啊，不敢負責是不能進行未來預知的。」

鳥口再次在胸前盤起雙手，低頭沉思了起來。

我也因為在這個階段不好插嘴所以閉嘴。結果又變成來此恭聽京極堂演講了，這樣下去不知何時我才能傳達給主人原本的來訪意圖

——討論作品收錄順序——了。

鳥口略歪著頭，抬起臉來，靜靜地開口說：

「我試著整理了一下，如果有錯請糾正。首先，只要是自稱超能力者的人，不管在任何情況之下，只要不是真的，都該受到抨擊。就算在當場他能巧妙詐騙過其他人，一切把戲都沒被拆穿，也該受人檢驗，因為超能力者**完全不被容許**有詐騙行為——」

「正是如此。」

「接著是算命師。只要占卜的本分做得好，導入部分的詐騙**看情況也能容許**。可是如果他提及非自己本分的祈禱供養之類領域就必須當心——」

「沒錯。」

「再來是靈媒，這個則是只要沒被拆穿**任何詐騙都該受到容許**。所以就算看穿其把戲也不該抨擊。但是如果是不能救人的差勁靈媒，或不負責任隨便亂預言，收取的費用過分高昂的情況則需多加留意——」

京極堂這次則心情非常愉快地撫摸著下巴。

「最後宗教家的情形，只要信仰的態度或教義本身沒有問題，就不該隨便**加以批評抨擊**。但是與信仰或教義無關的活動則必須明確劃出界線來考慮——」

京極堂的手離開下巴擊掌稱好。

「鳥口，你真是個人才，留在糟粕雜誌當編輯實在太可惜了，幫我的意旨做了很清楚的整理，跟關口大大不同哪。」

說得真過分，看來我已經被人遠遠拋在後面了。

「京極堂，你這人真囉唆耶。如果只是想說剛剛鳥口的這番話直接這麼講不就好了?前提太長了吧。」

「要是那樣講，像你這種人肯定完全不會

同意吧。一定會說不管結果如何，詐騙就是詐騙，玩了把戲就該受人徹底抨擊吧？」

確實如此。但這種想法就算聽完長篇大論也還是沒變。

「京極堂，你說的沒錯。你說宗教以傳教為本分，靈媒以救濟為本分，為此不擇手段是應當的，到此我還算能接受。但是就算如此，謊言仍是謊言；明知其為詐騙仍放任不管，我實在不敢苟同。就是這種不容許切開隱蔽部分的態度，才會增長了世上那些所謂『occultist』們的氣焰。我能理解靈媒或宗教家們有其成立的歷史與抱持的大義名分，但在現代，不管是宗教算命還是超能力都該一視同仁吧。」

我不甘心，繼續死纏爛打。這番話雖有一辦出自真心，但剩下的則全是藉機發洩剛剛被人冷落的不滿情緒。京極堂揚起單邊眉毛，鼻子噴出嘆息之氣。

「關口，說你一知半解，倒是專知道些冷僻的用語，日本到底有幾個人聽過『occult』這個字？鳥口，你聽過嗎？」

「如果是阿輕與堪平（註）倒是有聽過。」

「看吧，平常人頂多聽過忠臣藏，沒幾個人聽過這個字的。況且你是瞭解『occult』的真正意思才作發言的嗎？你知道『occult』翻成什麼？」

「你自己不是說過？記得是什麼神祕的、超自然的意思吧。『occultism』不是譯作神智學嗎？」

「『occult』原本是『被隱蔽的』的意思啊。據聞最早出自阿格力波的著作《隱密哲

註：阿輕是歌舞伎及淨琉璃（一種人偶劇）的著名戲碼《忠臣藏》中登場的主角大石內藏助的小妾，堪平則是阿輕之兄。阿輕與堪平在日文中念起來與神祕主義的發音部分相同。

學》，這是十六世紀的著書，表示神祕主義本身的歷史可以溯及更早以前，但可確定的是在文藝復興以後。神祕主義一開始被稱作『occult science』，日本人一看到『science』這個字老是想將之翻作『科學』，所以才誤會成這是與自然科學對抗的怪異科學。例如『psychic science』就將之翻譯作心靈科學，真是愚蠢。『science』原本是知識的意思，所以『occult science』應該譯作隱密的知識，而『psychic science』則譯作靈的知識才對，與科學毫無關係。這些姑且不論，神祕主義會在文藝復興時期成立有其道理，因為原本受到捨棄的知識在當時潮流之下重新獲得復興。」

「所謂被捨棄的知識——是什麼？」

「就是——散落在歐洲知識體系之外的，希臘、羅馬、東方及回教圈這類的知識。文藝復興時期這些知識重新受到評價，但復興之後立刻被基督教所注意，烙印上反基督的印記。接著有好一段時間，神祕主義一直是『反基督的知識』之意。但是到了十九世紀，占星術、數祕術、降靈術等知識在艾利法斯・里維等人的手中被混為一談。結果神祕主義變得低俗並受到方興未艾的自然科學所敵視，這次反而被人烙上反自然科學的印記。結果這麼一來，一切怪異、難以理解的東西全被塞進名為神祕主義的箱子裡。進入本世紀後，自然科學與基督教之間發生衝突，結果過去曾是反神祕主義急先鋒的基督教反而差點被塞進神祕主義的黑盒子之中。雖說這也並非全然沒有道理，但總之神祕主義成了一個方便的垃圾箱，所有一切怪異的事物，不論好壞全被拋進其中，並緊密蓋上蓋子，像是害怕臭味傳出般封印起來。之後這種態度一直持續著——如今遠路迢迢傳進日本，還生出像關口你這樣的毫無理解的人。」

京極堂在說完冗長的大論之後，以瞧不起人的眼神看著我。

「我哪裡毫無理解了！我對神祕主義可是像你剛剛所說的樣子理解的哩，哪有錯了。」

「當然錯了，剛剛不就連真正是神祕主義的與並非如此的東西都分不清了？照這樣看來，等到神祕主義在我國受到普遍認知時，不知又會被誤解成什麼意思，真令人擔憂哪。有些人被丟進神祕主義的黑盒子感到困擾，但也有人反而用來當作煙霧彈，利用其無所不包反而難以侵犯的性質。這種黑盒子可是方便得很哪。所以說你如想使用神祕主義這個詞，甚至想更進一步去批判的話，好歹得先學會分辨真假吧。」

「神祕主義的真假？你是說如果是真的就別妄加批判？可是要分辨真假就得窺探黑盒子的內部，我在說的就是這個問題。」

「不窺探也能簡單分辨。剛剛不就分作四種了？我從沒用神祕主義的基準來思考過，要分的話超能力是非神祕主義，占卜是準神祕主義，靈能是真神祕主義，宗教是超神祕主義，大概如此吧。嗯，真有趣——」

京極堂似乎很滿意剛剛臨時想到的四個稱呼。

「例如說——魔術不算神祕主義吧？」

「當然，那只是表演罷了，看起來雖然很神奇——但背後有機關。」

「沒錯，魔術有機關，我們知道有機關所以才能盡情享受。因為知道有機關所以不會抨擊。那麼超能力又如何？」

「超能力——應該算神祕主義吧。在表面上——號稱沒機關，不過沒機關的奇蹟當然是騙人的，所以是神祕主義。」

「呃——超能力是沒有機關。超能力不是魔術，所以不應該有機關。因此超能力必須將其來歷公開才行，去探究背後的機關是無意義的。你的意思是這樣？」

「對，所以不是很明白嗎？魔術不是神祕

主義，超能力是神祕主義。理由也明明白白啊，就是在於有無機關之上。」

京極堂揚起單邊眉毛，以輕蔑的表情看了我。

「真叫人傷腦筋，你根本沒分清楚嘛。」

「什麼意思？」

「跟有無機關完全無關吧。當以這點來區隔時——已經都不再是原本的神祕主義了。原本的神祕主義是不該去考慮是否有機關的。亦即不管是公言有機關的魔術，還是標榜沒有機關的超能力，都沒有資格作為神祕主義。」

「那——你是說超能力不算神祕主義嗎？」

「還用說嗎？我早說過神祕主義是被隱蔽的知識，當標榜著『沒有機關也沒有把戲』的瞬間，就必須將之從神祕主義的黑盒子中拿出，公諸於世人之前。」

「也就是說，要成為神祕主義，必須是『不管有沒有機關都無所謂』的東西嗎？」

鳥口一說——很令人不甘心地，京極堂大大地點了個頭。

「正是如此。所以原本不該被放入神祕主義範疇中的東西，現今卻潛伏在神祕主義的黑盒子之中，而煞有其事地講起原本不該公開的來歷之假『occultist』也出現了。這些人或許真是關口所言之該被抨擊的對象。因為他們不說該說的，卻大剌剌講起不該說的事情。正牌的靈媒賭上性命守護的祕密卻被這些三流的假靈媒隨意公開。所謂的神祕主義就是不可說，不可問的事物。在這層意義下宗教、不、就連科學也帶有許多神祕主義的部分，且知情者也瞭解這個道理。真正的宗教家會講述教義，但絕對不會討論引起奇蹟的理由，因為那屬於**神之領域**。所以宗教總是有許多譬喻的故事，好避免直接談論這個部分。宗教中對彼世的描述，本來就全是譬喻。那些將這些話當成真實，還一一解釋靈界中住了什麼什麼、神祕的力量如何如何之類的愚昧之人肯定是假貨。」

「這些我懂，可是——」

我其實幾乎完全理解京極堂想說的話了，只不過心情上不太願意老實承認而已。京極堂似乎也察覺到這點。

「也不是不懂你執著的心情。你想說的是就算不是**假貨**，沒打開箱子仔細確認之前，你都沒辦法信任，對吧？」

「是啊。」

我回答。

我就是這個意思。

「關口，聽好，箱子這種東西並不是不打開內部確認就會失去價值。內部裝了什麼其實並不是那麼重要，箱子本身有作為箱子的存在價值。」

京極堂接著以更響亮的聲音說：

「神祕主義的本意不是謎團或神祕，而是『被隱蔽的事物』是有其重大意義的。如果神祕主義只是反基督或反科學而已的話，多半會被冠上其他別名吧。在隱蔽之下才能產生意義的事物——這就是神祕主義。假設在一個箱子上寫著點心，就算裡面只放了垃圾，在打開之前跟真的放著點心沒有差異。要吃點心而打開蓋子的時候就會發現是謊言，但如果相信標示文字，一直沒打開蓋子的話，到最後為止裡面的東西也還是點心，不會是垃圾。知道裡面是垃圾的人也沒必要在一旁說出真相，破壞了別人原本期待的心情。」

「我懂了啦——」

我總算死心，放棄反駁，用京極堂最愛的亂七八糟比喻來表現。

「——用你喜歡的比喻來說的話，神祕主義是收音機，不知原理也能收聽。只不過有人明明不知原理，卻說什麼有小鬼在裡面唱歌謠之類的鬼話來解釋。我如果為了抨擊，去斥責收音機本身就是文不對題的行為。此時沒必要斥責收音機本身，也沒必要掀開收音機的蓋子，拖出電晶體裡的鍺元素來抨擊謬誤，只需證明小鬼存在的說詞是一派胡言即可。掀開蓋子，拔出電晶體或許很簡單就能證明小鬼真的不存在，但知道了歌聲其實是來自電流運作之後，原本的夢想也會隨之破滅，所以沒必要動到收音機本身——對吧？」

京極堂在我發言的時候難得滿面笑容，等我說完時——大笑了起來。

「關口，你今天的狀況很好嘛，這段時間沒見面是積了什麼德了？你的比喻不僅正中紅心，還十足巧妙。沒錯，不理解道理亂加批判不見得就是好事。」

「只會混淆視聽而已吧。」

「不只如此哪。關口，你知道過發生於明治末年的福來事件嗎？」

「啊，我有聽說過——」

回答的是鳥口。

「——我記得福來先生是帝大的副教授，研究念力拍照、千里眼之類的超能力，在公開實驗中因作假而失去地位。應該沒錯吧？」

「大致正確。福來友吉教授是東京帝國大學的副教授，是催眠心理學開創者之一。在他的朋友熊本高等工業學校的高橋教授介紹下，認識了一位據稱具有千里眼，名叫御船千鶴的女性，感受到未知能力的可能性。經過多次通信實驗後確信其能力為真實，並在實驗中發現了念力拍照的新能力。後來經過明治四十三年有名的『十四博士公開實驗』，又發掘出長尾郁子、高橋貞子等具有千里眼的女性。但最後還是沒能跨越批判與抨擊的厚牆，遭到學界的放逐——」

京極堂暫停一會，由原本的跪坐換成輕鬆的坐姿。

「——只不過是否就如鳥口所說的，公開實驗有作假則不得而知。若問我福來副教授是不是個想靠塑造出詐欺超能力者來博取名聲的人物，我的答案是否定的。我認為他是真心想從學究的觀點來研究尚未解明的超能力。如果我的認知沒錯，他遭到放逐可說是受到冤枉了。但是這一連串福來事件的真正悲劇是在三個超能力女性當中，有兩人因受到打擊而死這件事。」

「死了嗎？」

「御船自殺，長尾則在長期勞心的結果下病死。兩人都是承受不了眾口如矢的非難中傷，最後發生了悲劇。事件至今已有數十年了，一切均已埋葬在黑暗之中，但如果這兩位死去的女士真的是超能力者的話怎麼辦？」

「那真的是悲劇了。也就是說你認為當時並沒有進行正確的檢驗，沒有好好檢驗是不該批判的——是吧？」

「實際情形如何並不明朗，或許她們真的是詐欺，或許批判是正確的，但若問我學術界跟大眾是否是以冷靜客觀的眼光來看待這件事，我的答案是否定的。煽情且俗濫的報導煽動了大眾。明治末期社會上很流行催眠術，四處展示『折火鉗』（註）之類的可疑技巧。這些流行理所當然地成了批判的對象。加上當時正處於急速歐化——現代化的政策下，撲滅迷信運動如火如荼地展開，帝國大學這類高等學府在立場上應該率先推動現代化才對。在這種風潮當中，不難想像**催眠**心理學的專家進行的**千里眼**實驗自始至終都受到有色的眼鏡看待。但是希望各位仔細想想，超能力並非迷信。超能力這種名稱——出發點原本就是想要不使用靈魂作祟之類的說明體系來說明現在的科學無法

註：明治末年日本社會流行催眠術，為展示催眠的神奇性，經常會對被催眠者施以暗示，讓他折彎平時難以折彎的火鉗。

解釋的現象，所以說反倒是在距離迷信最遙遠的位置才對——」

經他這麼一說我才發現確實如此。稱作超能力表示其背後有科學做為骨幹，否則應該會被稱做魔術或咒術，其分隔線便是在於與現代性路線一致的——科學。當主張這並非魔法而是超能力時，便表示其背後隱藏著想要排除神祕主義——與近現代的迷信背景訣別之意志。

「——只因催眠、千里眼等名詞在語感上聽起來很可疑，就毫無所感地將超能力塞入神祕主義的黑箱之中。但不管是學界還是報導機關、社會大眾對這種行為卻連一絲罪惡感或疑惑也沒有，這才是真正大大地無知。這種無知，害死了或許根本沒犯罪的人。這一切過錯都是——來自於無知。」

原本心情很好的京極堂的表情——雖說表面上看來仍舊十分不高興——顯得有點僵硬。

「說到此，鳥口，我想問你，你的對手是誰？」

京極堂總算表現出他的真正意圖。

原來如此，原來他的用意是這樣啊。

這傢伙總是如此，每個找他商量的人都被帶入有如羊腸小徑般的迷宮繞得團團轉，一番折騰後卻又被帶回出發點。但在這番過程之後，他們思考上的選項通常只剩下一個——遵從京極堂的意見。

鳥口與我現在已經無心撰寫那些隨意抨擊神祕主義的文章了。京極堂在我們來造訪這裡的那瞬間開始便已知道我們的來訪目的，他只是在耐心地等候我們能跟他站在相同的高度來討論這個議題而已。

我們根本打一開始就已經在討論主題了。

鳥口慎重選擇言詞發言：

「我想採訪的對象是靈媒。在來此之前我曾隨便以算命師或神棍之類的名稱來稱呼，但他們應該沒有所屬教團，也不作預言。他們做的是幫人驅除不幸，亦即救濟。他們自己也沒宣稱過具有超能力，因此也不是超能力者。」

京極堂心情似乎又再次轉好了。

「另外，沒聽說過有人抱怨，也沒人向警方檢舉或找上法院，信徒很多。這應該也表示實際上有很多人得到救贖吧。因此照剛剛的論點看來，他們是不該隨便去舉發抨擊的對象。」

我佩服京極堂的說服功力，也佩服鳥口的理解能力。

現在這兩人之間已產生了共識，相信不會在無謂的問題上起爭執了吧。

此時——

我想到一件事。

京極堂日常就對社會大眾的神祕主義知識之闕如感到非常憤慨。

不知那是私憤還是公憤，總之這名友人的憤怒對象遍及各種領域。不過這也難怪——我想多半沒有人平常會像他那樣針對這類事情想得那麼透徹。就算有，肯定也是個相當古怪的傢伙吧。原因無他，因為這些事情在某種意義下只不過是**無關緊要**的。大部分的人都覺得算命師跟靈媒之間有無區別都無妨吧。但覺得無關緊要也就算了，大眾卻經常毫無根據地對**這類事物**進行毀譽褒貶。正因如此京極堂才會憤怒吧。

這麼說來——我也常遭受**池魚之殃**。他對雜誌、報紙等大眾傳播媒體的態度特別敏感，而我則是對於這類事物十分遲頓，經常不小心就寫出俗濫文章，每次都被他說教一番。

我會被說教的理由通常是來自那些寫給糟粕雜誌的文章，而鳥口正是專走糟粕雜誌之流的編者，這麼看來我倒是湊成一對很不得了的組合，因為京極堂可說是有如糟粕雜誌天敵般的人。兩個月的空窗期，令我把朋友的性格忘得一乾二淨。

這兩人現在能在相互理解下對話只能說是種僥倖。

鳥口在剛剛這番話後，多半會瞭解到以神祕主義為題材的嚴重性而停止對御筥神的採訪吧。這樣也好。考慮到出版業的社會責任，對這類難免流於不負責任的題材敬而遠之才是明智的決定。特別是聽到最後福來博士的小故事，連基本上和我沒關係的人都不得不省思一番。

所以這個話題到此結束，而我總算能和京極堂討論我來此的目的——收錄作品的順序。

但是——我的期待卻完全落空了。

「中禪寺先生，但我仍舊想舉發這個靈媒，所以想借用您的智慧。」

在場的只有我不瞭解狀況吧，我注意到京極堂的確會心一笑了。

「把你的理由說出來聽聽吧，鳥口——」

我再次遠遠地被摒除於話題之外。

鳥口沒看筆記便開始訴說，看來全記在腦中了。

「我先說敵人的名字。招牌上的名稱寫著封穢御筥神，『筥』這個字用的不是普通的『箱』字，而是竹冠加上呂的『筥』（註一），我一開始並不知道念法。這個御筥神並不是對靈媒本身的稱呼，信徒們都稱呼靈媒為教主大人。地點在三鷹，有棟小工廠改裝成的如劍道場般的建築，御筥神是建築物本身的稱呼。教主沒說自己擁有神力，只自稱是神通廣大御筥神之信奉者。所以表面上建築物才是主體，教主只不過是信徒。但是——他並不要求信徒要信奉御筥神，我想這就是不以御筥教為名的理由。教主主要在指導信徒要改善生活態度及捨棄污穢的財產，此時會進行一段剛剛說的『洞悉祕密』。不只如此，怎麼樣都無法改善時還會幫信徒施行加持祈禱。全部免費，祈禱費、鑑定費等等全都不收。」

「免費？」

京極堂幾乎不說話，所以我出口發問。

可是姑且不論有沒有效，免費幫人消災止厄是聖者的行為，沒道理會被抱怨。

「免費喔！不用錢——」

鳥口只有在對我說話時才又恢復平時的那種裝傻搞笑語氣。

「——只不過，就算免費也有很多機關啊——」

甚至還講起同音冷笑話來（註二）。

「簡單說，他們暗示信徒應該拋棄不潔淨的財產，過清淨生活，這樣幸福才會到來。而這些污穢的財富就先由教主幫忙保管，放入神聖御筥之中清潔一段時間。如此一來不淨之財便會變成淨財。說白點——就是金錢的洗衣店。」

「真是巧妙的設計，可是如果能因此變幸福不也不錯？剛剛的結論也是如此啊。而且既然是暫時保管的，好歹能要求討回吧？如果討不回來，告他就好啦。」

「沒錯沒錯，普通人都作如此想吧？但是他們就是設計得讓你不敢開口討回，同時又不敢不把錢交出去。因為不知怎麼著，信徒們——會變得越來越不幸。」

「變得不幸？」

「沒錯。不管信不信——喜捨不喜捨都會變得不幸。」

註一：不管是「箱」、「筥」還是「匣」在日文中都念作「はこ（HAKO）」。

註二：鳥口很愛搞笑，經常會在話裡加進一些同音的俏皮話。這段原文是：「—ただ（TADA）、只（TADA）にも多多（TATA）仕卦がありましてね—」

「這、這樣不就根本不成救濟了嘛，為什麼會有信徒信他啊！」

如果信徒還不斷增加，真的沒比這個好賺的生意了。

此時，京極堂總算張開他的尊口。

「所謂越來越不幸，是指經濟層面上的？還是精神層面上的？」

「您是想說縱使經濟上清貧——只要精神能獲得安寧便不算不幸嗎？但並非如此。」

「不是嗎？」

「教主絕對不會要人把全財產都拿出來。只說能拿出多少就拿多少，就算只有五元、十元也不會多說什麼。不過啊，第一次大家肯定都只拿出一點點。被說拿多少都無妨，當然沒人會一開始就拿大錢出來的。這些信徒高高興興地回去，心理恐怕想著：『賺到了，不愧是靈驗的靈媒，跟斂財的貨色不同。』吧。一般而言一次拿大錢反而讓人起疑心，剛剛您也這麼說了對吧？會覺得這裡很便宜，先信了再說。可是信徒原本就是來求助的民眾，他們的不幸多半都是現在進行式，只是聽聽要改變生活態度、維持清廉潔白、繳點小錢而已，能改變什麼？多半維持兩、三天清爽心情，很快就會恢復原狀，還是一樣不幸。這時若是想說這個靈媒沒效也就罷了，但大部分的人一開始只拿出一點點錢而已，心中有所愧疚，自然而然會覺得是因此才沒驅走壞運。同時，教主在第一次時也會故意說一些讓人作此聯想的話，所以信徒們便會認為——財產拿出越多會越幸福。只要拿出一次，便像中了毒癮般越拿越多，而能買幸福的金額減少，帶來的不幸自然也倍增，後來就是惡性循環了。」

的確設計得很巧妙，令我不由得佩服起來。可是鳥口斜眼看了我，

「這不該覺得佩服吧——」

他說。

「——總之，想詐取善良百姓財產的傢伙很多，手法有巧妙有低劣，數量多如繁星。這個御筥神巧妙的地方是，就算信徒捐出傾家財產，也不會因此就結束。因為無論如何，信眾為了生活還是得工作，不管拿多少出來很快又會有點小錢。連窮人都多少會剩點錢了，有錢人自然是無窮無盡地拿出錢來。名人隨隨便便都有收入，於是又想，糟了，煩惱不幸的根源又囤積起來了。所以有財產的人想要將之處分掉，同時又聽到別人捨棄多少多少錢了，就覺得不能輸，賣房子賣衣服來拼。就算身上沒半毛錢了，只要沒去當乞丐就會沒完沒了。名人當然是不可能真的去當乞丐，所以等於是毫無限制地拿出錢來；至於窮人則幾乎跟乞丐沒啥兩樣。」

好驚人的真相。

「這太惡質了，太過分了，這根本不算救濟嘛」

「算啊。」

我為了拼命追上話題而擠出這幾句話，又被京極堂簡單地否定掉了。

「如果有跟溫度計、體溫計一樣能明確測量出幸福數值的幸福計就好了，很可惜，並沒有這種東西。所謂的幸福是極端主觀的感覺，而性質也有無限種類，一個人是否幸福第三者無從得知。也有人在自己的立場變得不利後才能獲得喜悅，也有人明知是蠢事卻得反覆進行才能獲得安定感。比如說，酒精中毒便是個好例子。」

「可是酒精中毒真的不好啊。」

「如果你以社會的觀點或健康上的觀點來說的話，的確不好。但若要這麼說，抽菸也對身體不好哪。況且幸福也不見得就一定產生於與社會之間的關係，認真追究就得扯到什麼大腦生理學去了。不過本來信仰就跟藥物不同，物理性的危害甚少，所以還算好吧？」

「可是這個靈媒也太狠毒了，吸金過頭了吧。縱使還不到必須檢舉的地步，好歹也該提供信徒適當的建議吧？」

「現在——就算有第三者跳出來公開御筥神的詐欺手段也只會造成信徒們的混亂而已，因為他們等於是失去了不幸人生中唯一的依靠。除非信徒打從心裡發出自發性的批判，或者有內部的關係人員告發，再不然就是信徒們有了不可能獲救的自覺，形成教主對抗信徒的情況，否則第三者不該輕易介入。」

「那你說就該放任不管嗎？」

「關口，把話聽完吧，鳥口似乎不是因為你想的理由才要告發御筥神，對吧？」

「嗯，是這樣沒錯。」

鳥口說。

看來我真的跟不上這兩人的話題。

「御筥神的構造我大致瞭解了，還有些部分想詳細詢問，不過待會兒再說吧。鳥口，這位小說界大師老是急著想知道結論，說太多旁枝末節只會徒增麻煩，先把結論說出來聽聽吧。」

鳥口聽到京極堂的要求，眼睛眨個不停地考慮了一下，最後總算緩緩開口：

「我知道御筥神的存在是在——跟關口老師一起迷路到那個奇怪箱館稍早的事，這麼說來嘛，應該是八月二十日前後吧。不，那天剛好是小田急（註）在下北澤發生事故的日子，所以是——」

「二十二日。」

京極堂大半的事情都記得。

「對對，是二十二日。那天，有個叫清野的男子打電話到編輯室。記得是很低沉很悶的聲音，一開口就說要賣我們情報。各位也知道，敝雜誌是以犯罪為專門主題的糟粕雜誌，常有機會接觸這類可疑的傢伙，內幕爆料之類的消息當然大大歡迎。問他要賣什麼，原來是想賣我們一份名冊，說是和名人醜聞有關的名冊。這與我們報導的範圍不太一樣，本來想考慮一下，不過又想到反正也認識某家專出醜聞類的雜誌社，如果用不上頂多賣給他們就是了。」

「所以買了？」

「跟妹尾商量的結果，考慮到最近沒什麼題材，關口老師想必很清楚，敝雜誌長期一直處於缺乏題材的狀態，所以便決定購買。一跟清野聯絡，對方立刻上門。他臉孔浮腫，看起來陰森怪氣的，只不過跟平常見到的那種不同。現在回想起來，他應該不是御筥神的信徒就是信徒的家人吧。」

「御筥神？那是什麼名冊？」

「哎，別著急。你也真是個靜不下來的傢伙，鳥口想按順序一一說明，你就靜靜地聽嘛。急著先聽結論，原本聽得懂的也變得聽不懂了，**順序是很重要的**。」

京極堂出口制止急性子的我。

「好，不吊胃口老實說，這的確是御筥神信徒名冊。上面有信徒住址姓名與個人資料，還記載了六月、七月兩個月間的喜捨次數及金額。我想，大概是清野從御筥神那裡偷出來，以後根據事實一一追加的東西——」

鳥口從碩大的行李中拿出紙袋，從中取出泛黃的紙冊。

「——請看。」

京極堂以閱讀古書漢籍時的眼神看了紙冊。

「這個書寫方式的確是帳簿，筆跡看起來像是女性——不過不能斷定。備考欄上以鉛筆

註：日本民營鐵路公司，舊名「小田原急行鐵道」，簡稱小田急。今日已經改以小田急作為公司正式名稱。

寫成的潦草字跡──應該是這個叫清野的男子寫的吧。看來清野是個有學歷但無社交性，且是個執著很深的人。」

「怎麼知道的？」

「從文章的文體、漢字與外來語的比例及筆跡與書寫方式來看，不過這並不重要。」

鳥口接在京極堂之後說：

「不過清野真的是這種感覺的人，他講話時從沒看我一眼，只看著自己的指尖，像這樣──」

鳥口作出像是在彈鋼琴般的手勢，注視著自己的手指。

「──看起來有點噁心對吧？姑且不論這個──這的確是帳簿，畢竟喜捨在形式上是寄放的，所以收了多少得記錄下來才行。而信徒的職業跟性質則是清野自己補充的，那傢伙似乎去調查過其他信徒的背景了。所以──如果上面的筆記是可信的話，喜捨金額很少的信徒身邊必定會發生壞事，結果喜捨金額就會增加。清野強調御筥神那伙人為了增加喜捨金額肯定在暗地裡幹了什麼好事，但我覺得那只是偶然，不，他說的當時我其實認為那只是他的妄想。」

京極堂繼續讀著清野所寫的內容沒有回應。鳥口接著說：

「我看過名冊之後首先想到的是，還是跟醜聞有關。名冊上記載的信徒大約三百人前後，住址範圍分佈很廣，職種也相當不一。職種是清野調查的，不過當中有好幾個人是常聽到的名字。如某某歌手、國會議員、作家，最好笑的是連名寺的和尚都有。名人跟怪異宗教有關聯一直是醜聞的固定戲碼。接著我問他要賣多少，他說不管多少都好，真的想要錢的話，他早就拿去名冊上的名人那裡賣了，那肯定能賣得好價錢。」

「這不就變勒索了？」

「是勒索啊，可是清野本身似乎並沒打算這麼做——不過他的真正企圖我也不清楚。總之他希望我以這個為基礎展開調查，並寫出具有可信度的報導，這是唯一的條件。而金額，他不在意多寡。」

「那你們出多少？」

「一萬。反正報導最後寫不出來也能賣給想要的同業人士，一萬元左右還算好賣。清野默默收下錢，再三要求我們一定要寫報導後便離開了。」

「真是個怪人。」

「我想清野應該就是如同鳥口推測的，是個信徒——不，一定是信徒的家人或朋友。他真正想要的不是錢，而是希望親朋好友能停止信仰。如果被糟粕雜誌舉發出來，相信能在信徒之間造成相當程度的動搖，而動搖會逐漸擴大，最後會化作不信任感——他大概是如此打算的吧。如果他自己是信徒的話，會偷出帳本就表示已經產生極度不信任感，而為了將自己損失的部分取回應該不會用這麼麻煩的手段，而是直接上門大鬧吧。而且如果被逼上絕境，或許還會考慮恐嚇其他信徒來彌補自己的損失。可是他並沒有恐嚇別人，而是想告發。相信對清野來說，看到其他信徒繼續被坑錢實在很難以忍受吧。」

鳥口大表贊同後，說：

「我拿到名冊之後去作了點採訪。首先想去跟信徒見個面，但實在很困難，因為沒有採訪的藉口。結果就這樣過了一個星期，剛好碰上分屍殺人事件。」

我也跟著回想起那個不可思議的體驗。

「二十九日發現右手，三十日發現雙腳，我把關口老師拉出門，意氣風發地前往相模湖——只不過最後空手而返就是了。這些事您應該聽說過了吧？」

「聽敦子說了。只不過鳥口，我好心給你

個忠告，你會碰上怪事是因為找了關口去的關係。這傢伙沒什麼存在感，別說是警察，連常去的快餐店的老闆都會忘了他的臉。帶這種瘟神去原本行得通的也會行不通，以後最好注意一下。」

京極堂似乎徹底想把我當傻子耍，而鳥口也同樣可惡，居然作出一副深感同意的表情。

「然後呢，總之那天撲了個空，結果在分屍案的震撼下這件事便顯得無關緊要，後來就完全忘了。之後就如您所知，屍體似乎無窮無盡般地一一被發現。我想寫成報導，也努力到快粉身碎骨的程度，但怎麼寫也寫不好。題外話，中禪寺先生，您對這次武藏野連續分屍殺人事件的經緯是否清楚？」

「報紙上刊登的部分應該都知道。」

面對唐突的質問，京極堂毫不動搖地回答。

「喂，等等。鳥口，分屍案跟這次來訪的目的無關吧。現在不是在談御筥神嗎？會不會太離題了點？」

「問題是就是沒有離題，這是同一個問題。」

鳥口一臉沉著。京極堂似乎也不覺怪異。為什麼御筥神跟分屍案是同一事件？我無法理解。

「真抱歉，京極堂，我對分屍案不怎麼清楚，如果有關係的話能不能簡單交代一下？我要跟上你們的話題太辛苦了。」

我總算認輸了，硬撐到這裡最重要的部分卻沒聽懂會造成消化不良的。

京極堂用瞧不起人的眼神斜眼看我，說：

「怎麼？我可不是犯罪專家哪。我叫你平時要看報紙，就是不聽我的忠告。算了，順便整理一下情報也好，這次我就睜一隻眼閉一隻眼好了。」

他不順便嘲諷個幾句似乎就不甘心的樣

子。

「開端——如鳥口說的一樣，是在八月二十九日發現右手開始。這是在甲州街道大垂水山顛的靠神奈川縣側發現的。發現者是住在相模湖附近的木材行的老爹，開車時覺得**碾到**了異物而發現。」

這個部分我不知道。

「接下來是你們去的相模湖。翌日八月三十日早上，當地幾個釣客釣到左右大腿以下部分。跟前天右手的所有者是同一個人，此時被害者總數還只有一個。順帶一提，這個被害者的左手到現在還沒發現。」

這個我也不知道。

只不過——京極堂沒提到腳是收在箱子後才丟進水裡。

大概不知道吧。

「接下來整整六天沒出事。第七天九月六日，再次發現右腳，地點是八王子。此時這兩個事件尚未被認定為同一殺人事件，畢竟負責偵辦的警署也不同。這一件是八王子署與東京警視廳負責共同搜查，之前的則是神奈川本部。由你們的經驗看來，神奈川本部應該有向東京警視廳申請援助，或許是人手不足的緣故吧。只不過翌日，被認為是與九月七日同一人的左腳在調布、右手在登戶被發現，事情變得更複雜了。那之後又過了三天，九月十日，這次則是在昭和町同時發現兩隻左手。」

「光左手就有兩隻喔?」

「沒錯。原本以為這是當初沒找到的第一被害者與第二被害者左手——但根據十一日報紙的消息，由血型及其他的鑑定看來，這是第二被害者與第三被害者的部分。此時報紙大膽報導『被害者有三人』，以後這個事件便被稱作武藏野連續分屍殺人事件。」

我讀到的報導就是這篇，是在九月十一日讀早報時看到的。

「之後的發展過於複雜我就不詳細說明。十三日在車返找到第三人的右手，十四日在蘆花公園找到同一人的右腳，十六日在田無又發現右手。此時被害者增加為四人。十九日第四人的左手在柳澤發現——這是田無附近。然後昨天，也就是二十一日在多磨靈園發現左腳，同時又在田無發現右腳。沒說是第五人，所以應該是第三人的左腳跟第四人的右腳吧。」

「你為什麼總是能記得那麼清楚？我剛剛邊聽邊掰手指計算才勉強對上，要是你說被害者有四個，找到六隻左手我可能也不會發現有錯吧。」

這個傢伙總是記得這些無關緊要的事情。

「關口，那只是你的記憶力有問題而已，只要看過報紙，這點小事任誰都記得住吧。」

我可不這麼認為。

「鳥口，我剛剛說的大致沒錯吧？」

「太令人佩服了，非常完整，真驚人。我沒什麼好補充的，勉強要說的話，只有因為頭顱跟身體都還沒找到，四個被害者的身分到目前仍無法確認這點而已。而實際上，這就是與御筥神的接點。」

「噢？」

京極堂很難得有所反應，接著先示意鳥口暫停，呼喚夫人進來。

夫人似乎在外面想等候話題告一段落時端茶進來，但話題一直停不下來正發愁著。

喉頭乾渴的我兩三下就把茶喝光。

鳥口在夫人在客廳時還是一副緊張得不得了的模樣，夫人一離開立刻恢復原本的狀態繼續接著說：

「神奈川本部一開始將搜索被害者身分的搜查區域限定於相模湖附近。但找不到符合條件者。接下來將範圍擴大至**神奈川全縣**，真是愚昧。說不定是琦玉縣啊？也可能是東京，搞不好是鹿兒島的少女被青森縣出身的男子綁架，在兩者中間的位置被殺了也說不定呀。」

大概是喝了茶滋潤了喉嚨，也習慣了這裡的氣氛，青年編輯開始發揮起他擅長的搞笑本色。

「可是第二個以後卻發生在東京，所以警方感到沮喪，覺得這樣下去不行，才不得不把搜索範圍擴大到關東全區。不過找被害者比找犯人更困難，犯人多半只有一個，但被害者卻有四個。至於——符合被害人的條件嘛，看起來似乎有鎖定條件實際上卻很模糊。首先，被害人是女性，這點無庸置疑。再來是年齡，四個人都介於十二歲到二十四五歲之間。不過這點並不是很確切，可能只有十歲，也可能是二十六歲。最重要的是死亡推算日期，這點通常會從遺體的狀況與胃內的消化物來判斷，但四副屍體都沒有胃，從死後僵硬與腐敗程度也無法明確斷定。只憑手腳要判定實在很困難，因為用冰塊冷凍過就能瞞混兩三天。」

難怪搜查會碰上瓶頸。

「只不過有一點很確定，最早的被害者一定是在八月二十九日以前就失蹤了。同理，第二個必須是九月六日以前，第三個是九月十日以前，第四個是九月十六日以前失蹤。用這個條件找出的失蹤少女意外地還蠻多的。四個人同時被人綁架，先關起來再按順序一個個分屍殺害——的情況雖不是不可能，但總令人覺得作法不嚴謹。警察先區分八月二十九日以前、二十九日到九月六日、六日到十日、十日到十六日的四個區間來搜查，這麼一來便刪減掉許多條件不符的對象。」

「原來如此。」

「接著再徹底調查這些鎖定的對象，又將每個被害人候補刪減到大約十二、三個左右。拿手腳的照片給被害者家屬看了之後——雖說只有手腳而已，家屬也很難確定，不過可以說是相當正確的搜查方法——第二個、第四個幾乎可以說確定了，可見日本警察也挺了不起的嘛。只是——麻煩的是，這些被篩選出來的女孩子們之間幾乎找不到半點共通點。不管是居住地點還是家庭環境都沒有類似點，當然彼此間也沒有見過面，完全沒有接點。但是，我很懷疑真的完全沒有嗎——？」

「鳥口，你什麼時候那麼精通警察內部的消息了？這些事情——」

一問我才想起。

——頂多是穿制服的巡警

——出入警局的傢伙很多

——消息根本是**完全開放**

「這麼說來你好像說在警察內部有內應，原來是養了間諜。」

「別說得這麼難聽嘛，只是有熟人在裡面而已嘛。」

鳥口搔搔頭，京極堂間不容髮地接著發言：

「但是既然好不容易幾乎能確定被害者的身分了，撤回開始至今認為是連續殺人的見解應該比較明智吧？」

什麼意思？——我問。

「我的意思是，可以修正搜查方針，將此事件視為**同時多起**分屍殺人事件而非連續事件。就算不說犯人多達四人，難道警方沒想過這些事件彼此可能毫無關係，或先發事件引發了後發事件，抑或是後來的犯人想嫁禍於先發者而故意模仿相同的方式行犯嗎？」

「哎呀呀，被搶先了啊——」

鳥口拍了一下自己的額頭。

「——我也是這麼想，但似乎不是喔。首先，最早發現的部分由於被卡車碾過又泡過水而難以判別，但第二人就能斷定出凶器。右手上有遲疑的刀傷。可以斷定不是鋸子而是用柴刀之類的一刀砍下來的。第四人身上也有相同的凶器痕跡。我獲知消息時第四人只發現手臂的部分，所以這個傷口應該是在手臂上發現的。因此第二個與第四個是同一犯人幹的。另外，第二人的左手與第三人的左手在同一地方一起被發現。是在昭和町發現的，**用繩子綁在一起**。因此第二個以後的犯人絕對是同一人。現在的問題在於推定是第二人與第四人的少女，彼此之間毫無關聯。」

「第四人只靠手臂就能推定出來？」

「第四個幾乎可說確定了呦。是個不良少女，曾在取締紅線時被抓過。年紀才十五歲而已，不過與其說是賣春更像是仙人跳，說是輔導更接近逮捕。聽說就是靠當時留下的指紋確定的。你們或許覺得奇怪，未成年居然也要留指紋？那是因為她被抓時妝化太濃加上又十足一副賣春女打扮，看不出未成年的緣故。第二個則是父母認出來的，好像是說痣與胎記之類的位置完全一樣。」

「原來如此，可是這兩人之間的共通點有那麼難找嗎？」

京極堂說完，還是老樣子擺出一張臭臉。不過今天看起來似乎十分樂在其中。

「第四個被害人是川崎的照相館的女兒，**實在壞得很**。第二個則是住在飯能，這已經是埼玉縣內了。那邊的小學老師的女兒，聽說是個品行方正的好女孩，不過失蹤時離家出走。」

鳥口說到這邊先停頓一下，露出靦腆的微笑，交互看著我與京極堂，說：

「你們一定覺得奇怪我為什麼這麼清楚吧？」

「至少肯定不是因為你有什麼靈感超能力。」

京極堂說完瞄了我一眼。

「哈哈哈，的確有機關，而且還是非常合法的機關，只不過不方便公開說而已。」

鳥口從公事包中拿出另一個紙袋，從中掏

出一些文件擺在桌上。

「這是失蹤少女一覽表，是我前天好不容易才從關口老師所說的內部間諜那邊拿到手的。說間諜，其實是目黑派出所的巡警罷了。不是什麼壞人，只不過是人太好，對我這種好青年特別合作。」

「你說錯了吧，應該說『所以才會被我這種老千耍好玩的』才對。」

我趁機報一箭之仇。

「也可以這麼說。」

完全沒效果。

「總之，這兩種文件都到齊了，乍看之下兩者之間並沒有什麼關聯。只不過關於第四個不良少女嘛，她叫做柿崎芳美，從警察的一覽表中可知她的監護人，也就是照相館的老爹叫柿崎國治，老婆叫柿崎貞。」

鳥口翻開以不法手段從警察那裡到手的一覽表，指給我們看。

「看到這名字我覺得很眼熟，好像在這個帳簿裡看過，這時我靈光一閃，你們看這裡，某有名女性歌手的底下這欄。」

鳥口這次翻開御筥神信徒名冊，轉了一圈遞給京極堂，我也跟著湊過去看。有名歌手底下寫著：

「柿崎貞」

旁邊還有以鉛筆寫成的密密麻麻的潦草筆記。鳥口請京極堂念出來。

「乃照相館經營者之妻也。經營狀態不佳，此乃喜捨金額不振之因，不久必生不幸之事，需注意。有一女，曾因賣春受輔導，據聞與戰後派、GI（註）等不特定多數男性有無恥關係，此家魍魎豈不足哉？女兒有難——女兒有難？」

「那是清野的預言，所以我才覺得可疑。我開始懷疑這兩份資料之間應該有某種關聯性，結果果然正確。」

鳥口的漫長說明總算開始發表結論部分。

「年初以來發生於關東的未解決少女失蹤事件光是報案的就有七十三件，限定發生於八月下旬到九月下旬的話則有二十三人。這樣密集發生實在太異常了，佔全體近三成的人數都是在八月下旬到九月下旬一個月內失蹤。而且，這七十三件當中，與御筥神信徒名冊重複的件數則有——十件。我無法判斷這算多還是少。」

「御筥神的信徒人數遠遠不及於其他新興宗教，以規模來看比例算很高的吧。信徒三百個當中就有十個人發生了『女兒失蹤』這種不幸，有三十分之一之多，**相同不幸**發生的機率可說是很高。」

鳥口似乎有點迫不及待，一等京極堂說完立刻接著說：

「如果用別的觀點來看機率更高喔。失蹤少女一覽中與御筥神帳簿重複的有十件，然後警察推測可能是分屍殺人事件被害者的少女有十三人，這十件與這十三人當中重複的有七件之多。也就是說很可能是被害者的十三人當中，有七人是御筥神信徒的女兒。以這種觀點看來比例高達五成以上。而且幾乎斷定是被害者的兩人也在當中。」

「原來如此，所以說你發現了警察也沒發現的**被害者共通點**。」

京極堂以毫無抑揚頓挫的聲音說。

我則是輕微地感到興奮。

這或許會變成目前大街小巷話題中心的重

註：戰後派在日本特指二次戰後無視舊有社會道德，成群結黨進行犯罪的年輕人。GI則是Government Issue（官方物資）的縮寫，戰後日本對美國阿兵哥的俗稱。

大事件邁向解決之道的重要序幕——

「再補充一點，帳簿中失蹤少女的家人那欄當中，清野全部都寫上了不吉利的預言。也就是說六月、七月**喜捨金額不高的人，女兒都失蹤了**。」

「所以說，你認為——武藏野連續分屍殺人事件與御筥神有關是嗎？鳥口。」

「不，不只有關。姑且不論是否為實際動手者，我認為御筥神的教主就是連續分屍殺人事件的幕後真凶，所以——」

鳥口守彥毅然決然地說：

「因此我想檢舉御筥神，不是以**靈媒**，而是以**罪犯**的理由。」

「說得更詳細點吧。」

京極堂鮮少主動表現出對這種雜事有興趣的態度，同時在此瞬間，我向主人傳達來訪意圖的可能性也已幾近為零。

但是鳥口卻作出極端沒用的回答。

「我自己也很想說得詳細點，但沒辦法再詳細了。不知該說很遺憾還是很丟臉，我潛入採訪失敗了，所以現在才會坐在這裡找您商量——」

半帶著笑容，鳥口搔了搔頭。

我心想，糟了。

照這樣下去，難得原本產生興趣的京極堂會**打起退堂鼓**。只是打退堂鼓也就罷了，偏偏這個怪脾氣的朋友又很有可能會玩弄各種詭辯勸退鳥口。結果這個大獨家說不定就這樣被拋進倉庫，再也不見天日。

這個連警察也沒注意到的大發現就這樣被埋藏在黑暗之中真的好嗎？造成這個場面的是我，此時不挺身出來收拾局面不行。我在奇妙的義務感驅使下，開始抬舉起鳥口來。

「不，鳥口，你已經很了不起了。你從警

察那裡拿到失蹤少女一覽是前天的事吧？僅僅一天就能聯想到與御筥神帳簿之間的關聯，並建構出這樣的推理來。從剛剛你的一番話聽來，我大致理解了御筥神身為靈媒的架構與近乎詐欺的活動內容，這些情報已經十分足夠了。這樣看來不潛入採訪也無妨吧？不，已經沒必要採訪了。」

「不必採訪的意思是不用寫成報導了嗎？關口老師。」

鳥口表情訝異地看著我，我發出更沒用的聲音說：

「你真笨哪，當然是相反啊。我是要你刻不容緩，盡早寫出報導來。鳥口，你已經抓到充分具有說服力的事實關係——不，甚至可以說抓到證據了。帶你來這裡的是我，雖然我這麼說似乎有點說不過去，不過與其有時間在這裡聽這個京極堂的胡扯詭辯，還不如早點去坐在稿紙面前奮鬥比較好。」

「關口。」

或許是因為被我揶揄不甘心吧，京極堂眼神陰險地瞪著我。

「你真的是徹底隨便的傢伙哪，還是說你因為《實錄犯罪》是糟粕雜誌就瞧不起？」

「為什麼這麼說？我要他去寫報導耶。聽清楚了，御筥神十二萬分可疑，一覽跟帳簿之間的關係**太過**符合，這比任何證據都更可靠吧？這是罪大惡極的犯罪啊。為了增加喜捨金額，憑實力讓信徒變得不幸耶。而且還不是詐欺或恐嚇，是殺人。無辜的少女已經有四人犧牲了，而且還死在被人截斷四肢拋在四處這種慘絕人寰的手段下。警方還不知御筥神的存在，如果就這樣放任不管，恐怕不久就會產生第五個、第六個受害者。就算說心靈是種不好處理的分野，可是這很明顯已經是以營利為目的的殘忍犯罪了吧。」

對我而言，「靈媒」御筥神與武藏野連續

分屍「殺人事件」這兩個原本看似毫無關的事項之間，已經有了一種明確的因果關係，現在要說兩者毫無關聯反而令我覺得很不自然。

「真是輕率的意見。你都聽到了吧，鳥口，所以我說這位關口先生一輩子也幹不了糟粕雜誌的編者哪。」

京極堂說完點了根菸。

並非刻意要模仿他，不過我也跟著從胸前口袋掏出香菸來銜在嘴裡。

我似乎在不知不覺間被人說了壞話。

京極堂一臉香菸味道很差似地呼出煙霧，說：

「如果能那麼簡單且不負責任地捏造報導就沒人想去辛苦採訪了。鳥口只不過是從偶然到手的資料中偶然獲得有趣的靈感罷了。萬一這是事實，就是千載難逢的好機會，所以他才要去採訪。但對手頑強，所以遇上挫折，我說的沒錯吧？」

鳥口回答：

「這個嘛，就如中禪寺先生所言，這只是單純的靈感而已。」

「鳥口，怎麼連你也那麼沒自信了？剛剛不是還充滿自信地在賣弄你的三寸不爛之舌嗎！而且就算只是靈感，帳簿跟一覽表之間的符合性也太高了，不是說有五成以上？這不可能是偶然啊。」

「不管符合率多高，那也只是有可能性而已啊，不能拿來當證據的啦。要是有證據，我啊早去報警嚕。」

「啥？」

「我說，我會去報警啊，理所當然吧？」

鳥口看似表情豐富，實則只有幾種類型的表情。我因聽到這完全出乎意料之外的回答而不小心出神地看著他裝迷糊的側臉。京極堂的舌鋒沒放過這一瞬間，說：

「這是國民的義務吧，鳥口很懂事。相較

之下，關口就真的一點也不懂哪。要是掌握到犯罪證據，隱瞞不說絕對沒有什麼好處的。揭發犯罪、檢舉犯罪者是警察的工作，處罰則交由法律執行，區區一家雜誌社不該逾越本分去做這些事。特別是像糟粕雜誌這種被視為違反公共秩序與善良風俗而常被規制的對象更是如此。至多與警察合作，沒人想幹起私下調查這類會被警察盯上的把戲的。這些我相信鳥口自己再清楚也不過——」

鳥口點頭。

「可是如果像其他媒體一樣只追著警察跑來寫報導的話，這種發行量少又沒銷售能力、專寫犯罪報導的糟粕雜誌會死光。所以才更需要發揮創意，找出其他媒體沒注意到的部分寫成報導。但這並不代表想到什麼點子就僅憑想像隨便寫寫就好，因為那種報導沒人想看的。最近的讀者很敏感，一眼就能看出哪些是不真實的想像報導。而且犯罪相關的報導有可能扯上毀謗問題，對糟粕雜誌而言風險太大了。鳥口，沒錯吧——」

鳥口再次大大點頭。

「關口，像你這種小說家可以隨自己高興愛怎麼寫就怎麼寫，戰爭剛結束時還不敢說，但現在的情勢，特別是糟粕雜誌的編者更是需要超乎必要程度的敏感。」

「真的很敏感囉——」

鳥口又回到平時的態度。

「只不過我的態度其實也沒中禪寺先生說的那麼認真，只是不太有自信所以才來商量的。」

「沒自信？這麼說就太過分了吧，鳥口，虧我還我認真地聽你說了一堆耶。而且剛剛說的哪裡沒自信了？符合率五成以上啊。」

「機率這種東西不過是詭辯，是種讓說不準的未來預知看起來彷彿說中了一般的數字詭計。例如說我們假設明天降雨機率是五成好了，那麼不管降雨還是晴天都算說中了，不是？」

被京極堂冷冷地這麼一說，我才恍然醒悟。至今從未想過這個問題，不過他說的一點也沒錯。假設氣象台發表降雨機率是七成，就算晴天也有三成是說中了。相反地如果真的下雨就表示有三成機率沒說中。不管什麼情況，只要不是百分之百就只是參考數值而已。

「因此可能性或許真的存在，但光談機率也沒什麼用。」

聽到京極堂的發言，鳥口更是猛點頭。看來今天我是徹底被人排擠了，只是就這樣認輸實在心有不甘。

「可是難道你認為御筥神跟分屍案真的毫無關係？聽完先前的推論，怎麼想都不可能無關啊。」

「因為你只看到那些先有結論再配合結論挑選出來的情報，當然作如此想。你自己剛剛不也說過這種想法有問題？聽好，關口，現在能支持這個論點的就只有這兩種資料，可是目前的階段我們連這兩種資料是真是假都不知道哪。」

京極堂上半身前傾湊向我，將這兩種資料遞給我看。他說的沒錯，要是這兩份文件不可信的話什麼也沒得談。

「可是至少這份是從警察——」

「沒任何證據能保證警察的搜查絕對可靠，而那個不知是目黑還是祐天寺的警員在立場上是否真的有可能拿到這類一覽表也值得懷疑，更何況我們目前根本無法判斷御筥神的帳簿之真假。」

「的確，也可能是清野自己掰出來的，我居然沒想到這點耶。」

鳥口似乎很感佩服。

「可是他又為什麼要做這種事？太不自然了吧？」

「理由要多少有多少哪。想瓦解御筥神，編造怪異的流言是最有效的。」

「可是不管這是真貨還是假貨，出自兩種不同出處的資料卻有如此多共通之處實在很奇怪啊。」

京極堂有點不耐煩地抓了幾下下巴。

「我說關口啊，要是你不在這裡，我看只需花五分之一的時間就能解決事情。不管共通項有多少，不，就算全部內容都完全相符，機率也仍然不是百分之百，你還忘了一個最大的可能性。」

「是什麼?」

「當然是『偶然』。」

京極堂嘟囔地說。

「如果偵探小說用『一切都是偶然』來解釋，多半會被讀者罵這樣的劇情發展不公平吧。但很不幸地，有九成的現實都是偶然造成的。即使在理論上證明了其必然性，那也無法抹消偶然的可能性；就算實驗一萬次都成功，也不能保證第一萬零一次不會失敗，接下來或許全都失敗也說不定。也就是說，或許實驗恰好**只有那一萬次偶然**成功了。若真是如此，實驗的成功終究只是一種蓋然，不能證明其乃必然。」

「這樣不管實驗一萬次或一億次都一樣嘛。」

鳥口說完又盤起手來。京極堂臉朝向鳥口，對我繼續發言：

「而且話說回來，這份情報的提供者清野在看了帳簿之後，將這些資料分析成『喜捨金額不高的人會發生不幸』。但那是洞悉內部情況所產生的看法，如果沒有先入為主觀念，應該會先想說『因為發生不幸，所以提高喜捨金額』才對。如此一來便沒有人為操作的空間，當然與警方製成的一覽表之間的重疊也只是偶然。」

我無話可反駁。鳥口帶著抱歉的表情說：

「就是說啊。所以說我接下來該作什麼好啊？這件事還是就此作罷比較好喔？把御筥神當成犯罪者，而且還是當成街頭巷尾傳聞中的連續分屍殺人事件的犯人似乎太牽強了喔？」

「哎，無須喪氣。」

面對鳥口喪氣的發言，京極堂卻很乾脆地反駁。

「搞什麼，京極堂，你到底是站在哪邊啊？」

別人說行得通他就說不可能，說不可能就說行得通，所謂的彆扭鬼指的就是這傢伙。

「哪邊都不是，我只是想說只憑手上的資料來判斷太輕率罷了。別忘了我們還能去搜集用來判斷的材料哪。」

「例如說？」

「鳥口，首先你想怎麼辦？」

「這個嘛，我在初期階段學到要去採訪信徒很困難，反而直接對決還比較有效果。所以我認為不去瞭解這個核心人物是不行的。」

「明智的做法。然後？」

「這個嘛，我從警察那裡拿到一覽表，問出搜查狀況是前天的事，兩小時後推想出御筥犯人說。想到之後坐也不是站也不是，就直接跑去三鷹了。我自己也覺得此舉太莽撞了點，不過想想也罷，反正本來就只是靈光一閃的念頭，失敗了也就算了。我一下子就找到御筥神的地點，外面擺了看板，門戶開放，裡面地上整片鋪上木板。信徒有老婆婆、大娘等，幾乎全是女性，端正地一排排跪坐在地上，很壯觀。房間深處擺了個箱子，大家都低著頭，看起來很陰沉，實在不知怎麼開口詢問。而且你們也知道，我個性本來就很內向嘛。」

這傢伙話匣子一開就停不下來，跟京極堂有得拼。

「不久，一個女人從裡面出來。我想想，

大概比二十五歲還大一點，比三十三歲還小一點。應該是道場的管理人。」

「是巫女之類的嗎？」

「不，是平常的打扮，看起來像女辦事員。個性似乎有點刻薄，但又帶點妖豔，或許原本是做特種行業的吧。」

我本想進一步問那女人的風貌，卻被京極堂打斷。

「她說了什麼？」

「她問我有什麼事，會這麼問理所當然吧。我隨口胡謅應付一番，裝得很落魄的樣子，說：『我最近諸事不順，從早上醒來到晚上入睡前碰不到半點好事；身體狀況不好，公司又快倒閉，想求見教主一面。』這樣。然後她聽完就說——」

鳥口大概想學那女人的口氣，先停頓了一下，京極堂趁機搶先說：

「如您所見，等候的信徒眾多，現在實在無法撥冗見您。不知是否願意預約改天？如果方便的話請留下您的聯絡處，明天再跟您聯絡——說了這類的話吧？」

鳥口沒什麼吃驚的樣子，看起來甚至有點高興，說：

「是的，學得好像喔，簡直像那個女人就在眼前——」

大概是幾乎跟那女人講的話一模一樣吧。

「——所以我啊，才會先黯然退場的。」

這時我忍不住插嘴，因為我實在無法忍受繼續當個旁聽者了。也沒想過今天不知丟了幾次臉，又說出多餘的話來。

「你告訴她聯絡處了？難怪會著了詐騙分子的道，你該不會告訴他們《實錄犯罪》編輯部的電話了吧？如果真是如此，你就是個大笨蛋，會被看破真實身分根本是理所當然，一打電話就知道了嘛。」

鳥口斜眼瞪我。

「我再怎麼迷糊也不會被這種騙小孩把戲唬到啊，我給她的是我住處的電話。」

「你房間裡居然有電話？什麼時候那麼上流了？糟粕雜誌原來這麼好賺喔？」

「老師您在說什麼玩笑話。房東在樓下開了家中華拉麵店，我告訴她的是那裡的電話。告訴她電話後，她要我稍等一下，不久之後回來，問我明天方便的聯絡時間後就離開了。隔天是星期日，為防萬一我整天待在房間等候。因為要是在我離開時剛好打電話來，跟房東問東問西的話就慘了。然後也跟房東先說好要是有電話打來什麼都別說趕緊換人接。到了中午左右電話來了，要我立刻過去，說現在剛好有空。我聽到立刻飛奔過去。宿舍在荏原，到那邊大概是——一點半前後吧。穿過道場直接走到裡面，是個像等候室的房間。那個女管理員端了杯茶給我，接下來我跟她聊了大概有十分鐘之久。」

「為什麼？」

「因為前一個還沒結束，房間裡面可以聽到念咒語、祝詞之類的聲音。」

「說了什麼？」

「基本上只是閒話家常，女人說：『**您**說**您**一直碰上痛苦的事，能不能請**您**談談**您**的處境？』，講得超客氣的。我一聽就想：『哈哈，這肯定是陷阱』，所以就拿事先準備好的說辭出來胡扯一番。」

鳥口特別強調『您』的部分。

「我說我是牙刷公司的業務員，最近的業績被新出來的尼龍牙刷搶光光，每天除了嘆氣還是嘆氣。又說出身地是新潟，最近生活疲累，還搞壞了身體——」

鳥口裝成駝背，語氣也帶了幾分悽慘味道。

「——總之我說得很小聲，隔壁房實在不可能聽見。而且一直聽到隔壁喃喃唸著咒語，咒語聲反而還比較大聲咧。」

「所以不用擔心被隔壁偷聽到對話內容嘛；而且就算聽到，你報出的來歷也全是謊言。」

可說是準備周到。

要是我碰到這種緊急狀況，腦筋肯定轉不過來。

「不久隔壁安靜下來，接著——我以為女人會先去跟教主說剛剛聽來的話，結果並沒有，她要我先進去。隔壁房是約四坪大小的客廳，房間裡擺飾著亂七八糟的女兒節人偶，還放了很多箱子。教主就在這些東西前面，一身白神袍，一頭理得短短的平頭摻雜著白髮，頭上戴了那個——好像叫兜巾是吧？總之戴了山伏戴的那種帽子。教主是個瘦得皮包骨似的男人，他要我坐在正前面，女人則坐在我的斜後方。」

鳥口瞧了右後方一眼，大概是當時女人坐的位置。

「我一坐下教主突然大喝一聲，我嚇得縮起脖子，」

「叫出『唔嘿』是吧？」

「是的，就是『唔嘿』。教主用清徹響亮的聲音說：『汝說謊，自稱北國出身，實乃西國——若狹人也乎！』。我一聽他這麼說就被唬住了，一般人絕對會大吃一驚的嘛。教主接著說：『汝非販物之商，乃以報導他人不幸為職者，誠乃無恥之人！雜誌，且為可憎之誌，實、實錄犯罪——無恥之人，汝為何而來！』。連雜誌名都被說中了，所以我真的連一聲也不敢吭地落荒而逃。」

這背後究竟有什麼機關？

由鳥口的敘述聽來似乎沒時間玩剛剛京極堂的那招。

「嗯……姑且不論鳥口在等候室裡說的部分，後面的實在難以費解。若說西國出身是用猜的還有可能，可是連《實錄犯罪》這種具體名詞都出來了——京極堂，你懂這個機關的真相嗎？」

「當然。」

「懂嗎？」

他一點也不覺得驚訝。

「當然懂。首先鳥口，你什麼時候告訴房東接到奇怪電話時要謹慎應對的？」

「這個嘛，一離開御筥神就說了。我在三鷹跟賣菜店借了電話聯絡，因為離開御筥神後我有事得先回編輯部一趟，想說如果這段時間他們打電話過來就慘了。」

「那編輯部有發生什麼奇怪的事嗎？例如說，老家的姊姊打電話過來之類。」

「唔嘿，有耶。應該說『好像有』才對——說什麼老家那邊有東西要寄過來——」

「還沒寄到吧？」

「才過兩天而已，還早啦。」

「我看永遠寄不到了。」

「咦？你是說，那通電話是——可是他們怎麼知道編輯部的——」

「呵呵呵，這很簡單，她多半先問過房東了。」

「咦？可是我一出御筥神就打電話啦。」

「你還在御筥神時——亦即，你剛告訴女人電話號碼時她就立刻打給房東了，她要你稍等對吧？」

「啊。」

鳥口沉默了一下子，擊掌稱是。

「從三鷹打電話回去時，房東先生跟我提過老家打電話過來，說想寄東西給我，問我白天在不在。我當然幾乎都不在，所以她似乎又說了——不好意思麻煩房東收，想寄到公司去——等等，原來如此。難怪會說想問公司地址，要房東給她電話——房東先生告訴她了。哎呀，沒想到那時就已經出招了——我反而因此深信後來編輯部的那通電話是家裡打來的咧。」

鳥口像是沒吃到點心的的小孩般露出非常不甘心的表情，這在他表情類型中算很少見的。

「聽清楚了鳥口，要打詐騙電話，就是要本人不在才方便。在問東問西之前，只要先說出要找某某人，大部分的人都會相信。所以她當然要趁本人就在身邊時先打電話給房東，本人保證不在，因為鳥口就在身邊。接著偽裝成親人，只要對方信任了，要問工作地點的電話號碼就很容易。只要說想打電話到公司詢問，對方多半會輕易說出口。然後放鳥口走，再打電話到工作地點，同樣裝成親人還能有呼應效果，就更不容易露出馬腳。只要知道工作地點的電話，公司名稱也能得知。你們那裡一接到電話應該直接會說『這裡是《實錄犯罪》編輯部』吧?還是『赤井書房您好』？」

「連『喂喂』都不說呢，直接報上『實錄犯罪』。」

「如此一來，你的真實身分就被拆穿了，接下來沒什麼好說的，能順便知道出身地更好。只要說是從老家打來的，親切的人自然會寒暄幾句，故鄉是哪也就曝光了。」

「原來如此。可惡，原本以為很小心了，沒想到還是中了她們的把戲。」

鳥口似乎很不甘心。

「這只是因為**實際發生順序跟正常順序不同**，所以才不容易注意到。表面上顯現出來的現象看似亂七八糟說不通，但只要先打散再重組就會發現根本沒什麼好不可思議的。並不是什麼都**按順序來就好**的。」

京極堂寓意深長地說。

「接下來就是遊方算命師的老套招數。這

招一定是兩人一組，一個是算命師，另一個是助手或弟子。先讓弟子在別的房間問出情報，如我剛才所說明的，用各種方法套出話來。最近有些人比較偷懶，直接提供問卷讓人填寫。總之會讓人以為算命師不知道內容；讓人認為反正談話在別的房間，問卷算命師本人也沒看見，但當你進入另一房間的時候起，算命師便知道一切了。」

「有什麼玄機？」

「很簡單，只要讓列席的弟子傳送來客不懂的信號即可。坐的位置、坐墊的角度、呼叫鈴響的次數，以及招呼都能當作暗號。不管是搔頭搔鼻還是搔屁股，什麼都行，只要事先講好即可。鳥口的情形，對手得知的是職業與出身地吧。聽到雜誌名叫《實錄犯罪》，工作內容是什麼可想而知。因此老實說的話就當作客人，說謊就趕回去。女人坐在你背後，就算她嘴巴一張一闔做暗號你也不知道，加上你又因被人大喊一聲而嚇到就更不用說了。」

「我的疑惑完全解開了。」

鳥口似乎真的疑惑完全解開了，表情神清氣爽。

京極堂抓著額頭，不久抬頭，帶著難以言喻的表情發問：

「對了，擺放在祭壇上的箱子全都是四角形的嗎？有沒有圓盒狀的？」

鳥口回答：

「這個嘛，全部都是一般所謂的箱子，有什麼問題嗎？」

「竹呂『筥』這個字的意思是圓形的竹器。是嗎──或許是我弄錯了──」

京極堂表情一沉，接著說：

「所以說，你的臉她們完全認得了。」

然後帶著不愉快的表情嘆了氣。

京極堂很難得地陷入苦思之中。平時的他幾乎不會迷惘。

「總之，現在關於御筥神的情報太少了，可是——如果你真的有心要幹，我願意盡微薄之力。要跟心靈術對抗，對你們，特別是對關口而言，這包袱似乎太沉重了——只不過在追查御筥神同時也要調查分屍案才行，希望這只是單純的心靈術詐欺事件——」

京極堂又陷入沉思。

「需要哪些情報？」

鳥口很有精神地問。

「首先，我想知道御筥神教主的個人情報，像是姓名人品與修得心靈術的經緯、成長過程、之前的職業、家人與祖先……諸如此類，總之什麼都行，越多越好。」

「這樣啊，既然見不到本人就從外圍進攻是吧？」

「再來是御筥神的能力及奇蹟的種類。若會幫人驅魔，驅魔的儀式是什麼、用了什麼咒語、使用什麼祭器，以及幫人驅什麼魔等等，能知道教義的概略更好。」

「這些還是向信徒詢問比較好——向鄰居詢問似乎也是個好方法——」

「接著是關口，你很閒吧？」

「為、為什麼我就很閒啊，我現在每天可是過著人生中最忙碌的日子哩——」

不知要指派我什麼任務，我可不希望被捲入麻煩之中；但相對的——我心中似乎又有大事即將發生的預感。

那個梅雨即將結束的時期——

那天也是在這種感覺下事情就發生了。

不對，事件其實在那時已經結束了，但這次——

「你哪裡忙了，我是聽說你要出版小說，若是新作品還沒話說，這次的單行本不過是收錄已發表作品罷了，沒什麼事是你該做的吧？而且修改推敲文章之類的事你應該也解決了。就是很閒才會來這裡的吧？」

我原想說沒這回事，但從脫口而出的卻是別句話。

「你要我做什麼？」

「將這個情報透露給警察知道。當然透露未必就能見效，但如果透露得宜的話他們會幫忙解決一切。」

「可是那樣一來難得到手的獨家報導不就飛了？或許能解開真相之謎，但鳥口的辛苦會全泡湯啊。」

「關於這點不必擔心。現在這個時刻不管哪家報章雜誌都沒有御筥神的情報，就算他們注意到了，頂多也只能趕忙開始採訪，只有《實錄犯罪》能立刻應對寫成報導。而且《實錄犯罪》沒有固定的發行日期，隨時要用什麼臨時增刊號、合併號的名義都行，只要先出了就贏了。比任何一家雜誌社都還快，內容又充實。」

「真的很充實喔。」

鳥口笑容滿面地拍著碩大的公事包，看來他充滿幹勁。

「可是京極堂，要我放情報說來簡單，究竟要怎麼做才成？放給木場修大爺知道嗎？可是他不是負責人吧？」

「記得報紙上說負責人是大島警部，他是木場大爺的上司吧。只不過——最近都沒聽到木場修的消息，而且那個人常會失控——對了，與其放給警察，先讓里村知道或許比較妥當。」

里村是我們認識的一位法醫。

「要跟里村說什麼？我可沒辦法解釋你今天說的那些什麼心靈占卜的喔。」

「沒必要講那些，只要說你偶然獲得御筥神的帳簿，一看之下發現信徒當中女兒失蹤的家庭有十家，你懷疑這之間有所關聯就好。對了，只要拿清野對鳥口說的那番話出來即可。

把自己當成清野，學得越噁心越好。」

「嗯嗯。」

不知這樣做有什麼好處。

假設說——警方像溺水者連稻草也不放過般渴求情報的話不知如何？就算這條情報算不上有力，至少可說很有意思。相信警方會展開一定形式的搜查，這樣一來，至少今後或許能防止相同事件再發生。當然這是御筥神真的與事件有關的假設。

相反的，如果不讓警察知道，而先行報導的話又如何？

若因此產生新犧牲者，《實錄犯罪》明顯會被追究責任，因為這是為了追求利益，不顧公開事先獲得的犯罪確證之行為。而且構成報導的核心資料還是以不法手段由警察處獲得的，即使沒受到法律制裁，遲早也會被相關單位壓制。

至於如果御筥神是無辜的，結果自然不用多說。

糟粕雜誌的存在本身就是反體制的，所以對權力、道德、社會常識的報導也多是批判性內容。但畢竟只是三流四流的雜誌，報導內容多半為不負責任的中傷，這就是被抨擊違反善良風俗的理由。如果對手規模巨大的組織機很快會受到打壓而不得不中止，因此多半流於針對個人的攻擊。

若對象為宗教團體或靈媒的話則很微妙，不知讚揚才算反體制，還是貶低才算合乎糟粕雜誌風格。通常會以對手規模作為基準，龐大就攻擊，弱小就讚揚。

御筥神算哪種？無憑無據的報導會引起信徒騷動，三百人騷動起來可不得了，比攻擊個人危險得多了。

我思考著這些問題，邊看著鳥口。

鳥口說：

「老師，我們沒有退路了，既然中禪寺先

生答應幫忙，如有神助，所以也請老師——」

真的沒有退路了，我似乎能理解這種心情。

「——幫忙打倒邪惡的箱子吧。」

箱子——我想起中午的夢。

「既然如此，關口，把這本帳簿好好看一遍吧。」

京極堂遞給我信徒帳簿。

「哼，你倒是自己從來都不出馬。」

偵探小說中有所謂的安樂椅偵探或床鋪型偵探之類的主角，京極堂這種肯定叫客廳型偵探。只不過這傢伙就算推理了也不公開說明，專門賣弄詭辯誑人，所以不適合當偵探。

我邊譏諷邊眼光掃視帳簿。此時處於一種幾乎近於無心、什麼也沒思考的狀態。雖看到字也沒讀進心裡，只是裝出閱讀的樣子。

突然出現了讀得見的字，我回到前面好幾行。

眼光停下。

「久保竣公」

「久保——竣公？」

不自覺地念出聲來。

「那個新進幻想小說家？」

京極堂似乎聽過。

「有他的名字？他還年輕吧？是信徒嗎？不，或許是同名同姓的別人。清野的備註寫了什麼？」

我連忙眼光移到該欄。

「小說家，第二回本朝幻想文學新人獎得主。似無喜捨形跡，詳細不明。」

這是怎麼一回事？我回想他端正的容貌。實在不相配。我無法想像他對詐欺靈媒頂禮膜拜的樣子。可是說沒有喜捨又是怎一回事？

我覺得極度不安。

「怎麼了？你認識久保竣公這名小說家？這麼說來下一期的《近代文藝》的新聞廣告欄上有他的名字。如果你認識的話，試著去詢問也是個好方法。」

「這個——抱歉，我拒絕。」

我不知該如何應付他。

不對，有點不對。那個人個性如此我是無所謂。

只是不知為何，我很不願意看到他對比自己更強大的對象膜拜的樣子而已。

我想像著，帶著白色手套，整齊穿著正式服裝的久保深深低頭的樣子。他的對象是，箱子，巨大的箱子。箱中有箱，其中另有箱子，附近散落著手與腳——

不行，腦子一片混亂。

我為何會突然變得如此不安？鳥口似乎在說什麼。那個大公事包裡究竟放了什麼？

該不會一樣是箱子吧？

九月二十二日，我就這樣開始深陷事件之中。

前略

在此寄送先前說好的原稿。原本應直接前往貴社當面交付較爲保險。但礙於諸事忙碌，不得已交付郵送。

今日爲九月七日，若無郵寄事故發生，應能在截稿日之九月十日時送達至您手中。

相信一經閱覽便可知，作品中全以舊字舊假名遣（註）寫成。

此爲我本人之意旨，校閱時務必留心。

另，排版稿麻煩郵寄至紙背記載之地址一送達即刻校正送回。

也煩請代我向平日承蒙關照之山崎先生問好。

久保竣公

致小泉珠代女士

註：日本政府於敗戰之後，接受GHQ的勸告，將原本的假名標記方式簡化，稱為「新假名遣」沿用至今，而原有的用法則稱為「舊假名遣」。

〈匣中少女〉前篇

久保竣公

自孩提時代起即有潔癖，不管做什麼沒整整齊齊地完成就難以忍耐。不管是衣服的縫線還是牆上的匾額，看到彎曲便覺不悅。

看到便當盒的米飯偏向一邊產生空隙時，憤怒心更勝飢餓感，再也吃不下。

與其留下空隙，還不如塞點什麼較好。所謂的容器就是要用來裝東西的器具。想充分有效活用，就必須緊密地使之充實。

一直很在意這種事情。

（中略）

考試也是滿分最好。每看到拿到九十分便自以為獲得高分而興奮的傻子，就會覺得愚不可及甚至生氣。分明還有十分空在那裡。

所以非常用功。學習越多，便覺腦髓越充實，令人滿足。將空隙一一填補的感覺真令人舒服。

（中略）

隨著成長，對不完全的事物之厭惡感與日俱增。有所不夠、有所不足乃是罪惡，是劣等品。

鉛筆盒裡放了鉛筆。全新的鉛筆很長，所以鉛筆盒裡的空隙很少。可是只要稍微一削，立刻會產生空隙。空虛正是愚昧的象徵。鉛筆盒的空隙彷彿充滿了愚昧，看了想吐。
所以鉛筆盒中的鉛筆永遠是新的。

就這樣，在努力填滿一切的努力下，以首席成績畢業了。
就這樣，在眾所期待下當上官吏。完美地達成工作，當然每天也過著充實的日子。很幸福。所謂幸福，就是滿足。

（中略）

父親去世了。

母親在懂事之前就死了。廣大的房子只剩孤單一人。

充滿空蕩蕩房間的房子太可怕了，實在不敢住。

紙門背後，屏風背後充斥著空虛。光是坐著不安就逐漸增大，令人坐立不安。彷彿腦髓會隨之擴大，形成空隙。一秒也無法忍受。

立刻把家賣了，租了間小房間。正方形的，匣般的房間。

房間裡的壁櫥塞著折疊好的行李與棉被。

晚上睡覺鋪好棉被之後，原本放棉被的空間就變得空虛。

一想到睡覺時那裡充滿了不安便怕得睡不著。

加上醒著時雖不怎麼在意，躺平時與天花板之間的空間也很可怕。

快被不知所謂的空氣壓扁了。
令人近乎瘋狂。
決定在壁櫥睡覺。
緊貼的感覺多麼舒服。
各個角落完全填滿帶來無上的充實感。

在意起下層的行李。

底下只放了三個行李。因此睡覺時正下方充滿了低俗的空隙。
那裡充滿了不安，不久必定會侵襲上來。

翌日，買了只為了塞進壁櫥用的行李箱。緊密地塞滿，不使之產生空隙。
若有空隙即用布折疊塞滿。此時注意到行李箱中沒放東西。

裡面充滿了空虛。

慌忙拉出行李箱不管三七二十一地塞東西進去。無法滿意。總會產生空隙。花了一整天反覆嘗試仍得不到好結果。

角落會產生空隙。

決定放土進去。深夜到庭院挖土出來，搬到房間。

緊密地仔細地塞滿各個角落。再把東西放進去。完美填滿的行李箱很重。光是提起就得費一番功夫。一一放進壁櫥裡，完全塞滿壁櫥下層的工作花了整整兩天。

這樣總算放心了。

鑽入上層棉被的空隙中。在彷彿母胎之中的安詳感裡熟睡。

突然害怕起來。還有空隙。棉被鬆鬆垮垮的，一點也不值得放心啊。一想及此，安詳感迅速遠離。這樣不行，不完全。

直到天明仍無法成眠，與侵襲而來的恐怖感交戰，等天一亮立刻拿捲尺測量壁櫥尺寸後上街去。去訂做匣子。用緊密裝滿土的匣子塞滿壁櫥，在其間睡覺。

真是個好主意。

匣子完成要七天。這段時間不睡一直坐著。

匣子完成後幸福再次造訪。

多麼幸福啊。

翌日，總算能在更勝過去的充實感中回到職場。

但在父親死後造成半個月的空白，我

拼命工作以彌補這段空隙。
感到安定。
決定的事能確實執行是很美妙的事。
不管做什麼這點最重要。
反覆練習，盡可能以沒有多餘的動作
不產生空隙地度過每一天。
無用的時間連一秒都不該存在。

父親忌辰之日，捎來一封電報。
是訃文。

祖母去世，決定緊急返鄉。

（以下略）

5

房間裡煙霧瀰漫，看起來一片朦朧。

木場起身開窗，窗框稍微歪斜，無法輕易打開。與其說是施工不良，不如說是房子本身太過老舊。木場每次開窗便想，用古意盎然這個成語來形容這個家再適合不過了。

窗外是一片殺風景的景色，只見空地、電線桿、斜對面的平房與晾曬的衣物、黑矮牆。一到晚上蛙鳴嘈雜，最近還混著蟲鳴。

打開窗戶，風吹進來。雖說不開窗風也會從縫隙毫不留情地入侵，但通風性卻不見得有多好。冬寒夏暑，這裡就是如此糟糕的房間。

望望窗外，又回頭看看室內，帶著一絲秋意的風穿過房間，再由各個空隙竄逃出去，同時也將停滯於房內、即將腐敗的日常一點一滴地帶走。

室內的擺設比窗外更殺風景。

茶櫃、從不收起的床鋪、矮桌、斑駁片片的灰泥牆、沒有燈罩的燈泡。

枕旁的菸灰缸裡菸屁股堆積如山，堆不下了就產生崩落，菸灰與塵埃雙雙滲入榻榻米中。這樣或許沒菸灰缸還比較好。

菸吸太多了。喉嚨是還不痛，但開始感覺不太舒服。不，這兩、三天都沒開過口，或許嗓子已經啞了。

太不健康了，令人想哭。

經過短暫的遲疑，木場最後還是決定躺回床鋪。

木場本來是個**勤勉**的人。直到現在，就算床鋪懶得收拾，好歹也從不懈於打掃整理房間。雜誌新聞類的依大小分類綑綁，茶櫃中的餐具也清洗得很乾淨。可是這二十天來，木場絲毫沒發揮就三十多歲單身男子而言少有的一絲不苟性格。

一個月的閉門思過——

這就是木場長達一星期的違抗命令單獨行動得來的，東京警視廳贈送的禮物。

如果沒被革職就主動辭職。

原本打算如此做，可是木場終究沒辭職，因為他已經有了不辭職的理由。

要尋找加菜子。

要打倒陽子的敵人。

這些不是那批軟腳蝦辦得到的事，可是一旦木場變成了普通老百姓——實在無法保證能達成這些目的。木場仍需要刑警的頭銜。現在的木場，是身為刑警才能成立的木場修太郎。

亦即，沒有頭銜的木場連木場修太郎都不是。道理很簡單，因為箱子只有外在才具有存在價值，裝不下內容使之外露的箱子只是個笑話。所以木場這個箱子甘心接受懲罰，以保持作為箱子的體裁。

但現在，木場這個箱子跟這間房間相同，充滿了空隙——

內部卻又混濁不堪。

處分下來的日子是九月五日。

事件發生到當天為止，木場一直被拘留在神奈川本部裡。

處分是從東京警視廳趕來的上司大島警部帶回木場時，親口對他宣告的。同在現場的石井警部對懲罰內容表達了強烈不滿，他認為這只是東京警視廳對木場違反命令的處分而已，不是對他妨礙神奈川本部執行公務的懲罰。

石井從頭到尾不斷主張事件的發生責任在於木場身上。他指稱木場身為外人卻擅自干涉縣警行事，造成統率混亂，擾亂警備態勢；到最後，甚至主張起「木場犯人說」來。

木場完全不作辯解，只是默默地聽著。石井看木場不反駁，便固執地重複相同主張。由於實在太執拗，連大島也聽不下去了，便挖苦地對他說：

「木場算是幫你的失敗做了個台階下，有力氣攻擊他還不如撥點出來感謝如何？石井兄。」

接著轉過頭來面對木場，用同樣的語氣說：

「木場，我原本應該會更生氣，可是看到這個人後我已經沒心情責罵你了。我不再多說，你快點回去睡覺吧。」

聽到大島的話，石井閉上嘴。

大島之後真的什麼也沒說。木場原本就無意辯解，但如果上司對他怒吼就打算反唇相譏。結果這麼一來心情像是撲了個空，連帶地害他失去了戰意。

就這樣過了將近三個星期。

什麼也沒達成，整天只窩在這個房間裡，自然搜查也不可能有所進展。

堅持不辭職以保持箱子體裁的木場，現在卻反而逐漸失去箱子的內容。什麼也辦不到的話，木場終究只是個空箱子罷了，空空如也的箱子。

那時，加菜子消失的時候——

那是魔法？還是魔術？或是……

木場嗅著床鋪的霉味開始回想，追尋著這三個星期以來，不知反覆過多少次、難以數計的那段記憶。

「你自己看！你們到底在搞什麼！」

美馬坂怒吼的那時。

床上的加菜子消失的瞬間。

木場懷疑自己的**眼睛**是否看錯，隨即以刑警的銳眼觀察在場的所有人。

陽子她——陽子像個賽璐珞娃娃般，面無血色地緩緩看著病床，似乎還沒能理解發生了什麼事。慢慢抬起下巴，不久露出恐懼的表情，似乎無法出聲。

福本像是氣球洩氣般，「啊」地叫了一聲，全身凝結。

警員們晃來晃去，沒人知道該怎麼辦，只能在那堆有如墓碑般的計量器之間慌亂地來回走動。加上原本守在走廊上或底下的警員也闖進房間裡，別說是維持現場，究竟有多少人在這棟建築物裡都不知道。況且身為指揮系統頂點的石井警部本身都半張著嘴，一句話也說不出口地站在原地發呆了，自然也怪不得底下的警員們。

石井完全陷入茫然自失的狀態。

這也無可厚非，畢竟最後看到加菜子的就是石井本人，而那不過是加菜子消失幾分鐘前的事。且他與加菜子之間也只隔了四張半透明的塑膠薄膜，兩人的距離還不到一間半（三公尺）。

至於賴子——賴子的表情實在令人難以理解。

那副表情是木場所見過賴子的表情當中，最能表現出賴子真實面貌的表情。

那副表情在木場眼裡看來**像是在高興**。

更令人訝異的是，那真的是在高興，木場後來聽賴子親口說了。

不過那時木場頂多覺得很奇特而已。

至於雨宮。

雨宮不見了。據守門警員的證言，他似乎與美馬坂擦身而過離開房間。

早知道那時一注意到雨宮不在，就該立刻確認他的所在位置才對。木場每想到這點就後悔得快瘋掉。現場注意到雨宮不在的人大概只有木場而已，而且從此以後再也沒有雨宮的消息。

雨宮也**消失**了。

可是面對這種狀況，警員們最先採取的卻是——

無比粗糙、難以稱之為搜查的行動

那些傢伙們像是在找條小狗般蹲下身子，在地板上爬來爬去地——**尋找**。當中也有翻找起垃圾桶或藥品櫃抽屜的愚蠢傢伙。如果他們在找的是犯人的遺留物或犯行的痕跡倒還說得過去，可是他們全體都是在——尋找**加菜子**。

又不是錢包掉了，這種找法能找到什麼？像是一堆人在墳場拔草。

木場冒著被罵的可能性靠近病床，試著搜尋現場痕跡。

他自認在這個要塞之中，自己大概是僅存的較為冷靜沉著的人。

雖說實際上這時候連木場也像方才的賴子般，全身持續著細微的顫抖。

結果並沒挨罵。

病床周邊與木場剛剛看到時並無二致。計量器等器材仍繼續運作著，與加菜子在時毫無兩樣。須崎跌坐的位置似乎恰好是機器箱子之間的空隙，雖然跌倒時發出巨響，從痕跡看來並沒撞倒什麼。

探頭看病床下面。

木場也趴在地板上觀察，大概是受到警員們的動作影響吧。

蓋在加菜子身上的白毯子掉在地上。原本接在加菜子身上的軟管、管線、電線失去了對象，以病床為中心呈現放射線狀。抬頭，見到點滴一滴滴地滴在地上。順著點滴袋看到連接的軟管，藥液由注射針頭中緩緩滴落地板。犯人**連點滴也沒碰倒**。

但是，相較於小心拆下的點滴，犯人在其他部分上卻明顯地粗暴了許多。因為整個地板上到處散落著**破碎的石膏**。

——有敲碎石膏的聲音？——不，連一丁點動靜也沒有。

那病床上的情況如何？木場起身。

與美馬坂四目相交，他以類似爬蟲類的雙眼看著木場。

木場有點忍受不了那樣的視線，把精神集中在觀察病床上。

枕頭上留下頭形的凹陷，一摸之下，還殘留著加菜子的體溫，可見一直到剛剛事件發生為止加菜子人確實在這裡。剛才木場見到的她既非幻覺也非錯覺，這就是證據。

那麼——這個病床本身是否暗藏機關？

曾在淺草的秀場上看過，切成兩半的人、消失的少女。對了，這是魔術。既然是魔術那就一定有機關。

可是病床的構造極為簡單，不可能在上面裝設什麼機關。

厚度約三寸（十公分）前後，人再怎麼瘦也無法藏於其中。

床單幾乎沒有紊亂的痕跡，因為加菜子全身無法動彈的緣故吧。

只有手腳的部分在床鋪上留下凹痕。

——可是——有點奇怪。

說奇怪其實全部都很奇怪，但不知為何木場覺得這點特別奇怪。

幾乎在木場抬頭的同時，美馬坂從木場身上移開視線。

美馬坂對狼狽不堪的警察們投以最不屑的輕蔑視線，至於對石井連看也不看一眼，不說半句話走向電梯。令人聯想到爬蟲類的冷酷視線，在電梯門完全關上的前，瞬間望了陽子一眼——至少給木場如此感覺。但是那一瞬間他是基於何種情感而有此行為，木場無法判讀。

——問題在須崎身上。

須崎不知何時離開房間的。

美馬坂離開時須崎已經不在了。

——那傢伙嚇軟了腿。

嚇軟腿，用爬的逃開——可是這個房間裡的舞台設定並不容許這樣的行動。

地板上鋪滿了電線、軟管，要走動都嫌困

難，再加上病床與出口之間也沒有直線的道路，不可能慌忙逃跑卻沒碰倒地上的那些計量器。事實上連警員們都被絆倒好幾次，醜態畢露。

可是須崎卻比任何人都還更早從房間消失了。根據房間外的警官的證言，他抱著帶來的小箱子，喊著「不得了了！不得了了！」，急急忙忙地從樓梯跑下樓。

那是何時？是在加菜子消失的幾分鐘後？

不知道。沒人知道加菜子消失——正確而言，應該是加菜子的消失被發現——的時間。

——真愚蠢。

有三十個以上的警員，卻沒人確切知道。

唯一確定的只有美馬坂搭乘電梯到達二樓的時間而已。那時恰好是在一樓及外面待命的警員聽說發生緊急狀況，大批人馬由螺旋梯奔上樓的時刻。同一時刻二樓的走廊上，有三個警員正排隊等候使用廁所，當中的一個人看了手錶。

時間是六點十八分。

所以須崎離開房間的時刻是在這之前。

木場們進入接待室時是六點三十二分。木場的主觀感覺是加菜子消失後整整在那個房間裡待了三十分鐘。如果感覺沒錯，那麼消失的時間應是六點前後。

那麼一來，須崎應該是在六點到六點十八分之間從螺旋梯下去的。一樓與外面的警員據說就是聽見須崎的喊叫才知道發生事情了。

石井對警員下的第一道指示是把木場一行四人帶到接待室，石井在這三十分鐘之間完全沒發揮到功能，所以最先通知警員們的理所當然是須崎。可是——

這就表示須崎——**到過外面**。

沒錯，須崎抱著機器的小箱子到外面了。

外面的警官壓根也沒想過建築物內會有事發生，一直在外頭守備，以為敵人一定是從外面入侵。所以當他們一聽到裡面發生事情的時候都感到驚慌失措。須崎打開門，幾個警員跑到門口附近，須崎一看到警官，立刻慌亂地指著天花板喊：

「樓上！樓上！」

警員聞言立即奔向螺旋梯，須崎應該就是趁這個時機出去的。

──他的行動怎麼看都很可疑。

木場懷疑須崎。最早發現加菜子不在的空白病床的是須崎，所以說須崎的證言是最重要的，因為他是第一發現者。但是──警察永遠失去聽取這寶貴的第一發現者證言的機會了。

因為那之後須崎被人發現時，已成了一具**遺體**。

無能指揮官下的三十多名警員在這之後完全成了一群烏合之眾，慌亂地反覆做著一些無意義的行動，最後甚至不經大腦地讓所有屋外的警員都進入建築物之中。沒半個人看守建築物周邊，如此不得當的情況居然持續了將近三十分鐘之久。

在這段時間內須崎被殺害了，這很明顯地是警察的過失，無從推諉。

因此目前嫌疑最深的是行蹤不明的雨宮。兩天後，雨宮作為綁架殺人的嫌疑犯被全國通緝。沒有任何證據，連動機也不明確。但是對神奈川本部而言，除了懷疑現場消失的人以外也無計可施。但就算假定雨宮是犯人好了，事實上也仍無辦法解釋加菜子是如何消失的。況且加菜子消失時，雨宮並不在房裡。

──雨宮不可能是犯人。

木場如此認為。但是如果犯人當時在建築物之中，除了雨宮以外也沒其他適當人選。

──對了，還有甲田。

當時沒想到還有甲田這號人物。

混亂持續了數小時。

憑石井的智慧除了想到將外來人士聚集在一起以外似乎沒別的對策了，他將木場眾送往接待室後也沒定出什麼明確的搜查方針。

須崎的遺體被發現後，石井才總算瞭解到事態的嚴重性。警方恢復原有機能時，是在加菜子消失後經過兩小時的晚上八點左右，而前來支援的鑑識人員到場則又是在那之後一小時，也就是九點過後的事了。在這段期間木場、福本、賴子、以及陽子一直被軟禁接待室裡，連個盤問也沒有。而警員們像是從被搗壞的蟻巢中四處竄逃的螞蟻般上上下下來回走動。

——這也不能怪他們。

木場想，實在沒道理發生這麼混帳的事情。躺在由三十多名警員守護的、只有一個出口的建築物中，全身上滿石膏動彈不得的重傷患者居然在警方的看守中忽然消失了，不可能，太不合常理了，豈有此理。

發生於七月那個難以理解的事件也和密室消失事件有關，但是這次與當時的狀況不同，不可能會看錯或誤判。

——超自然現象。

木場在上次的事件中學到這個名詞，似乎是用來形容超乎人智的不可思議事件。木場認為超自然現象或許存在，但實在不願意承認在自己身邊真的發生了這種事。

「怎麼回事？怎麼回事？木場先生，木場刑警，這到底是怎麼一回事？」

原本凝結楞住的福本一進接待室後立刻解凍，接著表現出彷彿退化至幼兒般過度亢奮的行動。木場太過疲累了，無法再忽視忍受，便對他大吼：

「煩死了！」

這一聲怒吼令福本安靜下來。

接著沉默佔領了整個房間。

最早開口的是陽子。

「雨、雨宮呢——雨宮他在哪？木場先生，雨、雨宮不在這裡，您知道他在哪兒嗎？」

陽子向著木場，但並沒有看著他。失去血色的臉龐上近乎未施脂粉，但與化妝時的印象並沒有太大差別。或許受螢光燈的影響，看起來猶如剛羽化的蟬的表皮般透明。唯一化了妝的地方是口紅，顯得格外朱紅。

「剛剛問過警員，似乎在所長進來的同時離開房間了。如果出去了，當然也不知道這場騷動吧。」

木場盡可能壓低音量。

「到底——去哪了——在這種——時刻……」

聲音太小了，聽不清楚語尾說了什麼。

突然注意到那股低頻的機械聲又復活了。原本應該一直響著，或許是因為耳朵已經習慣了，一直到剛剛都沒意識到。

「陽子小姐，如此——超乎常理的事終究還是發生了。繼續交給石井處理今後不知事態還會惡化到什麼地步。拜託妳，告訴我詳情吧，我一定會把加菜子找回來——」

「可是木場先生——」

福本又開始多嘴。

他根本不知道木場煞費多少苦心去選擇較適當的語彙來對陽子說話。不過這也難怪，不管怎麼細心選擇，木場的語彙也還是只有這幾種，選不選都沒多大差別。

「我不清楚犯人的手法和醫學上的問題，不過綁架重傷病患真的很不合常理。就算要綁架，也要人質活著才有意義吧。要是一綁架人質就死了的話，根本別想拿到贖金啊。如果是輕傷的病患，還能用來恐嚇說，如不快點付錢小心病患的小命不保之類的，可是依加菜子小妹的狀況看來……」

「沒聽到我說你很煩嗎！」

木場一肚子火，這麼點小事他當然知道。接到威脅信時木場早就不知想過多少次，這是謊稱綁架的殺人。想把全身上下包得緊緊的病患帶出去，這種想法本身就充滿殺意。連維持生命都得接上那麼多機械、打點滴、供給氧氣，裝上石膏……，加菜子就像個易碎物品般必須受到細心的照顧。

「加菜子——不會死的，不會那麼簡單就死的——」

陽子說。

「什麼意思？加菜子的狀況已經恢復到那種程度了嗎？」

真是愚鈍的傢伙。木場抓住福本的領子將他扯過來，用最可怕的凶臉瞪他。

狗看著木場，似乎還無法理解狀況，說：

「既然恢復了就安心了。」

木場一語不發地揍了福本。

福本多半不知為何被揍吧，但木場才懶得管他那麼多。福本搖搖晃晃地跌坐在地上，呆呆地看著木場，接著又看著賴子，不過當然沒人去拉他一把。福本依然很鈍感，大概才知道現在不該開口，便掩著左邊臉頰退到房間角落去了。

賴子突如其來地發言了。

「加菜子不會死的，**姊姊**。」

語氣很開朗。木場聽到不合宜的「聲音」不由得懷疑起耳朵來，因為令人無法相信那句話出自於適才還不住發抖，宛如嬰兒般纖細孱弱、情緒不安定的少女口中。賴子的表情依舊令人難以費解。陽子感到很不可思議地望著她，賴子的臉上甚至浮現笑容，說：

「加菜子活著變成天人了啊，我聽見了。」

從事故發生到今天為止，加菜子是蛹。今天總算變成蝴蝶一般，化作天女升天了呀。這就叫做羽化登仙啊。」

木場覺得莫名其妙，這女孩果然是在木場所能理解的範疇之外。而且這個小姑娘還知道很多木場連聽都沒聽過的詞彙。「天人五衰」、「屍解仙」、「羽化登仙」——每次聽到賴子那些分不清妄想還是現實的話時，總會冒出這類詞彙，木場連怎麼寫也不知道。

「所以我才很高興呀。加菜子不會遇到不幸；她不會老，也不會死。那個黑衣人只是個小丑，什麼也不知道才會把她推下去。一時之間我還很擔心呢，要是加菜子在完成化作天人的準備之前先以人類身分死了的話——」

木場記得聽她說過，加菜子死了之後會變成賴子。可是這麼一來少女們的幸福循環體系不就被切斷了？

「姊姊，所以加菜子不可能死的吧，對吧？」

陽子不知該怎麼回答，只是小聲地說：

「對，不會死的。」

賴子盡情說完想說的話後，朝向木場，笑了。

——她很高興。

木場總算領悟了這女孩高興的理由。簡單說就是如此：賴子現在並不怎麼幸福，相較之下——在賴子眼裡——加菜子似乎很幸福。賴子死後會變成加菜子，這樣很好。可是現在加菜子遭到事故，這麼一來會如何？不幸的賴子來世也依舊不幸，這樣很糟。如果加菜子就這麼死了的話，又會轉世成賴子。那麼原本幸福的循環體系將置換成不幸的循環體系，這是最糟的結果。

所以她才會拼命用那些什麼登仙、什麼解仙的名詞來解釋。這麼一來賴子死後變成加菜子，加菜子沒死化作天女。姑且不論天女是否會死——記得賴子以前好像說過會死——轉世成為賴子的變成不是加菜子，而是天女。

這就是賴子高興的理由。

木場感到有點混亂。對木場而言這不過是胡言亂語罷了，連信不信都不值得討論。但是對於這個不到二十歲的少女而言，**這些想法似乎就是現實**。

這麼說，與少女同調的這個**箱子內部**，這種事情**會發生**也不足以為奇了？

——豈有此理。

木場立刻打消這種想法。

「所以說，你們怎麼找也沒用的喔，刑警先生。」

賴子輕鬆說完，背向木場。

傳來機械的聲響。

「木場——先生。」

陽子呼喚木場。

「事情既然演變成這種狀況——這麼說或許有點失禮——已經不再是您一己之力能處理的事了——難道不是嗎？木場先生——以及那位，」

陽子看了一眼福本。

「福本——先生是嗎？也請您別再插手管我們的事了。」

「意思是，造成妳的困擾了嗎？」

陽子沒回答。

「憑石井那種青葫蘆般軟弱的辦公室頭腦是找不到加菜子的喔。」

陽子不想看木場，而木場也不敢直視陽子，兩人的視線永遠沒有相交之時。

「我知道——如果讓您來找或許能找到。」

「既然如此，又為什麼。」

木場看著倒映在洗臉台上鏡子裡的陽子。

就像在看電影一樣。

「妳的敵人——會幹出這麼不合常理的事的傢伙——到底是誰？」

「是——」

木場回頭。

「**就是您**——」

陽子沒發出聲音來。但，她的嘴唇確實如此說了。

——什麼意思？

木場不懂。沒有明確聽見聲音，或許在說別件事吧。

——不對，她確實如此說了。

她對木場有什麼誤會嗎？還是，

總之無法理解。

無法相信陽子真的在懷疑自己。能毫不害臊地在眾人面前主張木場犯人說的，找遍日本也應該只有石井而已。

——接著美馬坂他，

沒錯，那個冷酷的科學家進入房間。

向他們通知發現了須崎的遺體。

——為什麼美馬坂要特意來通知此事？

如果是警員來通知還能理解。不對，那時在接待室的人只有當事者的家人——陽子，與三個外來人士而已。沒有道理會特別來通知他們這件事。況且，木場怎麼看也不覺得美馬坂像會做這種跑腿工作的人。

木場在這之前從未跟美馬坂交談過。

那時——

「須崎被殺了，死在焚化爐前面——」

那句話，是對誰說的？

當時美馬坂的神色不同於平時，顯得有點慌張。

而且他注視的對象——應該是陽子吧。

可是接下來的話很明顯地是衝著木場而來。

「殺人事件應該就輪到你登場了吧?與其留在這裡問無意義的問題何不趕緊去現場幫忙?我看那個一臉蒙古種面相的警部好像快貧血了。還是說你辦不到?轄區不同?」

——為何知道我的身分?

美馬坂或許是**為了告訴陽子**須崎已死才來的吧?而且還想阻擾木場對陽子問話。感覺上就是如此。

完全搞不懂。

陽子突然顯得很慌亂,語帶哭聲地問:

「教授,加菜子呢?加菜子沒事吧?」

彷彿以為在這之前加菜子都還平安無事一般——

這點或許可以解釋成她見到美馬坂的瞬間,突然覺得不安,這麼一想或許陽子的反應也不算很不自然。可是反覆回想當時情況,還是覺得有點怪異。

難道是——陽子**知道須崎死亡**之後,才開始擔心起加菜子的安危嗎?

更難以理解了。

美馬坂沒有回答。

陽子像具斷線的傀儡般倒在椅子上。

須崎的遺體在建築物後的焚化爐前被發現。

發現者是美馬坂。

不,正確而言應該是警員才對。

美馬坂正要外出時,剛好被下樓梯來的幾名警員發現。警員詢問他要去哪裡,美馬坂回答:

「須崎遲遲沒回來,我要去找他。」

附帶一提,在這之前美馬坂一直都在二樓的自己房間裡,這點已由多數警員作證。

聽他這麼一說,警員們才想起須崎已走出了建築物之外。一名警員忽然覺得很不安——

這是他本人說的——木場親自詢問的——於是警員比美馬坂更早走出建築之外。他印象中記得美馬坂似乎說：

「沒問題的，你待在室內就好。」

不過那時警員沒聽得很清楚。他繞到背面，發現有人倒在地上。

平時的話一定會先確認死者是誰，但或許是因為碰上超乎尋常的發展而心情激動——不過木場認為單純只是他膽子小——警員大聲喊叫。

結果美馬坂撥開警員來到現場，檢查了遺體。

死因為腦部受到強烈撞擊產生的腦挫傷。凶器尚未發現，應該是有稜角的棍棒狀的金屬。可惜木場不知該上哪兒找這麼形狀這麼恰好的東西。

須崎六點十八分以前就外出了。

木場進入接待室是六點三十二分。

發現遺體是七點三十分。這之間約經過一小時。警員全體進入建築物內部應該是七點到發現之前的三十分鐘內。

美馬坂來通知這件事是七點五十分前後。

不行，就算依順序排列也整理不出所以然來，再怎麼重播系統化的記憶也沒有用。

——此外陽子的態度更令人在意。

沒錯，木場最無法釋懷的就是陽子當時的言行。

美馬坂無言地站在門口，陽子以渙散的眼神看著他。很快地，陽子噙滿淚水的眼眶終於滿溢，流出眼淚。美馬坂開口，

以與剛來訪時截然不同的、極為冷靜的——不對，沉著的——錯，是冷酷的聲音說：

「患者——不見了。託這些慢吞吞又無能的警員的福，她真的被人帶走了。我已經——無計可施了。加上須崎也被殺了，所以，無法

挽回了。」

美馬坂看著木場，以那雙爬蟲類的眼。

「做什麼也沒用了。」

這時，陽子的態度驟變。

陽子大口吸入箱子中持續細微震動的空氣，發出極為近似電器聲的悲鳴。像是氣管快要炸裂般，不成聲的叫聲。

「我不要啊啊啊啊啊啊啊——」

木場聽起來像是如此。

她朝向木場。

「木場——先生！」

她在哭泣。

「木場先生，木場先生，求求您，幫我找回加菜子！剛剛對您說的話我全部收回，求求您，快一點，現在立刻，加菜子的性命，快點！」

福本和賴子驚訝地看著陽子。

視線集中在她身上的瞬間，陽子站了起來，哭著靠近——

抓住木場不放。

接著以木場從未聽過的尖銳聲哭泣。

令人暈眩，木場的蓋子快被開啟了。木場姑且先讓陽子坐回椅子，接下來卻不知該怎麼辦。該繼續抱著安撫她嗎？

但是，木場實在做不到，且木場也不知這麼做好不好。

陽子哭著不斷地向木場拜託。求求您找回加菜子，求您現在立刻去找，**只有您辦得到**——可是不管木場怎麼詢問，陽子還是只重複這幾句話。

木場回頭，賴子以冷漠的眼神看著他們兩人，就像在觀看電影一樣。

——原來如此，跟那時的賴子一樣。

木場經過半個月以上，總算想到這點。賴子在車站時的態度跟陽子當時的情況非常相像。

只不過知道這點又有什麼意義？

保護陽子——

打倒陽子的敵人——

突然自己的一頭熱，在此時瞬間化為現實。與原本不可能相遇的陽子之間的非現實的相遇，在拖拖拉拉的進展中也逐漸確實轉變為現實的相遇。但是——

到此為止了。

木場在鑑識人員及支援的刑警到達的同時，被護送到附近的派出所拘留。雖說早想到會被懲罰，但木場實在沒想到居然會被當成犯人。那之後，再也沒聽過福本、賴子以及陽子她們的消息了。

他只聽說雨宮遭到通緝。

所以在大島來以前，木場是犯人。

——就是您。

木場覺得有點可笑，躺在棉被裡笑了。要是自己真的是犯人該有多愉快。

被釋放的同時被罰閉門思過，必須暫時先繳回警察手冊。

木場費了一番折騰才將夾進手冊裡的陽子——絹子的照片抽出來。褲袋裡只剩下陽子的照片。

那之後木場真的一直乖乖待在家裡。

想跟陽子見面，獨自展開搜查，找出加菜子——

想像歸想像，身體卻一動也不動。

回過神來，發現自己又在吸菸。吸過量，卻又停不下來。房間的空氣又變得混濁。

警鈴響了。

不管聽幾次還是覺得聲音驚人。

樓下的老婦人——房東在空襲時左小腿受傷，無法順利走動。雖不是完全走不了，不過一天大部分時間還是只能躺著度過。睡覺的房間在內側，她的耳朵不好，有人來也沒辦法立刻注意到，所以才讓所有來客按警鈴通知。

木場在時，聽見警鈴便由他到玄關迎接客人。木場經常想，普通應該裝呼叫鈴吧？後來聽說警鈴早在木場住進這裡很久之前就裝設好了，看來婦人的丈夫一點也不覺得不妥。不過使用警鈴其實也有意義——當然，意義是後來才補上的——害怕木場會把跟老婦人萬一身體有狀況時用的呼叫鈴搞混。呼叫鈴的按鈕設在老婦人的枕旁。

木場覺得麻煩——但還是抬起沉重的雙腳。

走下狹窄的樓梯。對魁梧的木場而言太狹隘，踏板不停軋軋地發出聲音。

青木站在門口。

「我來慰勞在陣中辛勞的前輩了。」

年輕刑警頭有點大，彷彿會鳴叫的小芥子木偶，露出小孩子般的笑容。

「混帳傢伙，我哪有佈啥陣。」

木場咒罵，這表示他還蠻高興。

「再一個星期就能復職了，要是在這之前你先暴斃的話我會很傷腦筋的。我想你多半沒好好吃頓飯吧。」

青木從捆包的報紙中拿出香蕉給木場，坐上乾扁的坐墊。如青木所言，木場這幾天並沒有好好攝食過，確實很餓。但是煮過的食物也就算了，聞到青澀的香蕉味反而令他想吐。

可是剝了一根，勉強送入口後，果然還是很好吃。

「前輩臉色真的很糟耶，頭髮與鬍鬚也長得這麼長了，看來真的有乖乖待在房裡閉門思過。只是老實也該有點限度吧。」

「我可不想聽你說教，你來找我幹啥？」

「我來找你商量案情的。」

「那跟我無關，滾吧。」

「不會讓你做白工的，前輩，我們來交換情報吧。我從神奈川那邊得知那個柚木加菜子綁架事件的搜查狀況了，我願意告訴你，所以──希望你也能提供我一點智慧。」

「你知道這件事？」

木場很驚訝。

「前輩，我好歹也在鬼刑警木場修底下跟了兩年耶，這點小事當然知道。」

「自誇個屁，你這大頭鬼。」

那麼，該怎麼辦？木場有點迷惘。青木正在偵辦的案件毫無疑問肯定是分屍殺人案，木場不怎麼想費神在這種麻煩事件上。

可是也覺得繼續反覆回想同一情景──加菜子的消失──是沒用的。那種假裝成積極的消極，不會有什麼成果。

「前輩在這個房間悶到爛掉的話太可惜了。我從沒看過像前輩這般膽敢無視上司命令的公務員，那股氣魄到哪去了？」

木場自己也不知到哪兒去了。

這長達三星期的虛脫感又是起因於何處？自己也完全無法想像。

這意味著，對木場而言陽子終究只是虛構中的女性嗎？這間髒亂又殺風景的房間才是木場的現實。

青木見木場不說話似乎感到有點困惑。

「我不知道前輩為什麼對那個事件這麼執著──聽大島警部說原因是你恰好碰上事故現場的緣故。但，總之你並不打算就這樣放棄吧？」

木場沒回答。

「其實楠木賴子的證言又重新受到重視了。因為柚木陽子到最近才作證說事件當天見過黑衣男子。」

「你說什麼？」

「神奈川本部認為這或許是為了包庇雨宮而作的偽證，但是也有人認為雨宮也被殺害了，這麼一來不能放過黑衣男子的線索。」

陽子是何時——何時看到的？為什麼過了半個月才作這種證言？

——過了半個月才作——的證言？

「陽子在事件當天，也就是八月三十一日當日大約下午兩點，因心情煩悶，所以到研究所後面的森林散心。她說，建築物中滿滿的警員令她覺得壓迫感很大。」

「這也難怪，少說有三十個以上。」

「聽說有三十六個。」

木場當天比平時還早出門。七點離家，到町田搭計程車。到研究所時大概是十點三十分。明顯不受歡迎的木場不想徒增風波，總是在國道上下車是，沿著兩側樹林的小徑徒步到研究所。從第三天開始便是如此。

雖然其他警員早就認得木場的臉，但看到人依然連招呼也不打，可是卻也沒打算攆走他、趕走他。大概是上級對他們下了這種指示吧。石井的態度一直優柔寡斷。只不過話說回來，木場比警方早來，要求神奈川縣警出動的也是他，照理說不該被當作妨礙者才對。

木場既是關係人，也是報案者，同時又是東京警視廳的刑警，所以第一天時受到了十分禮遇的對待。但隨著第二天他違反命令單獨行動的事實被發現，加上縣警們得知加菜子的身分並不普通以後，木場逐漸成了他們的眼中釘。

所以木場總是逕自走向後門，見焚化爐似乎暫時不會使用，他就躺在上面休息。前面堆置著木材，左手邊則是警員用的臨時廁所。自從開始受到排擠之後木場一直維持這樣的行動，只要當成逮捕犯人前的埋伏行動就沒什麼好痛苦的。

現在回想起來真是無謂的行動。但是話說

回來——

——陽子到後面的森林散步？

她去森林木場不可能沒看見。

就算偷偷溜進森林，木場也不可能沒注意到。

說謊，毫無疑問地這是說謊，不可能有這種事。

「陽子似乎說在森林裡遇到了一個身穿黑衣、戴手套的可疑男子。」

手套？

——全身穿黑衣，手上還戴著手套的樣子——

「據說男子一見到陽子就逃進森林深處了。」

說謊，陽子在說謊。這是利用賴子的證言編造出來的謊話。木場不可能沒注意到陽子。而且如果真有此事，聽到賴子的證言時陽子的態度應該會更有所不同才對。但那時的陽子並無心情激動。

「她在說謊。」

「對，我也認為她的證言是**隨口胡扯**的。只不過神奈川縣警那邊似乎缺乏證據來加以否定。不知為何建築物後面沒半個警備人員，所以沒辦法明確推翻證言。那個神奈川的警部被追究責任時，上級要他畫出警備人員配置圖。他想半天，費了一番工夫才畫出來，一看，很明顯地後面根本沒有安排人員看守。殺人也是在後面進行的吧？這問題可大了，所以才會沒人知道陽子是不是真的到過森林。」

因為木場在場的緣故。為了避開木場，警員們幾乎不到後面巡邏。

這大概就是石井所說的木場妨礙了公務執行吧，但在木場看來，這只能視為是他們自己放棄執行公務。

「所以說，如果黑衣人真的存在，是兇手的嫌疑非常大。」

「是如此沒錯。」

「然後我還拿到這個。」

青木遞給木場一張用薄紙包起來的照片。

「我想前輩早看過實物——不過留著或許能派上用場，就交給你保管了。」

是綁架預告信的翻拍照片。

「說什麼派上用場，喂，我還在閉門思過中咧，給我這種東西也——」

「前輩，你也知道那個神奈川的膽小警部不可能解決這個困難事件。我以為前輩一定早就在單獨進行搜查了，所以才會帶這個過來。這張照片是——我向共同搜查分屍案的刑警千拜託萬拜託才得來的，可是前輩的態度竟這麼猶疑不決，實在是……」

「別擅自幫我作決定——」

木場看著照片，原本想說「我不是那麼頑強的人」，最後還是忍住不說。

「這張預告信是前輩發現的？」

「不，我只是預告信送達的時候恰好碰上而已。」

那是第三次去探病時的事。

小金井車站的事故——第一幕戲的開幕——之後，木場帶著複雜心境度過五天。反覆煩惱後，第六天還是決定去探望加菜子。說到探病，一般人首先會想到的當然是送花吧，可是粗獷的刑警沒想到這麼多，木場當時買了豆沙餅去慰問。

加菜子謝絕面會，沒見到面，不過見到了陽子。陽子非常驚訝，鄭重地向木場道謝。

木場在場的時間只有短短的十五分鐘，沒說到什麼足以稱作對話的對話，但對木場而言，這十五分鐘比其他任何時刻都還要濃厚。木場隔兩天後會再度來訪，就是為了追求同樣的時刻。當然他也擔心加菜子的狀況，只是為見不到的對象擔再多的心也是沒用。

可是沒想到第二次去卻得以見到加菜子一面。

木場恰好碰上了增岡到研究所。增岡與美馬坂、須崎兩人頻頻交談，大概就是他要求面會的吧。只是木場與增岡沒說到話，所以也不敢肯定就是如此。不過面會時他們兩人一起進帳棚。

加菜子在沉睡之中，看不出是生是死。不過陽子的狀況也很類似，不知是太憔悴了還是感到什麼不安，樣子明顯有異。陽子比之前的話少了許多，不過她告訴木場，小金井警局研判加菜子的事故幾乎認定是自殺。

陽子的樣子實在奇怪，不放心的木場兩天後又再度造訪。

那就是綁架事件的開端之日──八月二十五日。

一開始木場或許只是基於法律守護者的身分，想摘除犯罪的嫩芽而已。

但現在回想起來，當時他的心中對陽子已萌發了一股特殊情感──想為她打倒敵人。

當然，那時仍只是一種朦朧淡薄的莫名情感。等到木場瞭解這股情感的真相時，已是一段時間之後的事了。

一樓不見人影。第一次雨宮在，第二次則有甲田在，兩次木場在他們的引導下上樓。在一樓不管叫得多大聲樓上也聽不到。這個箱子裡沒有警鈴也沒有呼叫鈴。不過這已是第三次造訪，木場也早就習慣了。他猜想──陽子應該在二樓的接待室，便貿然闖入建築裡，直接登上螺旋梯，打開接待室的門。

只有陽子在。

陽子在角落的書桌前。

她驚訝地回頭，左手拿著信封。

右手上的從信封裡拿出來的信紙滑落。

「──木場先生！」

她一臉驚慌樣，事情似乎非比尋常。

「怎麼了?陽子小姐!」

陽子彷彿貧血一般倒下——在木場眼裡像是如此，他奔跑向前。事到如今，仍不知陽子當時是真的昏倒，還是只是想撿起掉在地板上的信紙而已。

原想去扶住陽子的木場比陽子更快一步抓住那張紙。而原本想撿起信紙的陽子手指恰好放在木場碩大的拳頭上。

「啊。」

陽子的手收回，木場攤開手中的紙。

是一張由印刷字剪貼拼湊而成的信。

『會／來帶／走／加／菜／子
加／菜／子是／Il a le diable au corps
愛惜性命就／把錢／準備／好
金額為／一千萬／圓／是也
期限／為九／月／□□／是也
去／通知／□□／　／惡魔』

「那、那個是……」

「這——是威脅——」

陽子的表情像是不知該如何是好。不管木場怎麼問依舊弄不清楚狀況。雨宮不知不覺站在背後，同樣一臉狼狽。

這就是第二幕戲開演的場面。

木場不知回想過幾次這個場面了，但，

——信是何時送達的?

真的是當時才送達的?木場至今未曾懷疑過。

青木說：

「那排怪怪的洋文好像是法文，意思似乎是——惡魔附身，現在神奈川那邊正在為那封威脅信是從什麼路徑送達的爭論不休。因為好像找不到信封。」

那時還在，木場有看到。

「信封正面好像寫了些什麼，不過可以肯

定不是郵寄的。」

因為根據那時雨宮的證詞，信是夾在玄關門縫上的。聽木場說完，青木說：

「如果——那是送到被害者家中也就算了，但是那裡是研究所，說明白點就是別人家，為何雨宮跟陽子會打開沒寫收信人姓名地址的書信？這很奇怪吧。所以一定會寫著柚木小姐之類的字樣吧。」

的確沒錯。可是木場的記憶沒好到連信封上寫的字都記得，接獲木場聯絡趕到的刑警也光是在意內容，沒注意到信封。雨宮一直重複說著「這是惡作劇，是惡作劇」，陽子則什麼也沒說。

「接著是空格部分的問題。後半的缺字，那是**打一開始就如此**？還是？」

「那個打一開始就那樣了。」

照片與木場當時看到的實物完全一樣。

「這豈不是很不自然嗎？」

確實如此，當時神奈川的刑警也指出這點。木場想，或許是自己一把抓住的時候掉落了也說不定。但是當注意到這點，回去找時地板上什麼也沒有。

「好像有漿糊的痕跡。所以是脫落了或撕落了。可是這是何時發生的？如果是開封之後才撕下的，是誰為了什麼而撕？如果不是被人撕下的，犯人不可能故意帶著撕掉期限與結語的威脅信來吧。」

這麼說來的確是相當亂來，這種威脅信一般而言只會當作惡作劇吧？

為何一直到現在都沒想過青木提出的問題？不管是信封、文面，還是送達的方式，根本是亂七八糟。而木場一直忽視這些問題。

——難怪一直想不通。

「順帶一提，漿糊是市面上販賣的很普通的那種。難以費解的是，印刷字問題。這些似乎都是從同一種類的印刷品上切割下來的。不

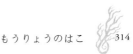

是雜誌，品質和油印品差不多，所以應該是同人誌之類的刊物，不過尚未確定。」

青木說到此，開始剝起香蕉來。

「就結論而言，神奈川本部認為這應該是一樁**自導自演的綁架案**。不管是開端還是道具都太粗糙了，任誰都這麼認為吧。居然肯派那麼多人，花那麼長的時間，還設置起臨時廁所來保護被害人。要不是有上頭的壓力在，不然基本上這種威脅信的內容根本不會有人理睬，根本構成不了事件。」

青木說得沒錯，但是，

「但是事件真的發生了，前輩想說這個吧？的確沒錯。」

青木吃完香蕉，把皮扔掉。

精準地把皮丟進垃圾箱裡。

「的確，有好幾個部分令人難以相信是自導自演。如果是自導自演，表示犯人應該是陽子、雨宮共謀吧——可是一般而言會等綁架之後再對外宣言才對。先預告的話，在層層守護之下也就難以犯案。當然啦，如果像這次的情況一樣，用了誰也想不到的機關的話就另當別論。另外，這事件一開始的偶然性實在太高了。前輩去那裡是偶然，拿到預告信也是偶然，前輩聯絡警察也是偶然。接著最難以相信是作假的部分，就算搞出綁架事件她們兩人也**得不到任何好處**。因為要準備金錢的是自己，且還會讓加菜子的生命陷入危險之中。」

「沒錯，說作假太不合常理。若加菜子沒受傷的話還能理解——可是她是命在旦夕的重傷病患。再加上，」

——找回加菜子

——現在立刻，加菜子的性命

那些話不是謊言，這點絕對能相信。

「那不是謊言。」

「不過不管是真是假，神奈川本部似乎都沒打算解決這個事件喔，雖說這只是我個人感覺。」

青木冷淡地說。

「沒有打算解決？——你說什麼，他們都肯部署大批警力守備了，怎麼會現在又——而且上頭不是受到壓力嗎？否則怎麼可能排出這麼大的陣仗？」

沒錯，一定有人指示警察要派人保護加菜子，且這個人有權力驅策整個神奈川本部。木場認為，如不找出這傢伙的真正身分也無法得知敵人的真面目。

「施加壓力的是神奈川本部的高層啊。」

「什麼？」

「雖說，某財界要人跟柚木加菜子之間有某種——血緣關係的確是事實。」

「對了，那個要人究竟是誰？」

「不知道，我們這種下級人員不可能得知要人是誰。我也打聽過好幾次，就是不知道。原本以為多半是下達保密令，不過似乎真的不知道。搜查員中沒半個知道的，這很奇怪吧？因為這樣根本沒辦法搜查呀。不知道背後的人際關係，你說要怎麼搜查？只看加菜子平時的生活狀況根本沒人想綁架嘛。能讓人產生綁架動機，肯定與那位要人有關。以下是我個人的推測，那位要人應該是神奈川縣內的有力人士，因為他似乎在東京警視廳就沒什麼勢力。前輩就是最好的證據。」

這麼說來的確沒錯。這人的影響力能讓警察為了一個女孩子動員那麼多警力，沒道理無法排除一個妨礙警備——若以現場指揮官的看法來說的話——的巡察部長。依青木的看法，之所以做不到是因為木場不是神奈川本部的人。的確很合理。

青木繼續說：

「不過那位要人肯定也很有權勢，因為聽

說石井警部被降級了。」

「石井？那個要人連內部人事都能干涉嗎？」

「當然不是。這是面子上的問題，是做給那個要人看的苦肉計，石井是代罪羔羊。簡單說就是神奈川本部將石井懲處降級，希望要人原諒他們。」

「原諒？什麼意思？」

青木故弄玄機地說：

「前輩，這是神奈川本部的——說明白點，是包括石井在內的幾個警界高層唱的獨腳戲。」

「獨腳戲？」

「根本沒有外來的壓力。就算是財界要人，畢竟不是政府要人，也不是那麼簡單就能驅動警察的。警察機構並沒腐化到這種地步，腐化的是內在，也就是人本身。」

「實在聽不懂咧。」

「請你思考一下。不管是不是綁架案，神奈川本部完全沒努力抓犯人對吧，他們只是保護而已。調查威脅信的來源也是在事件發生後才開始的。這也難怪，因為他們一開始根本不認為事件會發生。」

「嗯。」

「總之，他們看到威脅信的時候便強烈懷疑那是自導自演。可是既然前輩這個警視廳的刑警來通報了，也不能處理得太隨便。而且剛剛也提到若說是自導自演，有些部分很難說得通。所以便依常理展開警備與搜查，由石井擔任負責人。這就是敗筆。這時，發現一個很不得了的事實，那就是加菜子的身分與大人物有關。這個情報大概是陽子告訴石井的吧。石井慌忙地回到本部，確認真實與否。這個經過到現在好像還是警員們話家常的題材之一，說石井忙著自掘墳墓。不管如何，這應該是事實，只不過這麼一來事情發展又變得有點不同。」

「哪裡不同？」

「那就是自導自演的可能性又復活了。陽子們或許是想從大人物身上拿錢，如此一千萬超乎常理的價碼也就有可能了。但是——這麼一來就演變成親屬之間的糾紛問題。若加菜子早就被人綁架了也就算了，可是加菜子仍然平安無事，而且還是處於——非常難綁架的狀況。於是警方高層就想試圖阻止這個愚蠢的計畫，以為只要大規模活動起來，她們自然會放棄。畢竟是自家人之爭，盡量不掀起風波對大人物也好。」

「所以說那不是受到壓力，而是警察自主性地——」

「正是，對現場人員施加壓力的是神奈川本部的高層。當然現場負責人的石井也跟行動策劃大大地有關。他們想表現給那個大人物看縣警們為了這件事有多努力，所以才幹得那麼盛大，還搭起廁所。所以說，當然警備中會有人來視察了。」

——增岡。

增岡再次來訪是發現威脅信的兩天後，而臨時廁所就是當天早上搭建的，對木場的態度更加惡化也是那時候開始的。

「總言之，表面上雖幹得很盛大，實際上心裡卻放心認定這是他們內部的糾紛，不會發生什麼大事，這就是失敗的原因。結果加菜子真的被綁架了，縣警們肯定很訝異吧。可是他們的腦中已經容不下別的可能性，因此他們懷疑的就是陽子。前輩被拘留了所以不知道，陽子小姐也被拘留了。因為有可能跟你是共犯，所以把你們分開。」

「她是犯人？怎麼可能。」

「不過根本是誤判，仔細想想便知道，如果想從背後的大人物身上騙得金錢，威脅信就該送到大人物那邊才對，可是卻什麼聯絡也沒有。威脅信前前後後也只有送到陽子手中的那封而已。」

「你說廢話，就算陽子是犯人，拘留期間當然沒辦法寄吧。」

「還有雨宮啊。總之犯人後來一點音信也沒有。陽子被關了一個星期後被釋放，聽說這段期間被拷問得蠻慘的。算了，我們也沒立場說別人，我們這些刑警打一開始就懷疑的話肯定會加以嚴刑拷打。然後，現在又冒出的新證言很難說是謊言了吧。」

一想到陽子遭到石井刑求木場就一肚子火。

「大人物是誰，與陽子與加菜子、雨宮之間又是什麼關係，這些事上頭對下級的搜查官都不說，這樣一來當然無法進行搜查。如果受到恐嚇的是大人物還另當別論，可是既然不是，那些傢伙們當然想要盡可能快點擺脫事件。而且──他們也認為加菜子早就死了。」

「這可說不定咧，又沒發現屍體。」

「表面上是如此，可是神奈川本部裡沒半個人相信加菜子存活的可能性。所以他們認為，既然死了也沒必要急著尋找吧。」

「呿！」

自己這三個星期來到底為什麼在拖拖拉拉的。木場悔不當初之前先憤怒了起來，有那麼多人在，居然沒半個人，連半個願意保護陽子的人都沒有。不只如此，還把她當作嫌疑犯看待。胸中的怒氣翻騰不已。

「總之，縣警們的所作所為都只有得到反效果。被殺的須崎真不幸，他等於是被警察殺死的嘛。」

就算不知道內幕，一想到自己跟那些愚蠢的傢伙們共同行動，卻沒注意到問題點──木場覺得自己更是愚蠢。

「可是在這個情況下，陽子又作了新的證言。」

「沒錯，這些傢伙現在腦袋一片空白，什

麼正確判斷也作不出來。負責指示的高層自己陷入錯亂，而負責搜查的下級又什麼情報也不知道。頂多想到再拿著唯一的證據——威脅信把陽子塑造成犯人，不然就是毫無線索地尋早失蹤的雨宮，如此而已。」

「雨宮的行蹤咧？」

「沒半點頭緒，連他怎麼離開那棟建築的都不知道。雨宮在騷動發生前就出去外頭了，所以他離開時才沒人懷疑。可是他沒去警官們聚集的前面廣場。所以應該是到警備疏忽的後方去了吧，但這也沒有確實的證據。他沒有使用車子的跡象，如果真的逃亡，應該是徒步走到最近的車站去的。可是這麼一來，如果他是犯人就必須背著瀕死的加菜子還得不引起他人注意地離開。」

豈有此理，這絕不可能。

徒步走到車站是不難，但要帶著加菜子的話實在辦不到。

青木像個學生似地笑了。

「如何？所以說該輪到前輩登場了吧？放任不管的話百分之百會送入冷宮的。」

「我——還在閉門思過中，而且管轄也不同。」

「就算如此，這樣放任下去真的好嗎？」

「可是我現在既沒警察手冊也沒捕繩，你說我能幹什麼？」

「前輩還有那群怪朋友啊。這事件與之前的怪事件相同。就算交給警察處理，打一開始就以正當搜查方式進行也不會有成果的，更別說現在這種狀況了——」

關口、榎木津、中禪寺，青木說的就是這群人。木場也不是沒想過，但他們又能幹什麼？

「青木，你聽到的消息只有這些？」

「我還聽到一些關於那間美馬坂近代醫學研究所的傳聞，不過跟事件沒關係就是了。」

「說來聽聽。」

木場心情相當浮動，不能放任不管，可是更不知道要怎麼辦。不管怎麼整理怎麼整理仍是一片混亂。現在總算瞭解——打從跟事件扯上關係開始，木場已失去了冷靜判斷的能力了。不過他也認為這個事件只靠冷靜的判斷是無法解決的。

青木歪著大頭，思考了一下後回答：

「研究所孤獨建立在森林裡，所以很少人知道有這棟建築物的存在。聽說戰爭時是軍方設施之一，不過建築物本身似乎沒什麼密道之類的可疑機關。這點不管神奈川那群人再怎麼隨便也還是知道要調查。我聽到的傳聞除了這些以外，還聽說每隔幾個月就會有**獸類**被送進那裡。」

「獸類？老虎犀牛那個？」

「是的。不知從哪裡帶來的，像猿猴、狒狒之類的大型動物。被殺的叫作須崎嘛？他每星期會開卡車到鎮上買一、兩次東西。卡車有點髒，所以還蠻多人有印象的。聽說有好幾個人曾見過卡車的載貨台上載著獸籠。有人說聽到吱吱叫的聲音，也有人說見到裡面關著全身毛茸茸的小孩，總之都是些噁心的傳聞。可是送進去的野獸似乎也沒在飼養，而且只有搬進，從沒出來過。」

「哼，無聊。」

「就說是毫無關係的傳聞嘛。這已經演變成恐怖故事，還說他們去墳場抓了不知什麼妖怪來，餵牠吃人的屍體。」

「屍體？」

「不只野獸，那間研究所——當地人都稱呼為箱子。大家都說，**傷患一送進那個箱子裡，就再也回不來**。會被殺掉，當作妖怪的飼料。」

是說加菜子也被吃了？

木場心情變得很不愉快，幾乎快吐了。

「好了，我四處拼命打聽來的加菜子綁架事件的消息只有這些。如果前輩有心要幹，我絕不吝惜幫忙。」

如果答應，就等於是中了青木的算計。但聽了這麼多，也不好叫他空手而回。

「你剛剛不是說有交換條件嘛，你那邊怎樣？」

青木的表情更像個學生了。

「好好，當然要找前輩商量。況且分屍殺人事件本來就是該前輩負責的吧。前輩知道事件的經過？」

木場並不清楚。事情發生是在加菜子被綁架的兩天前，而事件擴大又是在木場被懲處閉門思過之後。這段期間沒看報也沒聽廣播。木場坦承不知情，青木便簡要地交代了一下事件全貌。說完，立刻詢問木場有何感想。

「如何？這是發表在報紙上的全貌，有什麼值得在意的地方嗎？」

這個犯人真敢殺，木場的感想就只有如此。可是僅憑一個人，真的能在短時間內殺死這麼多人？

「這真的是連續殺人？不可能是個別的事件嗎？」

「肯定是連續。」

青木說明第二個人與第三個人的手部一起被發現，切斷第二個與第四個人肢體的凶器應該是同一把。

「那第一個呢？第一個搞不好是不同人幹的吧？」

「關於這點嘛，以下消息還沒公開發表，不過在相模湖發現的最初被害者的腳被裝在箱子裡，而且第二個以後也**全部裝在箱子裡**。」

「難道沒有知道第一件事件後刻意模仿的可能性？」

「剛才就說了嘛，警方**刻意隱瞞**發現於相模湖的第一位受害者的腳被裝在箱子裡的事，而是發表成浮在湖上。」

「為啥要這麼做？」

「警方判斷這點太駭人聽聞所以隱瞞起來了。除了警察以外知道這件事的人，頂多只有關口先生而已。不過關口先生應該不知道第二個人以後的手腳也收在箱子裡，除非關口先生就是犯人。」

聽到料想不到的名字，令木場覺得很錯愕。

「關口？為什麼會提到關口？」

青木看到木場錯愕的樣子，小聲說了句「糟了」，抓著額頭很不好意思地說：

「其實我們在相模湖進行大規模搜索時在現場偶遇關口先生。那時沒想到會隱瞞，所以我跟木下不小心說溜嘴了。」

「那是啥時的事？」

「三十日。」

這麼說來關口跟中禪寺敦子與那個年輕人是在回程時誤闖研究所的嗎？正當木場要回想當時情景前，青木笑了。

「哈哈哈，我不是在懷疑關口先生。如果像前輩說的第二個犯人是模仿第一個行犯的話，當然會懷疑到警察關係者或關口先生頭上。」

一點都不好笑。

「裝屍體的箱子長怎樣？」

「第一個是鐵製的，所以沉在湖底，如果釣客沒去戳它大概不會被發現吧。像這麼大，剛好能塞進兩隻腳的特製箱子，還上了鎖。後來的都是差不多大小的箱子，只不過材質改成木頭，桐木製的。手腳被塞進裡面，空隙用棉花填滿。中藥的材料也常用這種方式包裝對吧，就是那種感覺，用繩子綁好。如果硬要說相異之處，一個是鐵一個是木，材質的確不同，不過一般不會想到要把屍體裝進箱子裡吧？」

這個事件確實很異常，兩者之間不可能沒關聯。

「沒放在箱子裡的只有最初被發現的手臂而已，可是目前判斷這應該與接著被發現的腳屬於同一個被害人的。」

「那是拿來裝什麼的箱子？不可能是專為了裝屍體特製的吧？」

「那個箱子市面上沒有，是特製品，可是到現在還找不出是哪家製作的。」

「那應該很簡單吧？」

「才沒有。」

青木眼神疲憊地瞪著木場。

「手腳放進箱子再埋起來？」

木場不想聽他說那些無聊的藉口，搶在他之前開口。

「是埋了起來，不過更正確的說法是嵌起來吧，恰恰好地塞在民家的門簷、牆壁的接縫等大小剛好的空間之中。犯人很奇怪，他一定是瘋了，很難相信他真的想藏。」

「碰上這種事的家庭真衰咧。」

「真的很衰啊，託此之福剛剛不是說到恐怖故事嘛，混在一起變得更奇怪了，真是一團亂。」

青木說到這裡，又剝起香蕉。

看來是青木自己想吃才買的。

「傳言說這不是人，而是火車幹的好事。」

「火車？」

「就是火焰車，好像是種妖怪。聽說火車會在生前幹盡壞事的人臨終之際前來迎接，把他帶走。然後屍體會被拆成好幾塊丟在四處。」

「怎麼到處都是這種故事在傳，都什麼時代了。」

嘴上這麼說，木場腦中也浮現了燃燒著熊熊烈火的車子拋灑死者手腳的景象。他像是為了打消這個念頭，也像是要遮掩自己的不好意思，伸手拿了最後一根香蕉。不過木場只是拿在手上把玩，並沒有剝皮的打算。

「因為沒辦法早日解決，所以居民都很不安。最近發現遺體的現場一到傍晚就變得很安靜。」

「就算真的是火車幹的，這樣亂丟手腳，車上不就堆一大堆頭顱身體了？」

「說的也是，可是其他部分就是找不到。只不過——這件事還沒發表過，第一個被害者的身體已經找到大約一半。」

「大約是啥鬼？」

「就是大約啊，大概。目前已經找到骨盤跟幾塊脊椎骨，打撈湖底發現的。不過沒找到箱子，猜想是丟進湖底時就壞掉了。如果一樣是用鐵箱，當然浮不上來。」

「骨盤？不是整個身體嗎？連身體也分割了？」

「似乎是，我只看過照片，只剩骨頭，上面黏著一些肉片而已。」

青木說完似乎想起了照片，自己覺得噁心起來。

「那麼被害者的身分還沒找出來嗎？」

「不，身分幾乎都知道了，只不過還沒公布而已。」

「真優秀，不過為啥不公布？」

「因為只是幾乎而已。只有第四個很確定，是位在川崎一家照相館的女兒。她是個壞女孩，才十五歲。因為不學好，混在妓女之中賣春，取締紅線時被抓到。只有這樣也就算了，還經常幹些引誘男人、趁對方洗澡時偷錢的勾當。同時她還是個順手牽羊、搶提包外加仙人跳的慣犯。所以在警局留有指紋，一比對馬上就知道，所以很確定。第二個是埼玉的教師女兒，第三個是住在千住某上班族的女兒，這兩個應該也沒問題，只不過還沒找到確證而已。」

「第一個還不知道嗎？」

「有好幾個候補，只不過每個都缺乏決定性關鍵，而且被害者之間也完全沒有關聯性，這點很讓人頭痛。照相館的女兒跟教師的女兒住的地方離很遠不說，連家庭環境與性格完全沒有類似點，加上她們之間也互不相識，所以目前判斷殺害對象應該是隨機決定的。只是被害者的母親好像都信同宗教，這是唯一知道的共通點，不過我想這點跟案情應該沒有關係。」

「同宗教嗎──查過了沒？」

「現在正在調查。可是單單因母親都信同宗教就被殺，那未來恐怕不知會被殺多少人吧。比起這個我現在更在意的其實是別的消息。」

青木身子湊了過來，木場則反而上半身退縮。

「照相館的女兒──名字叫做柿崎芳美，在失蹤前有好幾個人都作證說曾見到芳美跟穿**黑衣戴手套的男人**走在一起。」

「你說什麼？」

「接著是千住的那個女孩子，名字叫做小澤敏江。這女孩的品行良好，父母認為她是被綁架的，先報案了。所以那邊的警局先做過搜查，在循線搜查過程中浮現了一個人物，是個**戴手套的年輕男子**。」

──全身穿黑衣，手上還戴著手套──

「不會吧，青木，你，」

「可是真的很奇怪吧，事件發生時是夏天耶，哪裡來那麼多戴手套的人啊？這是偶然嗎？」

兩個事件互相關聯？

木場不小心把香蕉擰碎了。

楠本賴子跟柚木陽子說的都是真話嗎？木場以為兩方都是說假話，現在彷彿又被拋回起點，感覺到無止境的焦慮。

「那這樣，你是說——加菜子也被人綁架、殺害，並且分屍成好幾塊？」

「我可沒這麼說。」

「可是分屍事件不是在加菜子被綁架前發生的？而且你不是還說被害者已經有幾個比較確定的候補了？」

「也只是候補而已。」

——加菜子被人分屍？

從沒想過這種事，可是卻又莫名覺得不對勁。

「上面的人也覺得這兩個事件之間有關聯？」

「不，兩邊的消息都密切注意的人只有我。其他警察別說是聯合搜查，連情報的交換都沒有。」

「屍體是誰鑑識的？」

「發生地點非常分散，所以鑑識的法醫也一堆——不過里村兄應該全部都看過。」

「里村嗎——」

「反正我自己也不相信加菜子被人分屍了，因為有個幾乎可以確定的候補者。只不過加菜子的去向依舊不明對吧？加上如果，我是說如果喔，這兩個事件之間有某種關聯性的話，加菜子很可能也……」

「別說了。」

木場不想聽下去。要是陽子聽到重傷的妹妹被綁架、殺害之後，還被人肢解成好幾個部分丟棄於各處，不知會作何反應。

一想到那時悲傷的深度與衝擊的強烈性。

——不可能的。

這麼不祥的想像，連想都不願意去想。

——可是。

「你想說——如果是今後發現的新屍體，那就有這個可能性？」

「當然有啊，還是百分之一百二十有可

能。」

「哪有這種混蛋可能性！」

今後會發現被分屍的加菜子屍體嗎？連續分屍殺人事件與加菜子殺害未遂・綁架事件之間可能有關聯？

——沒這回事。

青木用學生般的清澈眼神看著木場。

木場有點窮於應付這名年輕部下的這種眼神。

「你——認為這兩個事件有關？」

「沒錯，我是如此認為。」

「理由是手套男？」

「那也有關係——不過主要是直覺告訴我如此。前輩你不是常說，主觀認定是有用的，證據會跟著出現。」

木場迴避青木的視線。

「混蛋傢伙，少自大了，憑你的經驗想靠直覺，修練個一千年再說吧。」

——等等。

或許這是個突破關卡。

必須更冷靜點，從頭檢視加菜子的事件才行。只是回想個別的情景，不管回憶出多少細節，也無法掌握到整體的形象。

讓頭腦冷卻，更客觀點。

木場站起來，把捏爛的香蕉跟原本用來包裹的報紙揉在一起丟進垃圾桶。

——真可惜。

然後他看著窗外。

自己被想幫忙陽子的心情給**沖昏頭**了，沒看出事件的真相。必須回到沉著冷靜的刑警之眼，木場這個箱子的存在價值就在於此。

——沒錯。

九月二十四日——

就這樣，刑警木場修太郎總算復活了。

盡量愛理不理地打發青木走後，木場先去了一趟澡堂。由於是不早不晚的時段，客人很少。

沉浸在熱騰騰的浴缸之中。

接下來……

木場不再進行統整思考、整理事實關係這類無意義的行為，這對刑警一點幫助也沒有，這點木場比誰都清楚。證據一定存在，有時間思考不如多走動，多看多嗅，碰到了證據身體自然會知道。

木場不知思考跟想像之間的區別。用頭腦就是主觀，靠身體就是客觀。木場的基準就是這麼簡單。

所以要先確認自己的頑強肉體。

粗大的手臂，厚實的胸膛，有這些就夠了。

——內容怎樣一點也不重要。

木場先確認箱子的堅固性，那將成為陽子的幫手。木場對陽子有什麼情愫再也不重要，現在最重要的，是先成為一個堅固的箱子。不管內容空虛還是充足，箱子只有作為一個箱子的存在價值。

刮好鬍鬚，清潔完身體後木場出發了。

——刑警有句格言「現場百回」，可是哪邊是現場？

武藏小金井站嗎？美馬坂近代醫學研究所嗎？還是相模湖？

——里村。

總之，目前想先確定已發現的手腳不是加菜子的。如果是加菜子的，那就必須改變搜查方向。

木場前往里村醫院。

木場不是很清楚里村紘市在什麼原委下才去擔任法醫，不過曾聽過朋友榎木津說他戰時在海軍中以縫合技術高超聞名。木場是陸軍，所以詳細情形並不清楚。

里村平常在九段下開了一家小巧雅致的外科醫院。他和藹可親的表情與愛說話的個性很受患者歡迎，醫院生意很好。可是他只要一聽到哪裡又發現屍體，便會把活人甩在一旁，立刻興沖沖地跑去。

他好像真的很喜歡解剖。

里村比一般人更溫厚老實，人格又出眾，但就是喜歡解剖。木場實在無法理解這點。雖說出於職責迫不得已，可是木場真的不懂，怎麼會有人這麼喜歡切割人體。

特別是相較於他平常**好好先生**的個性，落差更大。

木場到達時恰好是休息時間，還沒來得及跟護士說明來意，一聽見木場的聲音立刻滿臉笑容的醫生從後面的房間登場了。

「木場老弟，這不是木場老弟嗎。哇哈哈哈，閉門思過結束了喔？你居然被罰這個，真笑死我了。氣色看起來還不錯，是吃壞肚子不成？要不要幫你剖腹看看啊？」

「哼，你才該閉門思過一下咧。叫你們的護士幫你那張老是在傻笑的嘴縫起來算了？最好眼睛鼻子也順便縫一縫。」

「不成不成，就算縫起來我也會馬上切開的。」

里村作出持手術刀的姿勢。

彼此作出一番旁若無人的招呼後，木場跟著里村進入內部的診療室。

醫院的規模不大，或許叫做診所比較適合。不過房間倒是與小小規模不相符，打掃整理得很完善。木場坐在患者看診時的位子上，有如說明受傷病情般地說明來意。

木場一開始說，里村便在中途多次「木場老弟、木場老弟」地呼喊木場的名字，多半是他早就知道木場想說的內容，沒耐性全部聽完吧。但木場不理會他的急躁，且木場的談話術也沒那麼簡單只因對方叫個名字就會被打斷。木場一直到最後都忽視里村的呼叫，說明完青木所暗示的綁架案與分屍案之間有所關聯的可能性，並質問他加菜子是否有可能是被害者之一。

里村痙攣似地笑了。

「沒這個可能喔——」

總算獲得發言機會的里村對於「加菜子被害者說」一笑置之。

「——事實上，這個想法最早想到的並不是青木仔，而是大島兄哩。」

「課長？」

「你想，他去把你領回來時不是也要碰這個案子嘛？所以多少有點知識，也注意到這點。因此，」

里村打開桌子上的文件夾，翻出裡面的文件給木場看。

「這是加菜子留在三鷹醫院的病歷。大島兄準備很周全，不愧是個警部。」

木場從不知大島原來是這麼細心的人。

「別吊胃口，快說結論。」

「所以嘛，人的血液有分血型，這麼簡單的常識你總該知道吧？分法有很多種，一般多採用ＡＢＯ式分類，很好判別。加菜子是Ｂ型，而四個殺害者當中，同樣是Ｂ型的只有第一個被發現的人——說人不太對，只有手腳，後來的手腳的血型都不同。但最早的手腳被發現時，加菜子還沒被綁架，關於這點木場老弟，你也親眼看到了吧？所以說絕對不可能。」

木場總算比較放心了，甚至感謝起細心準備資料的大島來。至少——目前的情況下——不用擔心必須向陽子報告最糟糕的事態。

「所以大島兄早早就放棄追查這條線索了，可是我倒是滿腦子不舒服。」

「早就知道你腦子有問題啦，現在才說太慢了吧」

「誰腦子有問題啊，我是說我很生氣。」

「你不過只是個法醫而已，又有啥好氣的。」

「我在氣警察都不注意聽我的見解，虧我還是日本技術最好的法醫哩，這些愚蠢的警察居然沒人肯傾聽這些寶貴的意見。」

「是愚蠢的意見吧。」

「哪裡愚蠢了。總之啊，有幾個被害者至少有一隻手是死後立刻，不，或許是一息尚存時被切下來的。我猜想應該是**還活著時就被切斷了**吧。」

「明——」

明明就是很愚蠢的意見嘛——原本想這麼說，木場最後還是沒說出口。若只論醫學上的見解，里村的意見是相當值得信賴。

「手臂有活體反應，氧的活性化程度也有差異。如果這是死後才切斷的，我願意切腹給你看。不過同一個被害者的腳則確實是死後才切斷的。」

「那——你覺得這代表什麼意義？」

「我不是變態，所以不太能理解犯人的想法——」

里村似乎一口咬定犯人是變態，他的說法聽起來彷彿沒有其他可能性。不過木場沒有插嘴。

「首先，一般而言，不管犯人是絞殺毒殺還是毆打頭部，總之會先把被害人殺死對吧。接著，因為不好處理屍體所以才要分屍的話，通常會先把屍體藏起來，或者搬運到好處理的地方，或者至少會去準備切割工具，總會放置屍體一段時間對吧。這段期間屍體就已經開始腐敗了。可是，感覺上這個犯人像是殺了人，連是否死了都還沒確定之前就超迅速地砍下手臂。感覺上像是不管被害者是假死狀態還是心臟停止但尚未死亡，甚至只是失去意識而已都無妨，他就是急著想砍下來。」

「原來如此，也就是說……」

「這表示那一瞬間，他已經準備好切割工具了吧。所以我猜想，他不是**因為殺了只好切割**，而是**為了切割所以殺害**吧。」

「為啥，有意義嗎？」

「我哪知道啊，該去思考這個問題的是警察吧？我只是以醫生立場來判斷而已。」

——為了切割而殺害？

這是多麼顛覆的想法啊。可是，這種事情真的有可能嗎？有什麼理由能驅使犯人不惜殺人也要切割手腳？

木場提出疑問，里村將眼鏡後面的碩大眼睛縮成彎月型，回答：

「誰知道，或許要拿去作什麼材料吧？」

「材料……你該不會認為，犯人把被害者拿去烹了吧——」

「要吃的話，我才不會丟掉**大腿**，手掌也不會。犯人又不是什麼妖魔鬼怪，我可沒說是拿去當食物的材料啊。不過話又說回來，肉食動物好像都吃比手腳更柔嫩的內臟。只不過野獸捕殺獵物之後會先放置一段時間，讓屍體開始腐爛了之後才吃，聽說那樣比較美味。大概是氨基酸開始分解的緣故吧？我不是野獸不太清楚，大概真的很好吃。據說只有人類會吃生鮮活跳的生肉而已喔。只不過說是生鮮活跳，其實也已經死了。」

里村帶著小孩般的表情笑了。

聽他這番話，空腹的木場反胃得想吐。

「吃大概是不可能啦，不過我想或許是用在人體實驗上吧。」

「實驗？」

「沒錯沒錯，什麼實驗我不知道，可是不

這麼猜測實在無法說明為何找不到胴體、頭顱等其他部位。我想胴體或頭顱或許要**用在某事之上**吧。所以才必須在進行實驗前馬上砍下手腳。」

——人體實驗。

有可能，這條線索有可能，木場的直覺如此告訴自己。聽起來雖很超乎常理，但刺激木場直覺的並非模糊的印象，而是極為具體的感觸。不，與其說具體，木場心中早有了明確形象。

——美馬坂幸四郎。

當然沒有任何證據，也沒有根據。只不過聽完里村的話後，木場的主觀認定毫無疑問地逐漸對準了他。肯定有問題，那傢伙與事件不可能毫無關係。那對冷徹的、彷彿爬蟲類的科學家之眼。不需任何理由，對現在的木場而言，那對眼睛已經充分足以被視作目標了。

——**傷患一送進那個箱子裡，就再也回不來**。——鎮上的人們都這麼說。

——捕捉怪物，讓牠們吞食人的屍體。

——送**野獸**進去。

「木場老弟，你怎麼了?不過啊，就算說是要用在實驗上，那個切法也太差勁了點，醫生來切肯定高明得多。被害人的傷口像是用柴刀或斧頭劈砍下來的，切法一點也不細心。另外，就算是同一個被害者，腳被砍下來時也已經死了。腳的斷面沒有活體反應。也就是說，手被切斷與腳被切斷之間經過了一段相當久的時間，大概是切砍的途中被害人死去了吧，想必花了很多時間。但是犯人很熱心於學習，看得出切砍的技術越來越高明。」

「高明?」

「到第四個時幾乎是一刀兩斷。第一個我只看過照片而已不清楚，不過第二個的傷口就爛糊糊的。只不過在切第四個時似乎有點得意忘形，快切下去時還故意停一下。搞不好犯人是在**練習切法**？那麼犯案動機應該就不是為了殺人或為了分屍，而是為了試刀。這個假說或許蠻有趣的。只不過沒辦法說明為何找不到胴體頭顱就是了。」

「試刀？又不是江戶時代，哪有可能。」

想法再怎麼顛覆，也還是無法接受試刀說。不過人體實驗說的可能性似乎還頗高，木場也覺得這個假說跟加菜子事件比較有結合的空間。當然，得要有美馬坂介入才行。

——還早，還不夠。

「打岔一下。里村，你聽說過美馬坂幸四郎這個醫生嗎？美麗的『美』，馬匹的『馬』，坂道的『坂』。」

「當然啊，戰前相當有名呢，人稱天才外科醫師。他的手術技巧出眾，是真正的高手。被讚譽為神之手術刀，是個傳奇人物。不過——記得他原本是在帝大專攻免疫學，也發表過很先進的論文。我也有讀過喔，他的名字很特別所以我記得很清楚。畢竟一般而言念『Mimasaka』的話會寫成『美作』，美麗的『美』，作品的『作』」

「是嗎——原來那麼有名啊。」

如果是天才外科醫師應該會切得更漂亮吧。

「只不過他因為做起過於反常的研究，被排擠出學界的中央，最後被逐出學界了——記得是十四、五年前的事了。戰後去哪兒我就不太清楚了，只聽說他潛心**研究不死**的方法。」

「不死？」

「如何使人不會死亡的研究。我沒讀過那篇論文，所以詳細不清楚。不過可以肯定的是，他不只手術高明，作為一個科學家在研究上也常發揮出天才的靈感。但是這種靈感對於盤據在學術界中央的人而言是不必要的。」

里村以食指敲了敲自己寬大的額頭。
「越天才就越容易受人排擠。」
——不死。
「不死嗎——」
沒啥概念。人是很容易死亡的生物。木場不知親眼見過多少阿兵哥輕易到令人感到可笑地在自己面前死去。
「又不是仙人，他頭腦壞了嗎？」
——屍解仙。
——永遠不會死的。
——加菜子永遠不會死的。
楠本賴子——
怎麼回事？這種令人不舒服的吻合，卻又完全不知道是如何產生關聯的。所以，這應該只是偶然吧。想勉強用頭腦去湊合這些線索反而會造成混亂，不舒服就當作純粹不舒服吧。
里村用紗布擦拭眼鏡，說：
「總之嘛，如果他的主題選香港腳治療法之類的就好了。」
接著問：
「那，美馬坂是怎麼了？」
木場含糊不清地迴避問題。
里村覺得訝異，又擦起眼鏡。
「不過話說回來，警察不接納我的意見，是打算怎麼解決分屍殺人案啊。」
歪著頭表現出疑惑。
「這還不簡單，當然是從更具常識性的線索去搜查啊。要是全聽你的，犯人不是完完全全的變態，就是瘋狂科學家，再不然就是個試刀殺人魔了。警察的頭腦裡面才不存在這種人咧。」
木場原本想接著說「警察就是這樣才不行的」，不過還是把話吞回去了。
「分屍殺人中有九成九都是為了方便處理屍體而造成的結果，循這條線索準沒錯。再不然就是怨恨，恨不得把被害者碎屍萬段，一調查就知道。不把問題複雜化，破案率也就高，怪異的想法只會白費時間而已。」

「是嗎？可是我說的都是事實喔。況且——如果是因為了方便處理屍體而分屍，反而令人費解哩。」

「什麼意思？」

「如果真的有心想處理掉，幹嘛用那麼半調子的切法啊？不只這次而已，大部分的分屍案絕不只是切下四肢頭顱就夠。可是既然要切，幹嘛不切更細一點。沒有時間也就罷了，可是既然有時間幹到那種地步，再多努力一下不就好了？把肉剁成碎屑，骨頭打碎，混在飼料裡面或灑進田裡當肥料都行，包準不會被發現。真的被逼急了，不想被人抓到的話，我認為這麼簡單的小事沒道理做不出來。反正做一半也一樣噁心嘛。」

真是噁心，但里村似乎毫無所感。

木場想吐，但又覺得掩起嘴巴的動作太娘娘腔，硬是把湧上來的唾液吞入肚內。

「你說是這麼說，可是要把一整個人解體也不是很簡單的工作吧？」

「沒這回事，只是切手腳的話其實很簡單，花不了一小時的。當然啦，**還活著的話要砍**就辛苦了點。不過只需花一整天就辦得到。不這麼做的人，我覺得都是內心隱藏著渴望被抓到的心情。」

「那這次的也是？」

「剛剛就說過了啊，這次的不一樣，那不是為了掩飾犯罪或方便處理才切的。傷口看起來是被害者還活著時就切了，真的很奇怪。所以我說我的意見比較有道理嘛。」

里村嘛起嘴表示不滿。

這個人真像個小孩。他一臉無聊地闔上加菜子的病歷，說：

「不過今天是怎麼來著，怎麼都是來講分屍案的啊。」

「『都是』是啥意思?」

「剛剛關口老弟也來了，一樣是來講分屍殺人事件的。」

「關口?為啥!」

他在四處打探什麼線索?他到研究所來果然不是偶然嗎。

「他是說，我想想，他說拿到一個叫什麼封穢御筥神的宗教的信徒名冊，發現其中有好幾個信徒的女兒——好像是十個，說是失蹤了。因為那個宗教很可疑，他猜想搞不好跟分屍案有關。可是要直接去報警又嫌證據太薄弱，就來我這了。雖說我覺得來我這似乎也有點怪——不過你也知道，他總是很認真的樣子，對吧?不好意思應付了事，所以我就聽他說完，打算明天把這條消息講給大島聽——」

應該是青木說的那個宗教吧。

「——這是名冊的抄本，正本在他手上。這本是認真抄寫出來的，一看就知道。」

里村從抽屜裡拿出一疊紙交給木場。

「剛剛好，木場老弟，就靠你轉交給青木仔了，有用的話就留著用吧。」

「哼。」

這些情報大概警察早就知道了吧。不過是不是連名冊都有，木場就不清楚了。木場沒有多說，默默地收下來。什麼也不說並非有什麼特殊的理由，只不過是刑警的習性使然。

木場收下後立刻翻開來看。關口大概抄寫得很急，字並不漂亮。木場先快速地掃視一遍，這也是刑警的習性使然。沉默思考不會有任何好處，像這樣多走多問，總會獲得一些情報。不管是否有用，木場從里村這裡獲得了相當多的收穫。

名冊中的某處似乎有點問題。

——嗯?

名冊似乎以五十音順序排列。

桑野貞子、栗田隆、久保竣公——更上面

一點。

「楠本君枝」

是賴子的母親。

——這也是偶然？

背脊發涼。

「怎麼了？木場老弟，你的樣子很怪喔，要不要幫你看診一下，要我馬上開刀也成。」

開什麼玩笑，沒那個時間了，必須立刻趕往下一個現場。

下次是哪裡？去見陽子？還是去見賴子？

——關口。

去見關口吧。

木場非常冷漠地向里村告別後離開了里村醫院，兩條腿自然而然地朝中野方向前進。

這團謎似乎正逐漸在解開，雖然依舊是在五里霧中、四面楚歌的情況下，但逐漸看到線索了。

——繼續奮鬥。

木場在九段的坡道奔馳而下，大步邁進。

或許收穫沒木場所想的來得大，而狀況當然也尚未好轉。

但僅僅只是不胡思亂想，轉而開始行動，就已讓木場恢復了過去的自己。

——混帳傢伙，等著瞧吧！

木場漫無對象地出了口氣。

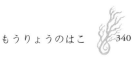

前略　關口老師，好久不見了，過得還好嗎？最近晚風漸涼，令人感到夏天已逐漸遠離了。

聽寺內說，單行本的準備工作也進行得很順利，眞叫人期待呢。

閒話休提，有份作品想請老師閱讀一下，所以送了一份排版稿給您。想必您很忙碌吧，不知您有空時是否能過目一下。

這是上次在編輯室裡跟您介紹過的久保竣公老師的新作，〈匣中少女〉的前篇。坦白說，我自己不知該如何評價這篇作品。

身爲區區一名編輯，實在沒立場對作家投稿的作品進行評論。可是身爲一個負責人，這篇作品令我每天都覺得惶惶然。

我不知優點在哪兒。說更明白點，在看過之後，我感受到一種難以形容的不安，不，應該說是厭惡感才對。或許這就是名作的魄力吧，可是我實在不知這股感受由何而起。

或許這意味著久保竣公這名作家的深度，並非我能度量的吧。

寫太多個人看法或許會害老師產生先入爲主的觀念，以下不再多提。

總之不管我的意見如何，作品還是會刊登在下一期的雜誌上。希望在那之前能整理好自己的心情，因此想向老師您請教一下感想如何。

您這麼忙碌，我還作出如此厚顏的要求，眞是抱歉。

季節即將轉變，請務必照顧好身體。

衷心期待著單行本的出版。

九月二十日　小泉珠代　拜

附註

聽寺內提起老師您正煩惱於作品的刊載順序。身爲雜誌刊載時的責任編輯，請容我說說一己之拙見。

我記得老師的作品完成的順序與刊載於雜誌上的順序不同。

如果我沒記錯，去年夏天刊載於敝雜誌的〈懷著蒼白之心〉早在春天就已完成，而前一篇刊載的新作〈天女轉生〉脫稿的時間應該比較晚。另外，我拜託您撰寫〈天女轉生〉時，記得老師曾說過已經開始在進行下一篇作品〈舞蹈仙境〉的準備工作了。那時好像是說是因爲頁數的關係，所以才會在刊載的順序上作了調整，供您作參考。

〈匣中少女〉前篇

久保竣公

（以下略）

6

榎木津禮二郎今天早晨迎接了一個比平常更難受的甦醒。說是早晨，其實已經是一般所謂的中午、甚至可說是下午的時段了。但是對他而言，不管時間是幾點，只要醒來都叫早上。就算那是一般稱作傍晚或深夜的時段，以甦醒難受的早晨來形容完全沒有問題。

——都是老爸害的。

昨天父親很難得地打電話過來。

榎木津之父是前華族名門，不久前還是個子爵。

自從四民平等，失去了高貴頭銜之後，大半的華族步上了衰微一途。對於這類一向疏於學習生活必須技能的人種而言，這也是理所當然的結果。而華族們最後除了靠變賣土地財產來過活以外別無他法，於是千年以來積蓄的財富瞬間見底，在戰後盡數沒落了。

但榎木津子爵不同，他現在身兼幾個關係企業的會長與董事之名譽頭銜，過著悠然自得的生活。

榎木津某種程度上對於父親邁向成功的歷程還頗為讚許。

但另一方面，他也覺得那只不過是偶然的產物。

榎木津之父是個無與倫比的興趣狂，除本人以外沒人說他不怪。明明身為血統可溯及久遠以前的高貴華族，卻毫不在乎地吹噓自己的祖先是海盜，其遣詞用字也令人難以相信是出自擁有常識的**正常**人嘴裡。而這些超乎常人的部分全都完完整整地遺傳給榎木津。

父子倆都是不需要頭銜的人種。

但不管願不願意，父親還是得背負起華族此一歷史性頭銜與關係企業之長的社會性頭銜；相較之下，兒子就確確實實地什麼也沒有。

現在的榎木津身上的頭銜只有偵探二字。

身為華族之後，這樣的工作似乎太可笑了，但比起上班族或魚販卻又讓人覺得恰當得多。

——麻煩死了。

實在很麻煩，父親把他自己頭銜的「副產品」塞給榎木津解決。如果那是榎木津自己頭銜帶來的麻煩也就罷了，要榎木津解決他人的問題，就算是父親的也萬分不願。

——早知道就該乾脆拒絕。

只不過多少還算有點尊敬父親的榎木津也多少還算有一絲絲的社會常識，在這兩者的影響下，確實令他難以拒絕父親的請託。在態度曖昧不明之中，最後還是被迫接受了。

父親的聲音聽來十分開朗。

他一股腦地說了一番一點也不常用的季節性寒暄後，聊起自己前天騎腳踏車去抓蟋蟀，回程從堤防上跌下來扭傷的事。榎木津想，如果此話出自幼兒還好，怎麼聽也不像個年逾甲子、地位名譽均超乎常人的大人物之軼事。

榎木津對父親說了如上的感想，父親聽了大笑，笑得差不多的時候，突然問說：

「話說回來禮二郎，你還在幹那個沒品的行業嗎？」

所謂沒品的行業指的當然就是偵探。榎木津老實回答，父親異常高興地連呼「好好、那就好」，接著說：

「我的相識之中有個傢伙叫做柴田。雖然我自己對他沒啥興趣，不過公司的人似乎不這麼認為，說什麼他對我們有恩有德，講得好像很了不起似的。這個柴田的部下不知從哪兒聽來關於你的傳聞，無論說什麼都希望你能幫他那個……偵探，是嗎？幫他偵探一下。總之是個怪胎就對了，詳細情形我可不知道。公司那些傢伙囉唆個不停，千拜託萬拜託要我讓你幫忙，由於實在太煩人了，我只好說：『我那個蠢兒子幹的那份不正當行業要是真能幫上忙，我就跟他說看看吧。』所以說既然話已出口，你不幫忙我很傷腦筋。」

說傷腦筋，榎木津覺得自己才傷腦筋。苦無機會發問與反駁的榎木津趁父親講完的那一瞬間發言：

「那個叫什麼柴田的人，應該是個大人物吧？」

話中沒明確定義所謂的大人物是什麼樣的人，但短時間內表達出這幾句已是極限。果其不然，父子間的價值觀有段差距。

「哪有啥偉大的，不過是賣絲線的老闆而已，不，好像是會長吧？」

父親說的柴田，大概是柴田製絲的創辦人、柴田財閥的創始者、同時也是白手起家賺得莫大財富的偉人傳記中的名人——柴田耀弘吧。如果沒錯，他可說是財經界的幕後黑手之一。用平常的觀點來看，柴田是處在比父親更高一層地位的人。只不過管他黑手白手，在父親眼裡似乎也只不過是個賣絲線賺大錢的暴發戶老頭罷了。父親從不妄尊自大，但不管對方是什麼身分來歷也從來不放在心上，這是父親了不起的地方之一。

「很偉大，那個人真的很偉大啊。」

「才不，不過是個賣絲線賺大錢的傢伙而已，既不會飛，也不會脫皮，哪裡偉大了。只不過他的確很有錢，你酬勞盡量跟他多拿一點沒關係。明天下午他的使者會來，你可別出門啊。」

接下來就模模糊糊記不清了。

榎木津覺得心情沉重。問題在於對方對偵探有何認識。

要是他以為偵探是負責調查的工作就糟透了。

所謂偵探是刺探祕密的人，不是去調查、去統計的人，更不是思考一些無聊推理來向人說教的人。

對榎木津而言，偵探是少數能活用自己可笑體質的職業之一。

榎木津能見到他人所不見之物。

為何看得到榎木津自己也不知道。

反正也沒興趣知道

如果照實講出自己看到的景象，別人通常會覺得不愉快。

有些人認為他看到的是靈魂。

也有人說他看到的是他人的內心世界。

也有人說，他看到的是記憶。

對榎木津而言，是什麼都沒什麼兩樣。

有時是人臉，有時是風景情景，有時形狀模糊，有時則是像照片多重曝光般重疊在一起，也有時像是榎木津親身所見般地清清楚楚。

猶如暈船令人很不舒服。

要不是榎木津比人聰明一倍，學習能力又高，多半連像個普通人過生活也辦不到吧。

要是能乾脆相信所見到的是祖先鬼魂，自己是萬中選一的靈媒，一頭栽進**那個世界**的話，不知該有多輕鬆啊，但榎木津辦不到；而他也討厭超能力這類聽不慣的名詞，覺得委身於稚拙不可靠的現代科學似乎有點**膚淺**。因為這既不是跟鬼魂有關的境界性問題，也不是科學云云的外在問題。

聰明，但也因而散漫；為了獲得秩序，卻不得不容忍矛盾。榎木津帶著這些問題活到今日。

經常在偶然之中洞悉了他人祕密。

所以榎木津是個偵探。

最不希望被人誤解。

榎木津百般不願地從堆在角落的衣服小山中隨手抽出摸到的衣服披在身上。讓人有個起碼的**印象**是很重要的，不過只要有個樣子即可。榎木津穿起拿到的衣服，看起來像個酒保，所以他又找出蝴蝶結戴上。

這樣就完全是個酒保了。

——酒保。

邊嘟囔著這句並離開房間。自己覺得有點可笑，但心情稍微好轉起來。

打開門，隔壁房便是事務所。見到屏風後的安和寅吉擺著一張臭臉看報紙，他是以偵探助手名義住在這裡、負責打點榎木津身邊事的青年。

「喔，總算出來了啊。先生今天的打扮看起來好像服務生耶。」

真希望他能用酒保來形容。

榎木津默默地坐上座位。大大的桌子上什麼也沒擺，只擺了一個寫著「偵探」兩字的三角立牌。用意是想盡力誇耀自己的唯一頭銜，卻反而因此常被取笑。

「客人什麼時候會來啊？聽說是很有名的人物？」

「是很有名人物的使者，所以應該沒那麼有名吧。」

端著寅吉為他沖泡的咖啡，榎木津又再次憂鬱起來。

匡噹一聲，鐘響了。

一名修長男子站在門口。

長臉上帶著銀邊眼鏡，頭髮整齊地七三分邊，身穿高級布料裁製而成的西服，眼鼻口看起來都很大。

「你是玫瑰十字偵探社的偵探榎木津禮二郎先生——沒錯吧？」

講話速度很快，榎木津還沒時間回答前他又接著說：

「我是這號人物，我想昨天應該就有人跟你通知我的來意才是。」

男人邊打招呼邊遞出名片。

「法律專家・律師　增剛　則之」

名片上寫著這幾個字。

「律師？不是柴田製絲公司的人？」

「我是柴田財閥暨柴田耀弘個人的律師顧問團以及由關係企業重要幹部所組成的**某**團體之所屬人士。我的發言暨行動均以該團體所決定之內容為準，亦可將之解釋為柴田耀弘本人之意志無妨。」

「某？」

多麼囉唆的男人啊，他大概誤以為囉哩叭唆地講一堆話就是聰明的表現吧。

這種傢伙應該叫京極堂來應付才對，或許會合的來。結果說了一堆廢話，還不是只記得**某**而已。簡單說就是柴田的跑腿跟班就對了──

榎木津在一瞬之中想了這麼多事。

寅吉似乎察覺到榎木津又要有驚人的發言，立刻引領增岡到接待區並端給他一杯咖啡。榎木津也跟著移動。

他靠近一看，更覺增岡臉長。

呼吸也很急促，令榎木津覺得有點歇斯底里的印象。

──女人。

「立刻進入正題吧，我要你幫忙找人。」

「嗯，我看過電影了。」

「咦？」

「呃，是什麼三五郎──三太郎的那個。」

「三四郎嗎？」

寅吉幫腔。

「對，就是那個《三四郎》的──」

增岡似乎吃了一驚。

「夏──夏目漱石嗎？」

「不是，就那個嘛，叫北什麼還是南什麼（註）的女主角。」

「美波絹子嗎？」

「對對，就是絹子。你也喜歡她嗎？那個──呃，增岡先生。」

要是面對面還搞錯名字的話實在很失禮，

榎木津拿出名片確認過後才稱呼。

增岡的長臉因驚訝而拉得更長，他的表情正可說是萬分訝異。

過了一會兒，律師像是要甩掉什麼東西般搖了搖頭，總算再次恢復冷靜。

「——榎木津先生，真希望你能說明一下這背後有什麼機關。算了，這算商業機密是吧？」

不曉得他說這些話是什麼意思。

榎木津又照實說出心裡想的事。

「美波絹子的聲音有點稚嫩，很可愛。雖然演技是三流，不過像人偶般的呆板表情看起來有點**做作**反而很棒。你也是影迷吧，呃，」

這次來不及看名片。

「夠了，我已經十分清楚你的調查能力，不用繼續談這個話題了。不過很可惜地，我們要請你尋找的不是美波絹子本人。只是從昨天到今天這麼短的時間內就能發覺跟她有關，光憑這點便值得對你的能力給予高度肯定，就信任你吧。」

自說自話老半天，最後還說什麼信任你吧，真受不了。總之這個叫增岡的傢伙大概是誤會榎木津靠著事先調查得知美波絹子的事了吧。

——算了，也好。

只不過是照實說出看見的事罷了。

「要請你找的是這個女孩。」

增岡從信封中取出照片。

「什麼，結果還不是那個絹子嘛。」

十分相像，是美波絹子年輕時候的照片吧。

註：日文中，『美波』的發音與『南』相同。

「不，這是絹子**將滿十四歲的女兒**。」

「女兒？」

「可、可是、絹子不是──今年才剛二十五歲左右而已嗎？她息影的時候才二十三、四歲吧。這麼說，十歲就生下這個女兒了？」

寅吉對這類消息特別靈通。

「美波絹子本名柚木陽子。實際年齡今年三十一歲。這女孩名叫柚木加菜子，算來是她十七歲生下的孩子。」

寅吉似乎受到很大打擊，突然安靜下來。

增岡繼續以非常事務性的口吻淡淡地說：

「首先我說明一下本集團與這女孩之間的關係好了。柴田耀弘先生是柴田財閥的創始人，同時也是關東地方數一數二的財經巨頭。相信這些你也知道，細節我就省略不多說。柴田先生與榎木津先生你的父親之間也有密切來往，相信你多少也聽過一些關於他的事蹟──」

榎木津的父親昨天才剛說過對他**一點興趣也沒有**而已。

不過榎木津的確聽過一些他的事蹟。

「──耀弘先生在財經界雖是個白手起家建造起巨大財富王國的豪傑，但在家庭方面並不幸福。其配偶阿時夫人死於地震，長男弘明也於昭和四年去世，年僅三十。原因是患了結核病。弘明的獨生子弘彌成了唯一的血親，同時也是唯一擁有繼承權的人物。附帶一提，弘明先生的配偶，也就是弘彌先生的母親死於昭和八年，弘彌先生本人則是戰死於塞班島。白髮人送黑髮人，不知是何原因，有權繼承柴田耀弘莫大財產的人物一一死去。」

「原來如此，那麼這種情況下會如何？遺產盡收國庫？或者成為企業的資產？」

榎木津學過法律，成績也很優秀。但只要他不認真回想，不管是多麼瑣碎的事情，現在全都不知道。同時，他這輩子恐怕不會認真回想這些了。

「法律手續太多了，就算我說明這些複雜結構你也不見得聽得懂。」

增岡依然講話很快，聽起來像是在嘲弄榎木津，不過榎木津並不在意。

「接下來說的內容嚴禁洩密，無需多言。」

「嚴禁洩密是吧。」

不清楚他講什麼。

「事情發生在十五年前。就是昭和二十年，弘彌先生二十歲的時候。」

增岡皺起眉頭，壓低嗓子，靜靜地說了。

增岡所說的陳年往事內容如下。

柴田耀弘的直系孫子柴田弘彌可歸為一般所謂的紈褲子弟那類。課業的學習還算認真，但是他沉迷於歌舞戲劇則很令耀弘頭痛。對耀弘而言，弘彌是唯一繼承人，所以拼了命想讓他接受菁英教育。

這與榎木津父親大不相同。榎木津之父憑一己之力賺得財富，兩個兒子尚未成年就把他們趕出家門，還不許榎木津與兄長在關係企業任職。而且榎木津也從來不記得曾受過父親培養成企業人才的菁英教育，榎木津從父親那裡接受的教育說起來其實比較接近**帝王學**。

無視於祖父耀弘的熱切期待，弘彌越陷越深。

他並不是那種浪蕩子，只不過是資產家裡常見的沒什麼金錢觀念的好好先生。只要是他喜歡的演員、藝人，從不吝惜出錢援助。他似乎很喜歡這個資助者的角色。

之後，他與年方十七、在橫濱劇場**賣票**的美波絹子——當時還叫做柚木陽子——相遇了，且自然而然地發展成戀愛關係。

陽子當時似乎因為要照顧重病的母親而過

著相當辛苦的生活。陽子的父親把病母與陽子像趕狗般趕了出去。母親別說是工作，連走路都沒辦法。因此陽子除了賣票外，也利用看護母親的時間做起家庭手工來養家餬口，日以繼夜地辛勤工作。

當然，這些是增岡的轉述，有多少部分加油添醋則不得而知。

只是透過他非常事務性的語氣來傳達不幸少女的悲慘生活反而更添效果，賺人熱淚的老套故事也變得充滿真實感。但接下來的愛情故事由他口中說出卻又過於平淡無奇。

不幸的清貧美少女與資產家的紈褲子弟──可說是老套得不能再老套的組合。弘彌陷入熱戀，毫不猶豫地便想與陽子結婚。相信接下來的發展任誰都能想像得到吧，兩人果然遭到猛烈的反對，強迫被拆散，最後還上演出私奔的戲碼。

昭和十二年八月十五日凌晨，弘彌捨棄了未來將由他繼承的巨大財富，陽子捨棄了生病的母親，兩人手牽著手私奔了。距離兩人相遇那天僅過了一個月。

「但是這個私奔記僅上演了一天就落幕了。」

增岡一口氣說到此，總算停了下來，喝光冷掉的咖啡。

「兩人在逃亡途中，被耀弘先生派出的手下找到。」

「簡直像古裝劇的劇情。」

「沒錯，已是陳年往事。」

兩人在翌日十六日那天，在立川的破舊旅館裡輕易地被男方父親派出的手下追上，就這樣被直接帶回。

但是，這短短一晚的孩子氣行為，卻孕育了麻煩的未來。

陽子懷孕了。

理所當然地，該不該生下孩子又成了新的爭論焦點。陽子說，柴田家不需承認也不需讓孩子入戶籍，只求讓孩子生下就好。只要讓她生下，她願意乖乖退出。

耀弘很傷腦筋。

對耀弘而言，陽子是個欺騙可愛孫兒，想讓他墮落入卑賤之路的淫婦。不管裝得多麼無辜也無法原諒，更別說成為柴田家的媳婦。擁有財富的人總是處心積慮想著如何維護財富，窮人家的女孩不管人格特質多好，在耀弘眼裡都像是想奪取財產的鬣狗。

弘彌大力反駁祖父的論調。

他抗議的理由主要是，就這樣放任不管有違倫常。陽子家貧，又有病重的母親，在這種環境下不可能順利生產，柴田家等於是害毫無罪過的女孩子一輩子落魄悽慘。聽起來是很正當的理由，但其實也是非常自私的論調。

在無意義的對立之中，陽子銷聲匿跡，偷偷生下了加菜子。

這段時間的生活費似乎是弘彌交給她的。

孩子既然生都生了，只好用錢來解決——這也是這類情況的老套解決手段。所幸生下的是女兒，男生不敢說，至少女兒總是不會直接與爭奪繼承權有關，只要花錢斬斷孽緣應該就不會發生麻煩——錢多得花不完的財主會這麼想也是理所當然。

這就是所謂的分手費。

柴田家提出超乎尋常的金額。

但陽子不管金額多少都不願意收。

耀弘見到窮歸窮卻堅決不願接受援助的陽子多少有點感動，產生了憐憫這對可憐母子之情。

冷靜一想便知本來就是弘彌不對，他向還沒出嫁的姑娘出手，還讓她懷了孕；但反過來說，就算置之不理對柴田家來說也不痛不癢。

只是正如弘彌之言——放任不管有違倫常。

可見耀弘在性格上終究不是個冷血商人。

他只是因運氣好，掙得超乎尋常的大筆財富才變得警戒心與防衛心過高，原本其實是相當有人情味，帶點老大哥性格的人物。

這也是他被人稱作豪傑的原因。

耀弘重新向陽子提出幾個條件，原本就無意接受任何幫助陽子仍執意辭退他的好意，但耀弘這邊也因被拒絕實在沒面子，所以兩邊互不相讓。

陽子最後總算接受了，母親的病令她原本堅決的意志產生動搖。

耀弘提出的條件如下：

一、加菜子年滿十五歲前，包含學費的一切養育費每個月由柴田家支付。金額不限，有必要便支付。

二、柴田家全額負擔陽子之母柚木絹子至完全康復或近乎完全康復或至死亡為止的醫療費用。

三、除前項之養育費、醫療費以外的任何金錢上的要求，不論金額大小，一律不接受。

四、今後與柴田弘彌一生不得見面，對過往之事也絕不公開。

五、為期以上條件得以正確執行，需接受第三者之監督。

「其實——條文還有更多細節，不過基本構成的就是這五個項目。」

增岡說完，闔上筆記本。

「美波絹子的母親叫做絹子啊？」

「嗯。」

增岡冷淡地回答榎木津的詢問。

「她是以母親名字作為藝名，先不提這些——」

增岡急著繼續說下去。

「最後一項或許不太好懂吧？簡單來說，就是派人監視。耀弘先生從關係企業的眾多員工之中挑出了一個誠實忠義的年輕人，派他到陽子身邊，由他擔任判斷陽子申請的學費醫藥費是否正當以及監視陽子不讓她與弘彌見面的兩項責任。最後雀屏中選的是個名叫雨宮、當時年紀約二十二歲的年輕人。」

——多麼平板無變化的臉啊。

這大概就是那個叫做雨宮的男子吧，不過還是別說出口好了。

增岡右嘴角微微上揚，以瞧不起人的語氣繼續說：

「耀弘先生很有看人的眼光，人選可說挑得對極了。這名叫做雨宮的男人原本是技術方面的員工。他不說半句怨言，愚魯正直地執行了這個工作十四年。明明就算未來回到公司也不見得能獲得高額薪水或重要地位，公司完全沒給予他一切這類保證。在一般人的眼裡，他是被解雇的哪。真不敢相信有這種人，真是適才適所。」

增岡的語氣透露出他覺得雨宮的行為很愚蠢，眼神泛著笑意，彷彿在嘲笑著不在現場的雨宮。

「然後？」

榎木津對這類事情毫無興趣。

「抱歉。」

增岡大概常藉著偷偷在心中想像他所認定的傻子——雨宮的人生——來培養自己的優越感吧。

「托這個雨宮之福，雙方締結的約定得以長期正確地執行。加菜子在戶籍上成為陽子的妹妹，雨宮寸步不離地關懷著她的成長。後來陽子之母死於昭和十五年，陽子連柴田家透過雨宮送來的奠儀也以這筆錢不合條約規定為由不肯收。其實這筆錢對柴田家而言根本算不上什麼。聽說醫療費也是在母親死後陽子主動要求停止支付的。哼，真是中規中矩。」

陽子也是個愚蠢的女人——增岡接著想說的或許是這句話。

「沒什麼不好吧？世上要是全都是這麼高潔的人，大概就沒有訴訟，你們這群律師也都會失業了。真是可喜可賀的好世界。」

聽到榎木津開朗的聲音，增岡皺起眉頭。

「那可不一定，她也可能是為了詐欺。」

「詐欺？」

「事實上在這之後，昭和十六年弘彌先生論及婚嫁時又冒出另一個女人自稱是弘彌的情人。一問之下對方宣稱開始交往的時期居然是昭和十二年的春天。」

「那不就——」

「與陽子私奔時，弘彌先生已經另有情人了。」

「年紀輕輕二十歲就輪流交往兩個情人喔？」

寅吉是個天生愛湊熱鬧的傢伙，對這類風流韻事特別感興趣。他似乎已從美波絹子謊稱年齡的衝擊中回復。

「這可厲害。」

「不對，弘彌先生從那時一直沒跟那個情人分手，一直偷偷包養著她。」

「咦？那不就是同時腳踏兩條船？」

增岡推了推眼鏡瞪著寅吉。

「還沒看出來？那個女人——我雖沒親自碰過面，不過聽說是個歡場女子。因此才會懷疑弘彌先生與陽子鬧得滿城風雨的私奔其實是為了隱匿那女人的存在的好戲。陽子需要錢，弘彌則希望真正的情人不被發現，所以才合演這麼一齣戲——」

說什麼傻話——榎木津掃興地說。

「你想太多了，呃，增本先生。」

「我是增岡。」

「只是需要錢的話，直接給她不就得了？弘彌有的是錢吧。」

「話是沒錯——」

「再來，為了隱瞞跟女人交往的事實卻反而搞出另一個盛大的事件，怎麼想都不正常。這反而會害自己更難跟那女人在一起吧？如果沒打算結婚，只要不說就沒人知道啊。很明顯地，當時的確沒人知道，不是嗎？」

「確實，你這麼說也沒錯，但當時的柴田家的確曾懷疑過陽子母子。弘彌先生主張這個女人是來找碴的，是毫無事實根據的恐嚇。但總之考慮到婚事對象的面子問題，所以最後還是付了一大筆金額給那女人讓她退出。女人沒說有孩子，或許真的是騙子吧。總之那女人在戰後就不見人影，現在也無從確認了。」

增岡嘴巴半開，結論說得寓意深長。接著又說：

「只不過，仔細一想，難道不覺得陽子退出得太漂亮了點？明明感情好到會去私奔，一旦順利生下孩子，生活有所保障之後就一副對男方一點興趣也沒有的樣子。實際上陽子也真的接受條件之後就再也沒跟弘彌見過面。」

「那又有什麼不好的？或許這個叫陽子的女人真的是稀有動物級的守信者。既然對你們來說是好事，還管她那麼多幹嘛。」

榎木津開始覺得厭煩，說這麼多到底有什麼意義？榎木津實在看不出搜尋那個叫什麼加菜子的女孩子跟被迫聽她誕生過程之間有何關聯。

要是每次去買香菸時都得聽老婆婆講述生平事蹟的話，恐怕那包菸都在店裡抽光了。大部分的委託人總是囉哩叭唆地講著與委託事項無關的旁枝末節，以為偵探聽了這些就能發現問題所在。如果光聽過程就能得知真相，那麼細節熟悉得足以轉達給他人知道的本人豈不是最懂了？這樣根本沒有必要委託偵探。

但增岡仍無意停下。

「是沒錯，姑且就當作是好事吧。總之，弘彌先生的婚事也因此擱置，即所謂政治婚姻中常聽到的『靜待時機成熟』，最終決定等到弘彌當上總經理或董事長時再來談也不遲。但沒有後續了，因為不久太平洋戰爭爆發。當然柴田耀弘會急著要弘彌成親也是預測到日本即將開戰。」

「啊，想靠戰爭發筆大財是吧。」

增岡又再次皺著臉，說：

「嗯，沒錯」

接著說：

「只不過就算耀弘先生再怎麼有遠見，也料想不到弘彌居然戰死了了。因此他感到異常地失落。」

「在戰爭時期陽子有繼續獲得援助嗎？該不會那個叫什麼加菜子的女孩子就是在空襲中失蹤，要我去找吧？」

「真可惜，榎木津先生，你這次大大猜錯了。陽子母女與雨宮一起撤離到信州避難，平安無事，當然錢也照給。」

「雨宮沒出征？」

「他的肺有先天性缺陷，在徵兵檢查時被刷下來。聽說他的身體經不住煩繁重勞動。」

「喔。」

「很可惜地，條約並沒有規定弘彌死後該怎麼辦。當時沒想到會發生這種事吧。所以就算到了戰後，柴田家也一直支付加菜子的養育費。直到陽子偶然成為女明星，不再需要援助之後。」

「真奇特，這倒好。」

榎木津已無心多問。

「今年七月——」

增岡突然聲音變大。榎木津雖沒受到驚嚇，不過張著不輸給增岡的大眼睛看著這名快嘴律師。

——老人——柴田耀弘，還有——

「耀弘先生倒下了。畢竟已是年逾米壽（註）的高齡，一時之間大家以為沒希望了。考慮到對內外的影響暫不公開這件事——」

看來談話總算接近正題。

榎木津考慮到父親的面子，忍著呵欠繼續聽下去。

耀弘因腦溢血病倒。想到他九十二歲的年齡，能獲救已可說是奇蹟。但他不只是獲救，還康復了，真是令人驚訝的生命力。於是——在這段身體狀況尚佳的時期當中——

就算是財經界的巨頭，走過一遭鬼門關後似乎也變得懦弱起來。或許他滿腦子充滿了後悔懺悔的念頭吧，不斷喃喃自語地說著太虧待陽子了、讓他見加菜子之類的話。現在唯一的血親只剩下加菜子，所以他會這麼想也無可厚非——但其親信卻慌張得不得了。

畢竟事關繼承問題。弘彌戰死後失去所有家人的耀弘後來收了養子，法規上的繼承者是這個養子，這點毫無疑問。

話雖如此，身為財經界巨頭的耀弘身邊有無數三教九流正覬覦著他的財產，彼此關係錯綜複雜。這些人之間的利害關係絕非能簡單解決，但是大家彼此也都有默契。

不只分配的比例，連繁雜的法律手續到稅金計算，全都已經做好綿密的藍圖。考慮到耀弘的立場、資產的總額與其年齡，這也是理所當然的吧。

但是垂死的老人卻說出一句足以將這些計畫全盤打翻的話來。

把一切財產全給加菜子。

註：「米」字像是由「八十八」組合而成，故八十八歲大壽稱作米壽。

這是老人的意志。不是幾分之一，不是幾成，而是**一切**。

這種場合下所說的一切並非常人想像中的──包含動產、不動產等一切資產這麼簡單的意思。不只股份，還包括他個人所擁有的專利、販賣權之類權利等等，是所有你能想到的一切。這是一件多麼重大的事。

財經界的巨頭、幕後黑手、財閥之長、豪傑……他的頭銜不可勝數。

地位、名譽、財產……不知不覺中，他的周圍已建築起這些堅固的壁壘而動彈不得。

還留有起身坐著空間就算不錯了。

白手起家爬到今日地位的偉人在臨死前總算察覺這點。

「死了一了百了，管他財產由誰繼承都沒關係吧？」

「不是這個問題，這當中包含了非常敏感的政治性問題。例如耀弘先生所有的股票都過繼給她的話，柚木加菜子就成了關係企業的第一大股東，但她還只是個中學生而已，這當然是不容小看的問題。榎木津先生，企業已不是個人意志能自由掌握的東西了。法人有所謂的法人格這種人格，就算是創始者，也不容有這般胡來的行動。」

老實說榎木津根本不關心這些，更沒理由該聽這傢伙說教。

「我也不是不能理解你的心情啦，但這是耀弘先生的意志吧？那就照作不就得了。你一開始便宣稱自己的話等同於柴田耀弘的話，一路聽下來似乎也不見得嘛。」

增岡一時情緒激昂了起來。

「我並非在闡述我個人的見解。我只是在說明事情經緯，敘述到達結論前的種種迂迴曲折。你不懂，耀弘先生的個人資產──巨大得超乎想像。」

「藉口就少說兩句吧。接下來又怎麼了?」

增岡勉強將動搖的心情拉回正常的位置上，重新用他的獨特語調繼續說：

「——遺囑寫好了，現在在法律上也仍完全有效。柴田耀弘的一切財產將讓渡給柚木加菜子。這樣也好，耀弘先生的意志得以獲得貫徹。」

「真是可喜可賀！話說回來，那個——箱子是?」

「箱子?」

——怎麼看都像是——箱子。

增岡似乎也習慣了榎木津的超常舉動，不理他繼續說下去。這傢伙的學習能力比關口更高嘛——榎木津想。

「只不過一部分熟知內情的關係人提出強硬的質疑，簡單說就是他們懷疑加菜子是否真是弘彌先生的孩子。先前也發生過冒牌情人事件，這個質疑自然是十分合理。於是在侃侃諤諤的爭辯後遺囑上又追加了一行——確定柚木加菜子確實是弘彌之女時遺言方具效力。」

「然後?」

「這是一項很辛苦的工作，因為知道當時情況的關係人一個也不在了。弘彌本人也已去世。明明才只是十四年前的事而已，戰爭造成了很大的麻煩。」

增岡露出厭惡的表情。由此可知受**某**團體指派來執行這項重責大任的就是增岡本人。

「這種事問本人不就得了。」

「說得倒簡單。」

果然沒錯。增岡算是個相當撲克臉的人，不過榎木津發現還是能從他眉毛的形狀與鼻孔的大小看出他的心情。這張臉表現出一切辛勞都蓄積在這兩處。

「不過結論上還是只能如你所說的向陽子本人詢問，畢竟生下孩子的是她。我也問過雨宮，但他的回答一點幫助也沒有，我想他大概從沒懷疑過。這也難怪，若加菜子不是弘彌的孩子，那他這十四年來就成了一段漫長又無意義的時間了。」

「那結果究竟如何？」

「陽子當然說是弘彌的孩子，不過就算不是也絕對如此回答吧。因為加菜子才十四歲，莫大的遺產事實上等於是由監護人的陽子繼承。」

「可是十四年前保護動物級的潔癖女怎麼可能接受遺產？」

「問題就在這裡。陽子說她從沒告訴過加菜子父親的事，因為條件上也限制她不得向他人說這段往事，所以她謝絕了遺產的繼承。」

「哈哈，這就是所謂的放棄繼承權是吧。這樣很好啊，那些覬覦財產的諸方大德想必龍心大悅吧！」

「你說什麼傻話，一點也不好。」

增岡從西裝內的口袋掏出香菸，寅吉迅速地遞出菸灰缸。

「如果加菜子本人理解事實狀況，並以自主意志放棄繼承權的話也就罷了，可是本人連自己是繼承者一事也不知情吧？就算只有十四歲，繼承者仍是加菜子。沒理由不尊重耀弘先生與加菜子本人的意志，光憑第三者的意願來決定吧？」

增岡說到此，被煙嗆到，歇斯底里地在菸灰缸上將只吸了兩口的菸弄熄。

「因此我連日造訪柚木家，試圖說服陽子。」

「去拜託她趕快繼承、趕快繼承？每天？」

真愚蠢。

「當然不是。是去拜託她告訴加菜子真相，讓本人以自主意志來判斷。這是理所當然的吧？孩子並非父母的財產，這種足以影響一生的重大事項，就算身為父母，陽子只憑一己之獨斷來拒絕未免太專橫了。」

話雖如此，也不是不能理解陽子想拒絕的心態。

「陽子頑固拒絕向加菜子公開這項祕密，而且連雨宮也站在陽子這邊。我也不是不知道加菜子正處於心思敏感複雜的時期，但這項祕密終究很難瞞得了一生。等到加菜子長大，知道了這項祕密的話會如何？到時候受到憎恨的是陽子啊。況且我自己也不樂意去交涉，但我必須尊重耀弘先生的意志。我也想過親自去跟加菜子談談，可惜她們太過於保護加菜子，終究失去了開口的機會。」

「終究失去——你的語氣簡直像在說再也見不到加菜子嘛。」

「沒錯，所以現在才會來拜託你尋找她，有什麼問題嗎？」

「喔喔！」

增岡報以混雜了輕蔑與受夠了的視線。榎木津只不過是因為被迫得聽漫長又沒興趣的事，只好勉強隨口敷衍回話，結果竟完全忘了為何現在得聽這段無聊至極的偉人傳記的根本原因。

「柚木加菜子上個月遭逢事故，全身受到動彈不得的重傷。目前警方判斷認為是自殺。」

「認為，表示事實上有可能不是囉？」

榎木津想，要說從這裡說不就好了。這股想法不小心讓他接著脫口說出充滿譏諷的話來。

「不過自殺的時機還真是剛剛好耶。如果那女孩當時立刻死掉的話，你也可以減輕一些負擔，真是可惜，太可惜了。」

「拿、拿病人開玩笑，太不知莊重了吧！」

「別惱羞成怒嘛，該不會——這真的是哪個不希望財產讓一個小女娃繼承的偉人幹的好事吧？」

「別說這些傻話了！」

增岡視線中輕蔑程度越來越高了。

「如果這是通俗小說或電影的話，這種場合大半會寫成刺客是柴田家派出的吧。我們的確很符合大眾理想的壞蛋形象，但那只不過是出自於對權力財力的**嫉妒**。有錢人難道就會如此輕易地下手殺人？現實並沒那麼簡單。身為財閥更是不可能採用殺人這種欠缺思慮又風險過高的危險犯罪手法來解決事情。或許社會大眾會以為只要找到付錢就肯辦事的惡徒，交給他們處理即可。但很可惜地我們與這類無賴並無交集。況且真的想殺的話，老早就殺了。」

增岡變得很激動。這時，榎木津通常會立刻道歉。增岡會如此生氣，原因並非受到莫須有的懷疑或氣憤榎木津的毫無見識，而是因為其實**真的想這麼做**卻又**辦不到**的緣故吧。

「總之，不管真相如何加菜子獲救了，雖然她的重傷怎麼看都不像能獲救，但陽子認識的醫生似乎是個大名醫，讓她在九死一生中得以延命。據我親自向那位叫做美馬坂的醫師詢問的結果，只要意識沒產生混亂，原本再過一個月便能康復。」

「原本？」

「沒錯，話題總算回到一開始——在事故發生的半個月後，躺在床上、必須保持絕對靜養的加菜子遭人綁架了。」

增岡出現失魂落魄的表情。這個人或許意外地單純也說不定。

——啊，是木場。

那是耀弘、絹子、以及自幼相識的木場修太郎——

「木場——嗎？那個刑警。」

「你知道木場刑警？難道說榎木津先生你——我剛剛說的那些早就——欸，真是不容小看的人。」

增岡又貿然斷定了。他似乎以為榎木津早就全部調查完畢，急著把話作結。榎木津很在意為何木場會涉入其中，忙著解開誤會，但誤會難以解開。

「等等啦，我真的什麼都不知道啊，如果你有心想委託就把話說清楚啦。」

多麼叫人不情願的發言啊。榎木津平時總是拜託委託人盡量別多說，因為對他而言委託人的話除了帶來無聊以外，什麼幫助也沒有。

但這次的情況不同，要是在此把話結束可就傷腦筋了。聽了一堆**無關緊要**的旁枝末節，最重要的**好戲**卻沒上演，實在叫人難以忍受。

增岡心不甘情不願地開始說。

那是一樁再怎麼偏頗也覺得難以相信的、簡直在開人玩笑的綁架事件。

「真叫人難以相信，警察真的在辦事嗎？」

「哪有在辦事，只是一堆人聚在那裡而已。我們要不是因為繼承問題還沒解決，無法輕舉妄動，不然早就嚴詞抨擊警察辦事不力了——總之這種混蛋事件簡直前所未聞！你知道嗎？那不是被綁架後才送威脅信來喔，是事先送來預告信。那些警員們老早知道歹徒打算綁架，卻一群人像去賞花般聚在一起不辦事啊！」

在榎木津的理解之中，警察就是這種團體，因此也不怎麼訝異。

「是反應很差？還是行動很慢？」

「行動很快，只不過沒什麼用。十分不尋常地，國家警察神奈川縣本部的本部長與刑事部長在事件發生的五天前就私下來柴田家拜訪，詢問我們與柚木加菜子之間的關係。我們不方便公開回應，畢竟耀弘先生陷入彌留狀態對外是項祕密，而弘彌先生與陽子間的關係當然也只有相關人士才知道。警方看我們支吾其詞不敢明說便擅自揣測**必有內情**，考慮到我們是有力人士，才布下那種可笑至極的嚴密守備，就算我們沒詢問也主動前來報告。所以我們自然也無法放任不管，這等於是為我再添一樁麻煩事罷了。我去視察時還受到熱烈歡迎，這群人腦袋裡不知都裝了些什麼。」

增岡似乎真的很不滿警方的表現，粗暴地再次取出香菸，很隨便地點上火。

「他們大概以為這麼做能獲得什麼嘉獎吧？簡直像在開宴會。明明什麼都不做事情就已經一團亂了，這下子更不得了。我實在受不了了。可惜木偶人不管堆了幾個還是木偶人，加菜子在眼前被人綁架，終於弄到無可收拾的地步了。」

「可是已經消失的話也沒辦法了吧？而且你說她是必須保持絕對靜養的重傷病患，我看早就死了吧？」

「所以說嘛。」

增岡的語氣不知不覺間顯得親密起來。來訪時表現出機械性的防備語氣多半只是假面具。

與榎木津對話的人在不知不覺間經常會卸下他們的面具，不自覺地顯現出真面貌來。但這並非是榎木津的對話術或待人處事能力優秀之故，而是因為他的破天荒的言行舉止從來就無視於對方頭銜或身分所致。

「就像你說的，如果加菜子比耀弘先生早死，財產繼承就無效，一切回到白紙狀態。不只如此，連十四年前的約定，也就是對陽子每個月的經濟援助也一樣會停止。但是，」

「但是？」

「如果耀弘先生比加菜子先死亡的話，就必須執行這份遺囑。」

「原來如此。」

「然後。」

「然後？」

——啊，柴田耀弘已經……

「柴田耀弘先生在前天逝世了。」

增岡除故弄玄虛外，還故意保持沉默以增加效果。在他刻意但常見的表演之下，事實帶著十足的衝擊性傳入榎木津的耳裡——若問是否真的受到衝擊，其實並沒有。對榎木津而言，他的感想只有「有話快說有屁快放」。

「也就是說，現在正是該實行遺囑的時候，一刻也不容多等。但最重要的繼承人卻不在，不只行蹤不明，連生死也未卜。這實在是相當微妙的問題。從被綁架到現在已經過了二十天。由她重傷的程度推想，死亡的可能性應該高。但可能性終究只是可能性，不管機率多高也無法成為現在處理事務的判斷條件。」

「說得也是，所以才要我找人？」

「麻煩你出馬吧。」

「不是還有警察？」

對於找人實在敬謝不敏

「警察根本就不像話。他們現在陷入迷思之中，以為這是陽子自導自演的騙局，在原地打轉不肯向前。」

「沒這個可能嗎？」

「可能性是不至於沒有，但我認為應該不是。」

「不是？」

「這是我的個人見解，我認為不是陽子幹的。我先說警察方面的見解吧。他們認為，就算第三者綁架加菜子，也不可能從陽子手中拿到贖金——這點並沒有錯。接著，陽子並不是什麼有錢人，因此這個犯罪必定是考慮到她背後的柴田耀弘先生所策劃出來的，因為能拿出錢的只有耀弘先生——這點也沒問題。警察似乎也進行過一番搜查，他們認為，知道加菜子是耀弘先生的曾孫的人只有陽子跟雨宮，因此犯人肯定是這兩人，所以這是自導自演的騙局——他們的理由就是這麼簡單。」

「聽起來還蠻有道理嘛。」

「那只是表面上有道理，他們只看到恰好的部分。首先，知道耀弘與加菜子關係的人這點——實際上有數十個人以上。本組織的人、與柴田家有密切關係的人，光這些加起來便不下五十人。若把其他也算進去恐怕更多吧。大家只是嘴上不說，其實早就知道了。」

「原來如此，那表示其中有人利慾薰心、鋌而走險囉？」

「不，這也不可能。你可以把知道內情的人全都當作與加菜子之間有某種形式上的利害關係。因此，他們絕非會為了一千萬程度的小小贖金而高興的人。與其做出綁架這類的愚昧行徑，還不如就像你說的那樣，乾脆殺了她利益還大得多。」

「那這樣說來，犯人果然還是陽子吧？」

「沒想到你真笨哪。醫生都說了，加菜子只要乖乖養病就會康復，等她意識恢復時說服本人不就好了。就算意識沒恢復，真的很想要錢的話，趁一息尚存之際宣稱已經對加菜子說明事實，她本人表明願意繼承不就得了？連幾句話說不好的重傷病患，想怎麼利用都成吧。只要這麼做就能獲得一千萬的數百倍的金額，同樣是要欺騙我們，這麼做的可行性高多了。」

聽起來很有道理，但總覺得有問題。事情真是那麼單純嗎？榎木津迷迷糊糊地思考著，他總覺得增岡的話中有難以釋懷的部分。

「你是說原本病情暫趨平穩的耀弘先生卻在前天突然去世了？」

「嗄？」

增岡似乎沒想到榎木津會突然冒出這個問題。

「不——與其說暫趨平穩——是在上個月的後半吧——加菜子遇到事故之後的一個星期左右都還算健康。那時還沒向耀弘先生報告這件事。後來他的健康狀況突然急速惡化——對了，是在綁架預告信來之前變差的。接著剛好是神奈川警察來訪時又再次病危。之後一直到前天為止的一個月內都處於在鬼門關徘徊的狀態。」

「對絹子說過這件事了？」

「嗯，我希望早點解決這件事，所以說了。有什麼問題嗎？」

榎木津只是無聊問一下，倒也沒什麼特別的理由。增岡看他沒有回應，便又老調重彈起來。

「陽子這女人，不知該說她強韌還是有涵養，總之對錢毫不執著。要說有執著的話，感覺只對女兒——加菜子有所執著。所以很難相信她會不顧女兒的生命危險去設計這種愚昧的騙局。但我得再次重申，這只是我個人的意見。」

這邊不行，那邊也不行，無路可走，淨找一些煞有其事的理由來自斷活路。在榎木津眼裡增岡與神奈川縣警根本沒什麼差別。

將死的少女、有段過去的女演員、財產不可勝數的病篤老人、因慾望而盲目的三教九流。光這些人的組合還不夠。

——木場修太郎。

看來木場那個笨蛋也插了一腳。

不，增岡沒注意到。那麼又是誰？

——臉孔模糊的男子。

叫做——雨宮是嗎。再來，

——還有箱子。

箱子？蜥蜴般的男子，那是醫生嗎？

——還不夠。

如果這是犯罪，肯定有個構思畫圖的傢伙；一堆偶然的線條是無法構成圖形的。但榎木津從中看不出圖形來。難道是設計圖太過精巧？不，也可能是太過拙劣的緣故。

榎木津半瞇起眼睛，他色素淡薄的大眼睛半開半闔的，看來就像是愛睏的樣子。對話中幾乎沒開口的寅吉望著他。

不知增岡怎麼想的，他緩緩從皮包中拿出資料。是請神奈川警察幫忙製作記載了事件詳細經緯的資料。

「我想這份資料或許對你有所幫助所以帶來。至於期限嘛——就訂一個月吧。但是希望你盡快找到。就算沒辦法找到本人，最糟的情況希望至少也有能確定死亡的證據。委託費如你所願，想開多少儘管開。這是定金。但是，要是在你調查中警方先找到加菜子或確定其已死亡的話，我方只願意支付行動上的必要經費。給你的金額若有不足請儘管說，若超過就當作是報酬收下吧，沒必要奉還。」

增岡接著拿出一個很厚的信封袋。榎木津懶得算有多少，直接遞給坐在左邊的寅吉。寅吉趕緊走到書桌那邊計算起來。他不斷發出驚嘆聲，榎木津覺得有點丟臉。

「好了，榎木津先生，希望你在進行調查時，嚴禁洩漏剛剛我說的一切——特別是關於加菜子的出生內幕與耀弘先生死亡的事實。因為這會對股價等多方層面造成重大影響。這些情報的公開必須以非常細膩的手法來進行。容我再三叮嚀，嚴禁洩密。」

「嚴禁洩密——是嘛。」

「是的，嚴禁洩密。」

※

「他說嚴禁洩密耶。」

無精打采的聲音。

說完這句後榎木津不再說話，打了個非常大的呵欠。

「可是你還不是洩漏出來了？」

「咦？」

「咦什麼咦啊，我是說既然嚴禁洩密，為什麼你還那麼輕鬆地說出口了。榎兄難道沒有身為偵探應有的職業道德嗎？」
「沒有啊。」
偵探腳伸進矮桌底下，維持著臉朝上躺著的姿勢大聲笑了。與其說身材修長倒不如說是上半身很長，頭的位置接近簷廊側的門檻。
「能記得這麼清楚，以我來說算很難得吧？所以我想說得在忘記之前先說出來才行，還好只要跟這傢伙說過一次基本上都能記住，真令人放心。」
榎木津以下巴指著京極堂，被當作筆記本使用的本人則沒作半點回應。不只如此，京極堂今天連一句話也還沒說，只是一直讀著桌上的書。
鳥口守彥前天才好不容易剛習慣京極堂而已，今日碰上榎木津這個意想不到的伏兵，再度變得啞口無言。
鳥口昨天花上一整天採訪，得到很多御筥神教主的新情報。
而我昨天則是一整天在家。
前天從京極堂回來時發現稀譚舍寄來一封信。寄件人是小泉珠代，令人驚訝的是內容乃是久保竣公的新作排版稿。讀過隨書附上的信件，小泉似乎對這篇作品感到很困惑，因此寄來徵求我的感想。
我讀過一遍後，覺得這的確是一篇深具特色的作品。但過不久開始感到一股顫慄。
餘味很糟。雖說這只是分前後篇作品的前篇，還沒看過後篇就說什麼餘味也有點可笑。
很巧的是，這是一篇以箱子為主題的作品。
標題叫做〈匣中少女〉。
這篇幻想小說——既然他如此自稱應該就是了——描寫一名對箱子有異常執著的男子之妄想世界。主角的性格設定與其說是戀箱癖更像是極度的空間恐懼症，或者說是密閉愛好症比較接近。他經常保有想填補空隙的強烈慾望，或許也能將之視作過度的潔癖，總之是個相當有意思的題材。但是對現在的我來說，這篇以「箱子」為題材的作品未免太剛好了，甚至覺得與現實過度相符，而內容裡的噁心描寫也令我聯想到分屍殺人。

說實話這使我的心情低落。久保的作品比我反芻自己作品時更激發了我的憂鬱。

昨天一整天都很不舒服，不得已拿出鳥口託付給我的御筥神信徒名冊開始抄寫。這是京極堂吩咐我做的工作。在專心抄寫別人名字的過程中，心情上越來越接近從沒碰過面的清野。結果雖倖免於陷入憂鬱症中，卻變得像是被清野附身的狀態。

抄寫工作一直進行到深夜。

今早覺得難受，實在不太想在沒睡飽加精神狀態不穩的情況下外出。但已經先跟鳥口約好，不得已還是得出門。說好下午要帶他去京極堂，所以得在那之前先將情報透露給里村。

我鞭策著鈍重的身體前往里村醫院時正好是看診時間，幸好當時沒有患者，里村爽快地與我面會。我依京極堂的建議，把我自己當成清野本人，說出來意。

但是用不著使出三流演技，在正常與憂鬱症之間來來去去的我外貌似乎變得比自己想像的更嚴重。里村像個尼姑般，傾聽逃進尼姑庵避難的不幸女性訴說半生故事，以充滿慈愛的眼神守望著我。只不過，他是真的認真在聽還是只是憐憫這個腦子有問題的朋友就不清楚了。

總之我義務性地完成任務，隨便吃過午餐後，下午一點在中野站前與鳥口碰面，直接前往這裡——京極堂。

跟上次一樣，今天書店也是休息，而且夫人也不在。我知道門沒鎖，叫老半天沒人出來後，便一如往常地擅自進門。一進門便立刻看到榎木津的頭伸出到簷廊上，榎木津像根原木似地橫躺著一動也不動，接著頭朝向我們，說：

「嗨，小關你來啦。」

他總是這麼稱呼我。

主人則一如往常背對著壁龕看書，兩人隔著桌子呈垂直狀。由主人的位置只能看到躺著的客人的鼻孔，對於不瞭解這兩個怪脾氣傢伙的人而言，肯定是幅奇妙的構圖吧。

但這並非是稀有的情景。榎木津大約每隔一個月或兩個月就會飄然到訪，每次來都會躺在客廳裡睡覺。醒著時就逕自說著沒多大意義的無聊事。他的態度不管京極堂夫人在不在現場都一樣。當然，我在的時候也沒什麼差別，榎木津頂多會戲弄我、責罵我、揶揄我，之後還是像現在這樣躺下睡覺。聽京極堂說，他有時一來立刻躺下，一番熟睡之後，一起身就回去了。真搞不懂他到底來幹什麼的。但是主人對這個怪人的瘋狂行徑卻一概不在意。

京極堂見到我們的身影，舉起單手代替招呼，要我們找位子坐下。

我坐在榎木津對面，這裡是我的老位子，從我的視點看過去完全看不到榎木津的身影。鳥口坐在京極堂的對面。我告訴鳥口躺著的男子就是榎木津禮二郎，也向榎木津介紹了鳥口。我沒直接看到，不過可以想像得到榎木津微抬起頭向鳥口打了招呼，招呼聲跟姿勢一樣怪。

京極堂只說了一句：

「先聽聽這個怪偵探的話吧。」

完全搞不清楚狀況的我們當然連拒絕的機會也沒有。

榎木津躺著，像個小孩子般嘿嘿嘿地笑著，

「我今天啊，可是有話要說才來的喔。」

他大言不慚地說。

這代表著平時的來訪果然是一點明確目的也沒有。

接下來榎木津把昨天到事務所的那名叫做增岡的律師所說的，關於柴田財閥的不可思議事件詳細地交代給我們聽。

我與鳥口總算理解了那座箱館的真相與木場在那裡的理由。

京極堂凝視著榎木津的臉，確定他已沒話要說後總算開口：

「跟大人物有交情，幹著偵探這種胡作非為的職業，口風又這麼不緊的朋友可沒那麼多機會碰上哪。這事暫且不提，榎兄，那你今天來此的目的又是為何？」

「嘿嘿嘿，因為我不知道嘛。就是不知道才來這裡的。本來也想去小金井，可是想說就算去了也不知該怎麼辦。既然方向相同，就乾脆先來這裡了。誰叫我從來沒有調查的經驗嘛。」

「你真是偵探中的偵探啊。」

京極堂一臉受夠了的表情說。

鳥口發出**迷糊**的聲音說：

「可是美波絹子的登場真叫人意外耶，而且這事居然還跟柴田耀弘這種大人物扯上關係，真讓人驚奇再驚奇啊。」

「鳥口，我看這下子與其追查御筥神跟分屍案，還不如去破解那邊的問題比較快吧。順便去搭那個偵探的便車好了。」

「關口。」

京極堂打斷我的話。

「停止這種愚昧的想法吧。我不是再三忠告過你了？別對那座箱子——美馬坂近代醫學研究所出手。」

「為什麼？你知道什麼內情嗎？還是說你跟那個叫什麼美馬坂的醫生互有面識？」

「嗯，的確算認識。」

京極堂都到這個地步了，依然一副不想多談的樣子。

「警方下令要對美馬坂研究所一事保密是因為跟柴田有關的緣故嗎？」

鳥口問。

「嗯，我想多少有關吧。不過以這種觀點來看待這個情況根本上是錯誤的——多半。就算沒跟柴田耀弘這類大人物有關，而只是隨便一個普通至極的竊盜事件，只要**跟美馬坂有關**就不會公諸於世——就是這麼一回事。」

「多一事不如少一事，是嗎？」

鳥口似乎接受了京極堂的解釋。榎木津發出怪聲，大概是因為他一樣以那個勉強的姿勢發言的關係。

「喂，那我怎麼辦啊？」

「誰管你那麼多哪，自己動動腦吧。」

「哼，想就想。」

之後榎木津便不再發言。

「只不過現在到底是怎麼回事？這幾天喧鬧個不停，真叫人不愉快。沒想到平常只會睡覺的偵探也會這麼多話；而你們也一樣，我這裡可不是理髮廳的二樓，看板也沒寫著『萬事好商量』哪。算了，這次的情況的確也挺麻煩的。接下來就換你們說吧，幸虧怪偵探也睡了。」

「睡著了？」

我的位置看不到，便詢問鳥口。

鳥口看了一下榎木津，帶著複雜表情點點頭。

京極堂跨過榎木津，走到廚房提了壺茶過來。

「好，那麼——關口，你辦妥那件只要是正常人都辦得到的小事了沒？」

一如往常，京極堂一開口總是不留口德地譏諷我。我訴說抄寫名冊的辛勞，與我如何順順利利地——雖說我並不確定是否真的很順利——把名冊交給里村的過程，也順便報告從里村那裡得來的少許情報。

「我可沒空聽你說那些無意義的牢騷——不過里村的見解倒是十分有意思。也就是說，他將這次的事件解讀成並非為了處理屍體而解體，而是為了解體而殺人是吧。」

京極堂手撫摸著下巴，思考了一下。

「嗯，以關口來說算幹得不錯了。那鳥口你呢？」

這傢伙明明自己什麼也沒做，卻處處嘲弄人。但叫人傷心的是，我也早已習慣這般待遇。

鳥口挺起胸膛，彷彿在說交給他辦準沒錯。

京極堂先要求他報告詳細的教主個人資料。

幸好鳥口只花了一天就已經掌握住足夠消息以應付這位怪脾氣朋友的要求。

雖然我只是茫然地聽著，不過在鳥口的熱切敘述下，也幾乎完全理解了關於御筥神教主的為人與行徑。

鳥口所說的內容大略如下。

鳥口先去調查他的本名。

教主很少被人呼喚本名。

據說靈媒們為了保持神祕性，經常會藏匿本名。

如果是這種情況，要找出靈媒的來歷與姓名、事蹟等通常是件煞費苦心的工作。

由於中間夾了個戰爭，導致個人經歷難尋。即使想循線挖掘過去也不太容易找出戰前往事。如果碰上戶籍燒毀的情況更是困難重重。

但鳥口似乎完全沒碰到這類難題。他說不稱名字的理由單純，只是沒有必要而已，就是這麼簡單。

聽說道場門口還很服務到家地掛了門牌。

門牌上明白寫著：

「寺田兵衛／正江／忠」

由於看起來太過疏於防備，鳥口料想準是前任屋主遺留下來的門牌，只不過教主忘記取下而已。但慎重起見詢問附近鄰居後卻發現沒有錯，御筥神教主就是寺田兵衛本人，而且寺田家自好幾代前就住在這塊土地的這棟建築物裡。教主本身也毫無隱瞞之意——反正只要繼續住在老家，想隱瞞也瞞不成——未曾見過他謊稱過姓名經歷。

據說寺田家以前是專門建築宮殿寺院的建築工人家系。

不過那是江戶時代的事，寺田家當時住在京橋一帶，明治初年以後則移居到三鷹。

只是當時這一帶屬神奈川縣新川村，三鷹這個地名還沒出現，聽京極堂說三鷹村這個地名是明治二十二年導入市町村制以後才命名的，而從神奈川縣改置於東京都下管轄則又是在明治二十六年以後，因此寺田家在這塊土地上的生活史可說比三鷹本身更古老。

剛移住到三鷹時寺田氏仍舊以建築工人為職，不過已不再專修宮殿寺廟。但聽說當時主人既不是底下率領一批工人的工匠頭頭，也不是在其他頭頭底下工作的工人，這麼說來，說他是建築工人似乎也不太對。聽說專門以製造家具、工藝品之類的器具為主，因此說是木工比較正確。

也就是說這棟道場原本是木工工廠。

這是寺田家第幾代前的事如今已不清楚，但至少兵衛的祖父就是做這種工作。祖父那一代收了好幾個弟子，房子也由原本的工房改建成小型工廠。關於這點有同時代的人親口證明。鳥口說這是住在斜對面的柑仔店的老婆婆的證言。

到了兵衛父親那代設立了「寺田木工製作所」的看板。但看板設歸設卻沒有工作可做。家具、小器物之類的訂單大幅減少——聽說這全肇因於兵衛父親的技術差勁——弟子也一一求去，原本繁榮的景象一下子變得很寂寥。

兵衛之父不得已只好展開不習慣的推銷活動，最後跟幾家人偶的盤商談妥，一手攬下製作人偶「箱子」的工作。時間聽說是震災（註一）前後，所以是大正末年吧。從那時開始木工製作所被改稱作「箱屋」。直到現在，當地人也還是把那裡叫做「箱屋」或「箱屋工廠」。

說到箱屋，一般人率先會想到的是，跟在藝妓身後幫忙提裝三弦琴箱子的僕人，不過這裡的箱屋則是貨真價實的箱屋（註二）。

據與兵衛自幼相識的熟人所言，兵衛今年——昭和二十七年——四十五、六歲前後，因此寺田家被稱做箱屋大概是他十幾歲後半的事。

改行專作箱子之後意外工作地還不少。不只限人偶，從裝陶瓷器、漆器的箱子到外賣的提籠，寺田木工的生意十分興旺。原本專修宮殿寺廟的建築工就這樣變成了做箱子的，捨棄了昔日的光榮換得了安定的生活。

兵衛之父原本既沒什麼做生意的才能，也沒什麼人望，但改行之後開始被叫做「箱屋**阿忠**」，在鎮上還算頗有人緣。這次的採訪很可惜地沒能問出阿忠的本名是忠次還是忠吉——只不過這跟兵衛沒有直接關係，其實也無關緊要——總之兵衛之父箱屋阿忠是個技術差勁，但為人不錯的人。

但兵衛則是個沒什麼主見，也沒什麼特色的平庸年輕人。不知是靠了什麼關係，兵衛居然還讀到中學畢業。之後到隔壁鎮的小工廠工作，在那裡學會了車床與焊接的技術。

兵衛從不抱怨，只是默默地做著工作。只

不過他似乎沒意願繼承父親的家業。

不久箱屋的生意上了軌道，因為沒徒弟，不得不雇用其他工匠來幫忙。與其雇用他人，還不如自己回家幫忙——兵衛以此為由辭去了工廠的工作，回來邊學習木工邊幫忙家業。至此，兵衛總算有意繼承家業了。

兵衛不像父親，是個技術很好的工匠。他學習得很快，沒花多少時間就成為一名獨當一面的工匠。

之後，兵衛在二十五、六歲時討了個老婆。附近鄰居沒人記得老婆的本名，不過既然門牌寫的是兵衛的本名，那麼老婆應該就是叫做正江沒錯吧——鳥口說。

關於他們詳細的家庭生活附近鄰居也不清楚。根據柑仔店老婆婆的記憶，兵衛之父箱屋阿忠死於昭和八年，死因是肝硬化，聽說生前很愛喝酒。而阿忠的老伴——即兵衛之母則是早父親三、四年就去世了。

兵衛沒其他兄弟，因此箱屋、也就是寺田製作所就這樣直接由他繼承。

兵衛不只技術很好，也很熱心學習。繼承家業的兵衛應用了年輕時學會的車盤焊接技術加以苦心鑽研的成果，考量出前所未見的新商品。那就是金屬的箱子。聽說金屬箱子當中，那些無法量產的小箱子的製作相當困難。通常都必須特別訂做，所以能賣得好價錢，而成本只需花材料費與少許的工錢。

箱屋成功地打開新事業。例如機械試作品、研究室的特殊設備等都來找他製作，工作多到超乎想像。大學或軍隊也常向他訂製。

當然這必須歸功於他的突發奇想，但生意

註一：即發生於大正十二年九月一日關東平原的關東大地震。

註二：日文中幫提箱子的僕人與做箱子的都叫做「箱屋」。

能如此興隆另一方面也與兵衛細膩的工作態度有關。

聽說兵衛製作的箱子跟設計圖一模一樣。正確且精密，沒有一絲一毫的錯誤，是真正完美的箱子。如果真的這麼高明，相信用來當精密機器的容器再適合也不過了。

「宮殿建築工最擅長製作神社佛閣或神轎等精細器物，我或許是繼承了這血統吧——」

這句話出自當時的兵衛本人之口。當然鳥口並沒有親耳聽見，而是聽鄰居開澡堂的老爹轉述的。

兵衛也沒放棄原本賴以維生的木工工作，繼續雇用自父親那代工作至今的工匠。兵衛非常敏銳地注意這些工匠的技術，要求工匠們技術必須提升到一定層次以上，這在**吊兒郎當**的父親那代簡直是不可思議的光景。但是兵衛趁空閒時製作的木箱水準出眾，即便是兵衛師傅輩的工匠們見了也無話可說。

兵衛著魔似地迷上箱子。

他的腦子似乎從沒考慮過與家人共享天倫。聽說從早上起床到晚上就寢的期間他都埋首製作箱子。

兵衛第一次碰上的挫折是戰爭。太平洋戰爭爆發後，訂單也跟著大幅減少。這是理所當然的。在這種國難當頭的時代自然沒什麼人偶箱、陶器箱的需求，而無法大量生產的鐵箱也與軍需產業無緣。而且不久之後，製作箱子用的材料也變得不易取得。

兵衛脾氣變得很暴躁，並非工作減少經濟困難的緣故，而是因為沒辦法製作箱子。不知為何，街坊鄰居中所有認識兵衛的人都異口同聲地這麼說。

——箱屋的年輕繼承人被箱子附身了。

人人如此認為。

後來，兵衛被徵召了。

很可惜地，沒人知道兵衛遠赴哪個戰場。不過無法縱情製作喜歡的箱子，年紀又遠超過三十歲才被召集的他不難想像度過了什麼樣的軍旅生活。

兵衛後來平安無事地回到內地，只不過原本雇用的工匠全都死了，不知是遇上空襲還是戰死。戰後兵衛沒雇用新的工匠，獨自一人——重新展開箱屋的生意。

但是——不知為何卻沒人知道兵衛家人的情況。沒人知道確實存在過的妻子——正江，與兒子——忠的消息。有人說戰時母子兩人住在箱屋裡相依為命，也有人說他們遷到某處避難了，附近居民的意見參差不齊。柑仔店的老婆婆說她們母子遭到空襲去世了，澡堂的老爹則說戰後還曾見過她們一、兩次。

只有一件事情很確定，就是那兩人現在不住在道場裡了。

戰後，箱屋的生意興隆與否沒人知道。

原本就不擅長與鄰居來往的兵衛，在復員之後更少與人應酬。與靠著人際關係撐過來的父親阿忠正好相反，兵衛頑固地封閉起心靈，過著孤獨的生活。當然——這種情形僅限於他當上教主之前——

聽到這兒我有個感想，是不是一個不管多平凡的人，只要將其半生如此簡短地歸納起來的話，都會像這名叫做寺田的男子般詭異呢？我對於這個明明很平庸卻有著可說奇特命運的男子或多或少有點同情。看到他不善與人溝通的笨拙性格，實在難以不聯想到自己。

寺田兵衛以靈媒身分展開第二個人生是在那之後又過了五年的事。封穢御筥神誕生的時期，是兵衛復員後的第五年，也就是昭和二十六年——去年的事。

「重點來了，接下來的這些話是從澡堂老爹那裡聽來的——澡堂老爹跟他不只是鄰居，也是幼年時期的玩伴，所以到戰後也還或多或少有點交流。話說這個澡堂老爹啊，前年大掃除時在壁櫥中的天花板上發現了一個髒兮兮的包袱。他看包袱沉甸甸的，覺得有問題，解開一看，原來是一只桐木箱。心想，這肯定是件**大有來頭**的物品。」

鳥口搖身一變，成了令人懷念的無聲電影旁白員，比手劃腳地交代來龍去脈。

「箱子還附了一張紙條，紙條內容很奇妙，看不太懂。總之只看出那是隔壁箱屋寺田家的東西，交由澡堂老爹家的上上代幫忙保管。所以澡堂老爹就把箱子拿去還——」

鳥口像是抱著骨灰罈般，作出很慎重地搬箱子的動作。

「——那個箱子是兵衛的祖母拜託澡堂老爹的爺爺保管的。澡堂跟箱屋兩家子孫一起解讀那封難懂的紙條。上面寫著兵衛的祖母，也就是阿忠的母親具有靈能。柑仔店的婆婆也有提到這點，說祖母很靈驗。她說雖然不知道那是什麼能力，總之很厲害就對了。兵衛跟澡堂老爹也都還記得年紀很小時曾聽說過這件事。紙條上面說有個很有地位的先生來訪——只不過不知道是誰——祖母沒什麼學問，不擅讀書寫字，因此沒寫明那位有地位的先生的名字跟頭銜。總之那位先生是來鑑定祖母的能力的。可是兵衛的祖父是個很保守的人，平時就對老婆的能力廣受好評感到很不愉快。所以他當然不希望這個很有地位的先生來對自己老婆說些有的沒的。如果說老婆是貨真價實的，對他而言很傷腦筋；可是若說是假貨那也很叫人生氣，不管哪邊都難以容忍——」

看來他祖父是那種對靈異充滿懷疑——甚至是滿心抗拒的類型。

「——所以那位先生一來祖父立刻大吼大叫地把他趕跑了。大概實在太凶了，那位先生之後就再也沒來。這個箱子就是那次來訪時忘記帶走的。老婆婆不知該怎麼處理箱子。她老伴很生氣地要她丟掉，她不聽。看起來又十分高價——當時真的這麼以為。總之是又貴又重的東西。想說或許那位先生會來拿回去，所以決定先請澡堂家人幫忙保管。」

京極堂聽到這裡，表情很愉快地打斷鳥口的話。他很少這麼做。

「鳥口，我想那位先生就是我前天提到的福來友吉教授吧。」

不出所料地，鳥口訝異地張著大嘴，原本安靜聽的我也一樣驚訝。

「那個箱子裡裝了錫製的壺吧？上面畫了野莓、葡萄之類的圖案，有把手——」

「嗄？是、是這樣沒錯。您好清楚喔。」

「順帶一提，桐箱用繩子捆起來，然後打結的地方還黏上紙繩封印。」

「這個嘛……中禪寺先生，您其實是靈媒吧？這跟澡堂老爹形容的一模一樣耶。他原本以為——封印得如此嚴密，肯定裡頭收了寶物。可是把紙繩剪斷，打開壺蓋後——」

「唔嘿！」

「壺裡只放了一張寫了文字的紙條。」

他這次的把戲真的很不可思議。

「京極堂，你……」

「你們幹嘛老對這些芝麻小事吃驚。那個就是福來博士的『千里眼鑑定組』啊，鑑定長尾夫人時使用過的。用來讓被鑑定者透視裡面寫了什麼文字。寺田兵衛的父親阿忠繼承寺田家的家業是震災時，因此是大正十二年前後。兵衛今年四十六歲，故當時十七歲。雖然剛剛沒提到兵衛祖父母在世的時間是何時，至少可以肯定阿忠在明治三十九年就已經結婚。幼年的兵衛有祖母的記憶的話，推算起來應是明治四十年代到大正初期。另一方面福來博士進行千里眼的公開實驗是在明治四十三年，該年第一個超能力者御船自殺，隔年明治四十四年二月第二個超能力者長尾病死。與第三個超能力者高橋相遇，出版著作《透視與念力照像》被逐出帝大則是兩年後的大正二年。時期相符，所以我才敢大膽預測。長尾死後到與高橋相遇為止有段空窗期。福來博士在這段時間中想必也仍繼續在尋找具有千里眼的女性吧。如果這段期間聽說有個寺田祖母這般優秀的超能力者，換做是我也不會放過。所以他才會帶著與鑑定長尾時同一套鑑定組來訪。不過，說偶然也實在太偶然了點。」

原來如此，結果這次說穿了也沒什麼好不可思議的。

京極堂接著問：

「兵衛的祖父的為人除了古板以外，還有什麼其他特徵？」

「這個嘛，聽柑仔店的老婆婆說，雖然阿忠很吊兒郎當，不過他爸爸這個**倫**啊真的是個很正經的**倫**喔，是個看到小孩子隨地大小便會很生氣的**倫**，看到違法行為會很生氣。」

發音不標準是在學老婆婆說話的口氣吧。

「嗯，原來如此，也就是說他是個謹言慎行的守法人士嘛，難怪會生氣。明治四十一年頒佈了禁止亂用催眠術的警察犯處罰令。上次也說過，當時社會上很流行催眠術。」

「真的有這麼愚昧的法令存在？」

「有，這是順應當時醫師公會及有識之士的請願而訂立的。況且明治初年本來就訂立了很多例如禁止修驗道、禁止靈媒等的咒術禁止令。所以——那個、祖父是嘛？對恪遵法令的他而言，催眠術專家就跟小偷專家意思相同，千里眼跟順手牽羊沒什麼兩樣。這麼做等於說妻子是順手牽羊的慣犯，小偷專家來褒揚他，當然生氣了。」

「千里眼牽羊。」

鳥口複誦了一遍，似乎很喜歡這句話。

「話說回來，鳥口，壺中的紙條上寫了什麼？」

京極堂不管碰到什麼情況都能維持自己的步調。

「聽說好像寫著『魍魎』，用漢字寫的。」

「魍魎？」

京極堂的臉上浮出困惑的表情。我剛聽還摸不著頭腦，很快就想到是鬼字旁的那兩個不吉利的字。

「魍魎，是魑魅魍魎的魍魎嗎？」

「不知道耶，總之澡堂老爹是說是很難寫的漢字就對了。我也不知道你說的那個什麼魑魅魍魎是哪些字。總之教主他啊，一看到這兩個字就好像感應到什麼。」

「感應到什麼？」

「靈感啊。」

「看到魍魎之後？」

「對，看到魍魎之後。然後他的樣子就開始變得怪怪的。之前頂多只是孤僻而已，人還算正常。可是看到字之後就不說話了。他把魍魎收進壺裡蓋上蓋子之後，原封不動地收回箱子。然後就要澡堂老爹快滾。很讓人不悅喔？所以澡堂老爹怒了，從那之後直到今天都還沒跟他開口過。他也頑固得很呢，那個澡堂老爹啊——」

這些事一點也不重要。

不過鳥口在被提醒之前先主動修正了方向。

「接著過完年，過了一個月什麼事也沒發生，兩個月、三個月後開始有信徒出入。街坊鄰居當然沒想過箱屋居然變成神了，以為那些人多半是來訂作箱子的。而且聽說實際上來訪的人也是以人偶業界、盤商等原本就常來訂作箱子的業界人士居多。看來一開始是以人偶業界為中心擴展的。御筥神也是那些人叫慣了留下來的稱呼。而且那時也還繼續在做箱子。到了夏天，多了一個新常客，做了很多**大**木箱——以上是豆腐店老闆說的。」

「然後就這樣一炮而紅？」

經常聽說這類事蹟。

特別是這類可疑的靈異類傳聞，傳播速度總是相當快。

「可是——並沒有因此一炮而紅。若問信徒是否逐步增加，規模逐漸龐大——倒也不是。結果還是跟原本一樣，細水長流地慢慢經營。不過聽澡堂老爹說，有一天突然很多工人湧進箱屋工廠進行改建工作。外觀雖沒有動到，裡面則把原本的工廠部分全都打掉，改鋪上木板。居住部分也進行改裝，作了個像是祭壇、擺了女兒節人偶的祈禱房間。澡堂老爹是因為住隔壁，隔著牆看到的。其他鄰居則連發生什麼事也不曉得。」

「突然——嗎？」

「聽說真的很突然喔。不久，改建完畢，原本放任不管三十年的看板由寺田木工製作所變成封穢御筥神。**箱屋**就此正式成為**御筥神**。可是當地居民到此時也還是不知道發生了什麼事。信徒增加是在這之後了。改裝完畢是在八月底，信徒絡繹不絕則是要到十月左右。像柑仔屋的婆婆就以為箱屋還在做箱子。」

京極堂臉抓著抓著，手逐漸往上，開始抓起頭來。

似乎覺得什麼地方有問題。

「所以，」

京極堂問：

「所以說他們不像是靠口耳相傳逐步增加信徒，反而像是**先做好收容信徒的準備**，接著信徒才與之相呼應大量湧入？」

「是的。大概是因為原本是賣箱子的，要動手也是先從容器開始吧。並不是信徒增加太多，沒地方收容才改建的。那之後過了半年，不到一年時間信徒就增加到三百人。」

「那個寺田兵衛最早是幫誰解決煩惱？我想知道這點。凡事——起頭最重要。」

「您說——最早來求助的人嗎？我去查看看好了。」

鳥口拿出手冊記了下來。

「喂，京極堂。一介凡夫俗子變成擁有特異功能的靈媒之軌跡的確是很有意思沒錯；第一號信徒是誰，他們之間又說了什麼話也很叫人好奇，可是讓鳥口去查沒意義啊，只是浪費時間而已吧。跟分屍殺人案毫無關聯啊。」

「沒這回事，我需要知道契機是什麼。」

「契機不就是那個福來博士的箱子嗎？不，應該說是放在裡面的寫著魍魎的紙條。」

「那或許是引發他感傷的聖具，但跟靈能是毫無關係的。上次也說過，靈能不是種體質而是技術。我想知道的是他怎麼學到這種技術的——」

京極堂的臉更臭了，視線從我身上移開改看著鳥口。

「接下來呢？他都怎麼做？」

「好好，等你問這個很久了。前天也說過了，他什麼也不做。他頂多聽人訴說煩惱，對人訓話，開導人要清廉方正地過活。只不過在聽人訴說煩惱當中會說出一些來客**沒說過的話**，所以來客會因而信任他。」

「我懂了。鳥口，他猜中的不是委託人所**不知道**的事情，也不是什麼**祕密**，更不是什麼未來即將發生的事情，僅僅是『沒對寺田說過的事』，對嗎？」

「沒錯，但信徒就是會受騙，因為我也被騙過。再來，寺田的教誨真的很單純。他要人先把障壁去除。不管屋子還是城鎮，通風不良、流水不暢的地方就會產生壞東西。心也一樣，若有障壁就會冒出不好的東西，就是這麼簡單。」

「心之障壁？」

什麼叫心之障壁？我好歹對心理學及精神病理學有點造詣，當然，這是因為我自己曾是個必須接受治療的憂鬱症患者，有過這段不太值得誇耀的經歷之故。

以我稚拙的知識推測，大概與心理學中稱為「防衛機制」的概念相通吧。

但鳥口的說明卻是完全不同的東西。

「所謂的心之障壁，簡單說就是慾望、說謊之類的東西。想要錢、想要東西、什麼都想要的卑鄙心態就是囤積不淨之財的元凶。財產一囤積起來就不想放手，就更想囤積越多對吧？這是人之常情。可是這種執著是很不好的。因為執著，人老是拿他人與自己作比較、競爭，進而衍生出想比他人更好的卑鄙之情。這就是惡性循環的源頭——」

呃——是如此沒錯。

可是這並不是什麼特別卓越的見解。

我說這個見解很普通，鳥口表示同意。

「這就是心之障壁？」

「是啊。若一直過著這種違反道德的低賤生活，不久就會產生低賤的想法。而生於低賤想法的低賤錢財就會遮蔽了心的四方，通風流水也會跟著變差。接著**壞東西**從這塊阻塞住的空間中冒出來。這就是造成不幸的原因。教主就是幫人除去、趕跑這個壞東西。然後要人保養心靈健康，以免在度復發。」

看來與我的猜想不同，實在是十分無聊的教義。

「這與其說是教義不如說是勸導道德。他總不會憑這種教義來教人捨棄慾望，過著清廉潔白的生活，知足常樂，別跟鄰人比較，勸導純樸生活吧？」

「不，就是這樣喔。」

鳥口說得非常簡單，以癡呆的表情看著

我。

真令人受不了。難道信徒們就是瘋狂著迷於這種任誰都想得到的幼稚教義，傾家蕩產捐出錢財嗎？

京極堂說：

「這算一種慣用手段。這種程度的事就算那位柑仔店老婆婆也說得出來。不，我看她對孫子的說教搞不好更高明點。但這就是**可乘之機**。」

「機要怎麼乘？大眾有這麼愚昧嗎？」

「身為愚昧大眾代表人物的關口巽憑什麼裝出一副事不關己的自傲態度？聽好，對整天煩惱孫子鼻水流不停的阿婆傳授求聞持聰明法、對丈夫外遇大發醋勁的老闆娘宣導阿字觀(註)什麼屁用也沒有。在只知追求現世利益的愚民面前，不管多崇高的教義理論都是無力的。不只難懂的教誨沒用，要花時間的修法與修行當然更不可能有效。最好的是明天就能實踐的、現在立刻實踐的、具有速效性的簡單道理——像巷口大娘說教那樣簡單的道理最有效。只要再加點刺激性的調味料即可，例如說救人救世的佛教風味就很適合。最有效的大概是神祕主義的香料吧。」

「原來如此，幼稚的教義跟可疑的奇蹟並用嘛？你想說這就是新興宗教跟三流靈媒們的拿手好戲？」

「正是如此，但那沒什麼不好的。就算是一流的宗教團體也會採用這種做法。之前也說過，只要有人能因此得救那便足矣。只不過有時就連原本教義崇高的的宗教團體，在為了增加信徒而東奔西走的過程中，把崇高的佛教理念替換成卑俗的寓言，不久之後連自己也分不清何者才是真實，最後搞得本末倒置，沉入神

註：密宗裡的一種增進記憶力的修行法。

祕主義之海裡，被社會賦予可疑難信的封號——像這類情況也不少見。」

「原來如此，原本的目的被手段取代了。」

「沒錯。不過有理念作為背景的宗教是還好，但原本就不具理念的新興宗教往往**只能這麼做**。所以雖能流行一時，卻無法建立起穩固的基盤。言歸正傳，我們的御筥神在垂訓道德時是加了些什麼香料？」

「好好，關於這點嘛，御筥神說不管是心靈還是房子，只要不通暢，必定會冒出那個、叫什麼**魍魎**的東西。」

「魍魎？」

「是的，就是魍魎。」

「魍魎嗎——」

京極堂露出難以費解的表情。

「教主說，冒出魍魎是非常糟糕的。信徒們每天戰戰兢兢，害怕自己身上會冒出魍魎。而一旦冒出，想要得救除了請教主大人將之封進御筥之中以外，別無他法。」

「為什麼是魍魎？」

京極堂皺著眉頭，彷彿在說不應該是魍魎。

「魍魎。」

原本安靜睡著了的榎木津像是裝了彈簧一般忽然彈了起來。

「榎兄你怎麼了，原來你一直在聽啊？」

「當然在聽啊。可是話說回來，那個魍魎又是什麼？」

「這個我也想知道，先知道的話要報告也比較容易。」

榎木津聽到鳥口的話，說了句「英雄所見略同」後笑了。

「魍魎不是怪物的總稱嗎？我沒說錯吧，京極堂。」

我對魍魎只有這種概念，所以對御筥神的

「冒出魍魎」說法並不覺得有什麼好奇怪的。語感聽起來雖有點新穎，不過對我來說這跟說幽靈現身妖怪冒出是一樣的。

京極堂揚起單邊眉毛瞪著我說：

「若是魑魅魍魎合在一起的用法，的確與關口說的一樣，是句與『妖魔鬼怪』沒什麼差別的成語。但拆開來的話則有點不同。魑是山神，魅念作『sudama』，指一種長壽的精靈。但相對於此，魍魎則顯得非常模糊。例如魍魎也被視為與被稱作罔兩、方良或罔象的妖怪同一類，這種說法下魍跟魎之間就沒有明確的區別。」

「這邊有點搞不懂耶，你是說魍魎跟河童、天狗之類的妖怪不同？」

「沒什麼不同，但你說有點搞不懂其實就是正確解答。看字你也知道這種妖怪跟中國有關，但在中國的時候魍魎就已經是種不清不楚的妖怪了。」

「京極堂，居然也有你不清楚的妖怪啊？我還以為你就像是妖怪組織的發起人，沒有什麼妖怪不知道哩。」

「關口，誰是那個什麼妖怪發起人來著了。」

京極堂從背後的書堆中拿了一本日式裝訂的古書過來。

從裝訂看來，應該是那本江戶時代的畫家鳥山石燕著作、名為《畫圖百鬼夜行》的妖怪百科吧。是他的愛書之一。

京極堂邊翻邊說：

「很多人認為日本的妖怪源自於中國，這個概念可以說對，也可以說不對。自古以來，有許多器物由大陸流傳至日本，妖怪傳說之類當然也隨之流入。但是若認為日本的妖怪只是中國妖怪在本國發展、變形之後的產物那可就大錯特錯了。世界各地有很多明明沒有文化交流卻有許多相近似型的妖怪，由此可知妖怪在某種意義下可視作一種普遍性誕生的文化。人類具有好幾個根源性可稱作『妖怪原型』的要素，這些要素在各個地區裡受到各式各樣的文化洗禮方始成形。因此就算在不同地區的文化裡存在著相近的妖怪，我們也不能一概斷定發源較早的就是源流。因為也可能是**相似類型的東西在各地同時發源**。」

話題似乎進行到京極堂擅長的分野了。

但是——總覺得他這次並沒講得很帶勁。

「於是許多考察妖怪真相的學者或有識之士便開始考察起這個所謂的『妖怪原型』是什麼。民俗學者、人類學者、哲學家，甚至連心理學家、精神病理學者也都曾提過這點。他們說，妖怪起源於人類對黑暗或自然現象的恐懼心；或說，妖怪起源於對死亡的恐怖——這些說法或許並沒說錯，但也稱不上正確。因為很可笑，實在太理所當然了。就像在喝味噌湯時，想知道裡面加了什麼料而翻找時發現了蘿蔔，便高舉找到的蘿蔔大喊『這是蘿蔔！』一樣可笑。不管湯裡放了多少蘿蔔，這總是一碗味噌湯而不是蘿蔔，再怎麼主張湯料放了蘿蔔也無法說明味噌湯的總體內容。妖怪也同此理。過去的人再怎麼笨也還是能區別自然現象與妖怪現象的差異哪。學者的主張某種意義下彷彿在說古代人都是笨蛋，分不清楚蔬菜中的蘿蔔與放了蘿蔔的味噌湯之間有什麼差別。」

「所以說魍魎什麼時候要登場啊？」

榎木津進來攪局。榎木津很討厭冗長的說明，不過由於京極堂在話裡常用一些榎木津喜歡的無聊比喻，所以他倒也不是那麼討厭。

京極堂不理會榎木津的攪局。

「例如說有種叫做『給水怪』的妖怪，這是一種對人呼喚『給你、給你』，如果回應就會突然爆發洪水——的妖怪現象。若依照剛剛學者專家們的觀點看來，這種現象就成了普通的洪水而已。」

的確，如果說——妖怪誕生於對自然現象的恐懼心，那麼這種妖怪就只是普通洪水而已吧。但若真是如此，洪水的現象與給水怪的現象之間便失去差異性，也可以說所有的洪水均成了妖怪。

「古代人們對那些無法以人為方式防衛的自然現象抱持著恐懼心是理所當然的，所以害怕洪水爆發也是正常。但是洪水爆發就只是洪水爆發，再怎麼可怕也不會變成妖怪。只有在經過一問一答的咒術性儀式作為媒介後，方始成為妖怪。自然現象的發生原本是理所當然，而將之置換成非理所當然的形式，這種動態性的變換過程才是妖怪的真相。『妖怪原型』並非『恐怖感』或『恐懼心』這類原始性的感情本身，倒不如說，妖怪正是產生於背離這些情感的過程之中。妖怪在獲得『形』與『名』之後方始成立。因此無名的妖怪稱不上是妖怪。」

「真難懂耶。」

我聽不太懂。

「接著，本末倒置的事發生了，即原本在某地區不被當作是妖怪的妖怪只有名字被傳入的案例。在輸出地具有妖怪之實，被賦予妖怪之名的妖怪只有名字傳了過來，於是產生了混亂。有時也被賦予了全新的型態與性質。」

「魍魎就屬於這類嗎？」

「正是如此，所以才棘手哪。我不擅長應付這類妖怪。」

京極堂說完搔了搔下巴。

「原來也有你不擅長應付的妖怪啊。」

「例如說在江戶時期與東國鐮鼬（註）、西國河伯並稱為『本朝三奇』的，就是北國魍魎

註：據說是一種三隻鼬鼠（黃鼠狼）為一組的妖怪。一個推倒人，一個用鐮刀砍傷，最後一個負責塗藥。速度極快，受害者明明什麼也沒碰到，皮膚卻莫名其妙出現像被刀劃傷般裂開，不流血也不疼痛。過去曾被認為是因空氣中的真空造成的現象，但近來研究發現應是嚴寒地帶的溫差加上乾燥所造成的生理現象。

（註一）。這表示魍魎在當時日本算是相當著名的妖怪之一。河伯就是河童，鐮鼬你們當然知道，但魍魎則顯得知名度低了些。若說是否當時很興盛，到現在則被遺忘了，倒也不是，因為在當時就沒留下多少文獻紀錄。而且上面說魍魎是北國名產，那北方是否常見到這個名字？卻也沒有，反而四國一帶才存在著所謂的魍魎信仰。雖說那是一種近似於祭祀祟神的御靈信仰的變體，不過光祭祀魍魎這點就很值得注意。另外關於只有名詞沒有形象這點嘛，這是因為魍魎在出生地大陸的形象原本已經很模糊的緣故，所以也沒辦法。」

「原本就是不清不楚的妖怪嗎？」

京極堂抱著胳膊。

「光字義本身就有問題。」

「字義？漢字的？」

「是的。講起大陸的妖怪恐怕幾天幾夜都說不完，不過也還是比日本的妖怪容易理解。首先，看形狀便知道其成立的年代。例如說人面獸身的妖怪便比獸面人身的更古老。中華民族是個具有過人記錄癖的民族，每當王朝交替之際，必定會仔細紀錄前一王朝的事蹟。而至於《山海經》之類的研究分類書也**無懈可擊**。加上漢字是種表意文字，這對研究也很有幫助。即使讀法相同，作為名稱的漢字會直接表現出意義，因此完全能作區別。亦即，只要看名稱的漢字某種程度上便能理解其性質。但魍魎很難。」

「為什麼？」

「魍被牽強附會成山川的怪神，魎則當作是山川木石之精，但這其實相當沒有說服力。剛剛也說過，魍魎的別名很多，有的也寫作虫部的。跟蛟蜩的蜩同字。也常去掉鬼旁寫作罔兩，此時又會產生不同意義。你們讀過《莊子》嗎？」

「掃除（註二）？」

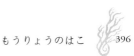

榎木津與鳥口兩人不約而同地作出不正經的回答，我趁他們思考無聊的同音冷笑話時趕緊接著說：

「我以前曾看過一次，不過我對老莊沒儒學來得有印象，記不太得了。」

「你真沒用，《莊子》可是很重要的哪。〈齊物論〉中有一段著名的段落──」

京極堂記得，果其不然，他背誦了起來。

「罔兩問景曰：『曩子行，今子止；曩子坐，今子起。何其無特操與？』景曰：『吾有待而然者邪？吾所待又有待而然者邪？吾待蛇蚹蜩翼邪？惡識所以然？惡識所以不然？』云云。」

「啊，有聽過。」

「小關，京極，你們兩個為什麼記得住這些像經文的句子啊？正常人可不知道吧。對吧，那個──」

「我叫鳥口，我沒聽過，聽了也不懂意思。」

「不懂也無妨。總之在這裡罔兩被解釋成影子周邊較淡的影子，亦即影子中比較朦朧的部分。罔兩這個詞也有這種意涵。另一方面，寫作罔象的話則又有所不同。此時的意思是生於水中的怪物。《淮南子》曰：『山出梟陽，水生罔象，木生畢方，井生墳羊』，各指山怪、水怪、火怪、土怪。《左傳》杜預註裡也提到過罔象是山澤之怪。然後水怪罔象的日式讀法念作『mizuha』，在日本是一種水神。你們讀過《古事記》吧？」

沒人回應。

戰前受過教育的我們當然都被強迫背誦過古事記，但恐怕沒人像京極堂這般敢以如此大

註一：『本朝』意同『我邦』，指日本。

註二：「莊子」與「掃除」在日文中同音。

不敬的態度閱讀吧。

「呵呵，伊邪那美命生下火神軻遇突智而燒死之際，痛苦之餘流出的尿液中生出的就是罔象女神。這是個女神的名字，名稱的念法有很多種，譬如說『minuha』、『mirume』等等。將女字去掉就成了罔象，也就是魍魎——這樣說來豈不很怪？」

京極堂很難得地歪著頭表示納悶，可見他真的對魍魎感到很棘手吧。

「折口教授（註一）指出罔象是與祓濯儀式（註二）有關的神。可是魍魎跟祓濯有關嗎？我記得有個神社單獨祭祀罔象女神——好像是彌都波能賣神社——記得那個神社是阿波國的——美馬郡——嗯？這是，美馬坂的……」

京極堂突然閉上嘴。

「美馬坂？是剛剛榎兄提到的那個箱館的醫生嗎？」

「不，沒關係，這只是偶然而已。」

他的表情很不愉快。京極堂平時老是擺著一副臭臉所以看不太出來，不過我知道他現在很明顯地感到不愉快。

榎木津拉長了臉，裝出嘲弄人的表情。

於是京極堂又開始接著說：

「算了。總之魑魅魍魎並列時，人們經常把魑魅視作山精，把魍魎視為水怪。《日本紀》中也採用了這種說法，記載魑魅為山神，魍魎是水神。《大和本草》則說水虎這種妖怪就是魍魎。」

「水虎就是河童？」

「沒錯——那麼便可與本國的水怪之王河童視為同一物。也就是說在我國，不知不覺間別名罔象的魍魎被賦予了河川妖怪的性格。另外，『mizuha』又與水葉、瑞齒的發音相通，故植物妖怪亦可歸於其旗下。結果，魑魅魍魎四個字就這樣總括了自然界的妖魔鬼怪……應該是如此……吧。」

語尾說得有點曖昧不明。

「你怎麼說得這麼不明不白啊？平時遇到這種話題，不是都有如快刀斬亂麻一般乾淨俐落地加以解析嗎？那才是中禪寺秋彥的本色啊。」

我做了沒必要的攻擊。京極堂這次似乎一直想隱瞞些什麼。

「唉，因為我講了之後才想到，我國民間傳說中的魍魎與剛剛說的形象有相當大的出入。很囉唆但我還是要重申一次，這種混亂在中國也是一樣的。《史記》裡記載了一則故事：有人在地底挖到一個甕，一隻羊從裡頭跳出來，正當眾人議論紛紛之際孔丘老師登場了，他說——『丘聞之：木石之怪曰夔、魍魎；水之怪曰龍、罔象；土之怪曰羵羊』。沒想到不語怪力亂神的孔丘老師對妖怪還蠻清楚的。夔是種獨腳的怪獸，羵羊則是雌雄同體的羊。這裡提到的魍魎，可說完全被當成指妖怪全體的名詞了。」

「一切妖怪都可歸於魍魎？」

「正是如此。這成了一個開端，或許因為大家都認為既然是那位孔子所言不可能有錯，魍魎是木石之怪的說法就這樣廣為流傳。明明孔子在川澤之怪那邊也加上了魍魎，但這邊龍的印象比較強烈。所以就算到現在，一些記載翔實的字典中查魍魎還是會寫著木石之怪。既是山川之精，又是水怪、木石之怪。這等於是把原本棲息之地分明的妖怪世界的藩籬給打破了。而且中國大部分的妖怪都被賦予了具體形態，卻唯獨魍魎的描述非常模糊。《述異記》

註一：折口信夫，西元一八八七年～一九五三年。日本的民俗學者、日本文學研究者。日本民俗學之父柳田國男的學生。

註二：在河海洗濯身體，以去除罪惡及污穢的儀式。特指陰曆六月三十日進入夏天前的淨身儀式。

中說牠像豬，說牠鼻長有喙，又說牠似龜，說法本身根本就支離破碎。」

「所以說魍魎沒有明確形象嘛？」

「問題是──就是有啊。」

京極堂手按著額頭嘆了一口氣。

「很傷腦筋的是，魍魎傳說除了『妖怪的總稱』之外，還有另一系統在發展。有一則神話提到魍魎是古代中國帝王的孩子。」

「孩子？魍魎是人嗎？」

「中國神話時代的支配者很多都不像人。皇帝曾孫顓頊──這個人本身的樣子就很不普通，這位天帝有三個一誕生便死去的孩子，其中一個的名字就叫魍魎。」

「孩子是魍魎？」

「嗯，另外兩個是瘧鬼跟小兒鬼。這個魍魎據說長成這樣：大小約與三歲小孩相當，眼紅，耳長，身體赤黑，滿頭黑髮，能學人語惑人──」

「很具體嘛。」

「一方面以莫名其妙怪物的形象不斷擴展，另一方面卻又宛如真實存在似地被描繪出具體形象。《說文解字》引用了這段對魍魎的描寫，說是淮南王之言，雖然流傳至今的《淮南子》中並沒有出現這段話。《山海經》中也記載了相同說法。所以以《山海經》為底本的《和漢三才圖會》採用的也是這個說法，因此樣子很明確。若根據此段敘述繪成圖，所畫出來的簡直是隻兔妖，像是野獸。沒人知道魍魎究竟是什麼；雖沒人知道，卻在不知不覺間變成了**野獸**。」

「野獸？」

「結果這成了魍魎唯一被賦予的具體樣子。」

京極堂把《百鬼夜行》翻開放到桌上給我

們看。

上面畫著一隻『魍魎』。

一頭小鬼由草叢中探出上半身。

黝黑的蓬髮中長出兩隻不知是角還是耳朵的突起。

可愛的圓滾滾眼珠子中不帶惡意。露出獠牙的嘴吧看起來像在笑。

不可怕。

只是，很令人厭惡。

因為，

這頭野獸挖出棺木，從中拉出死者屍體，大啖其肉。

魍魎面無表情地吃著屍骸。

「這——」

「沒錯。結果魍魎既是山野澤川的精靈，也是水神，是木石之怪，最後卻又在莫名其妙間**固定成**這種模樣——所以說牠是隻莫名其妙的怪物。民間最熟悉的魍魎形象就是這個，吃死屍的小鬼。魍魎一方面保有各種特性與歷史上的大義名分，在我國為人所熟知的形象卻與西洋所謂的食屍鬼相近。因此沒有比牠更難搞的妖怪了。」

「為、為什麼會變這樣？這太唐突了吧？」

「也不見得。《本草綱目》的〈獸部・寓怪類〉裡寫著『魍魎，好食亡者肝』。另外一開始也說過，魍魎還有個別名叫方良。據說方良是種從墓穴冒出來的妖怪，而節分灑豆驅鬼的原型——追儺的方相氏原本就是負責驅逐方良的官員。《酉陽雜俎》裡則提到有個叫做弗述的妖怪會吃死屍腦部。弗述被柏木刺進身體會死，而傳說中魍魎也怕柏與虎，表示這兩者是相同的妖怪。連傳說都如此盤根錯節，真的搞不懂什麼是什麼了。」

「真的不懂。」

鳥口洩氣地說。

「想更混亂的話，我還有很多題材可說哪。」

京極堂的語氣雖像在開玩笑，眼神卻很凝重。

「有種叫做火車的妖怪，寫作火焰的火，車子的車。是種從地獄來帶走壞人的妖怪。壞人一死，燃燒著熊熊火焰的車子不知從何處出現，帶走其屍骸。被帶走的屍體被撕成碎片拋灑於各處。拉著這台車——或說乘坐於這台車上的野獸據說是隻貓型怪獸——也有人說**乘坐於火車上的野獸就是魍魎**。這種說法可於《茅窗漫錄》等書裡見到。」

在我模糊的記憶裡似乎曾聽說過火車這種妖怪，不過不知道這傢伙會作出這種行為。京極堂接著說：

「還有另一種說法。剛去世的屍體旁之所以要擺刀子之類的金屬物是因為要防止老貓等**獸類或魍魎**鑽進屍體裡。《耳囊》裡也有一則故事提到魍魎變化成人擔任公職。」

講到此，京極堂環視在場的人。

「呼呼呼呼。」

榎木津笑了，笑得很噁心。

「看來要瞭解魍魎，別聽這些故事還比較好吧。」

榎木津說完又笑得更大聲。

「真是如此，這實在是相當頭痛的問題——」

京極堂抱頭煩惱。

「太誇張了吧，有必要那麼困擾嗎？魍魎的確是難以理解的怪物，可是那只是文化上的考察很困難而已吧？現在我們是針對現實發生的分屍殺人事件作討論，魍魎的考察碰上瓶頸與這次的事件之間有什麼關係？」

我覺得兩者之間沒什麼關聯。

「當然是很重要的問題。由從鳥口的調查

看來，我們可知御筥神自稱是**收服魍魎的靈媒**。所以魍魎正是讓他的平庸教義產生效力的重點。」

「是沒錯，可是那又如何？」

「這種情況下，如果發生了必須與靈媒直接對決的事態，要駁倒那些主張什麼惡鬼邪魔的、驅逐惡魔供養嬰靈的、斬斷孽緣怨靈退散的傢伙是很簡單；可是對手是魍魎的話，就真的不知該怎麼應付了。」

京極堂搔搔後腦勺歪起嘴。

「呵呵呵，京極，原來你也搞不清楚啊？那就跟我同水準了嘛。」

榎木津一臉愉快地說。

京極堂低頭約十秒鐘左右，猛然抬頭說：

「鳥口，能不能再說更清楚一點？」

鳥口連忙翻開筆記本。

「嗯嗯，以下這些話由剛從道場出來的人那裡問來的。他們說教主看得見魍魎。每天都有信徒來求教，不過教主不太會在這時去幫他們祈禱，頂多只是說說教。每週五的晚上有集會，除魔通常在這時集中進行。這個集會叫做封穢大典。如果這樣還沒效就會進行個別祈禱。有時是叫信者到我去過的祈禱房，有時則背著筥到信徒家去。當然這些封印魍魎的儀式也一樣免費。」

「封印魍魎——是嗎……那道具呢？」

京極堂似乎很不能接受。

「就只有那副御筥。外型像是個木架子，上面放了不知該叫本尊還是神體的箱子，看起來就像個笈。教主一身白色和服，穿白色和服褲裙，頭戴兜巾，如果胸前還有那種一團團的怪棉球就完全跟山伏一樣了。不過他沒拿其他器具，空手。」

「原來如此——可是這麼一來就猜不出他的祈禱方式了，到底是神道系還是修驗道，抑或密法——」

「關於這點嘛，這個應該有用吧！」

鳥口把他從前天就一直背著的巨大包包拉到身邊，打開袋口。

「這個有九公斤重，背得我肩膀都快脫臼了。」

鳥口從包包裡面拿出一個沉重的箱子，解開上面的背帶。

寬約三十公分，長與高各約十五公分左右。

「這不是傳助嗎！」

榎木津發出歡呼。

「傳助？」

聽到這個名字我只能聯想到傳助賭博（註）。

「這是東京通信工業正在開發的攜帶型磁帶錄音機。你、你為什麼有這種東西？」

「是敝社社長不知從哪拿來的，只能錄二、三分鐘——不過總算能派上用場了。」

「你們出版社的社長是何許人物啊！」

想到那輛冒牌達特桑跑車，肯定不是普通人物。

「只是個個性溫和的好人啦。我星期天一直帶著這個走，怕隨便擺著會被人偷走。肩膀真的快脫臼囉。然後啊——我昨天躲在澡堂，隔著牆壁偷偷地……」

「錄音——了嗎？」

果然連京極堂也不免有些吃驚。京極堂吃驚的樣子非常稀奇，難得見到一回。

榎木津則是很喜歡新奇事物，一直吵著要聽。

「沒錄得很清楚，不過應該還能聽懂在說什麼。」

打開蓋子，看到兩張像盤子的圓盤，上面捲著磁帶。

盤子旋轉。原來如此，跟傳助賭博倒也有幾分相似。

鐵盒子突然發出聲音。

——天神御祖有詔曰
若有痛處者
令此 ashinoutsuho 之 shinpi 御筥
so te na tei ri sa ni ta chi su i i me ko ro shi te ma su
shihuru huru yura yura shihuru huru
速請御筥降臨此地　在此擊退魍魎
嘿
喝

聽起來像日語又不像日語，似乎也不是方言，更不是佛經。

念咒中摻雜了磅、磅的雜音，大概是腳踏地板的聲音吧。聲音的間隔十分獨特，不知是單純數錯拍子，還是我的韻律感無法理解，總之跟西洋音樂理論中的幾分之幾拍的感覺完全不同。

聽起來就像是鐵盒子裡藏了個修行者在裡面。

不對。

這是利用電與磁力重現出來的虛擬現實。

這個盒子也是種借用科學之名的神祕主義。我感到一陣冷顫。這股聲音是**虛幻**的，並非把過去的真實切割下來放進盒子裡面。

播放完畢。

盒中的虛擬現實輕易地消失得無影無蹤。

「要再聽一次嗎？」

京極堂搖頭表示不用，接著露齒一笑。

「太了不起了，鳥口。沒有比這段更好懂的咒語了。你投入尖端器材的作戰方案大大成

註：一種街頭賭博遊戲。遊玩方式為轉動輪盤，讓客人賭停在何處。

功了。你真的是個人才哪。」

「幫上忙了嗎？」

「幫了大忙哪。」

京極堂帶著猶如生氣般的表情笑了。但是那僅是表面上而已，我知道他內心仍舊憂心忡忡。若真是如此，他的表情顯得多麼複雜難辨啊；還是說，那只是我的過度猜想？

京極堂恢復了原本的態度，以毅然的語氣質問鳥口：

「接下來——鳥口，有件事想再三向你確認，寺田兵衛真的是三鷹出生三鷹長大的？」

「是的。據說他除了兵役中以外，從沒離開三鷹一個星期以上，也沒出門旅行過。」

「有親戚住在伊勢和築上嗎？」

「築上？啊，北九州是嗎？不過兵衛好像真的沒有親戚。兵衛跟父親阿忠都沒有兄弟，連遠房親戚也沒有。就算有，交流也不頻繁才是。」

「根據是？柑仔店嗎？」

「澡堂老爹也是這麼說的。不過為什麼是伊勢跟九州啊？」

「時機到了我自會說明。接下來我有話要對關口說。我先說明一下現階段我瞭解的事情吧。御筥神背後必定有個躲在暗處操縱的第三者。如果御筥神真的涉入犯罪之中，真正該被檢舉的是這個幕後黑手。因此當下的問題是要先找出那個幕後黑手是誰——不過想找到他得先找出剛剛說的第一個信徒——另外就是兵衛家人的去向。只要知道這些，就算演變成必須與御筥神直接對決的場面——我想，也無須擔心了。」

「魍魎就不管了嗎？」

京極堂不理我的提問。

鳥口立刻恢復了精神，說要馬上去採訪。

「那麼，關口。」

「應該沒我的事了吧？」

「哪可能沒事。前天最熱切的就是你哪，把我拖下水的不也是你？」

連榎木津都在一旁聲援叫陣，喊著「就是嘛就是嘛」。

「你去調查清野的名冊，接著去調查可能發生事件的家庭看看。」

「咦——」

多麼困難的任務啊！

如果清野的筆記沒錯，而御筥神也真的和分屍殺人案有關的話，某種程度的確能推測出下一個可能受害的家庭是哪些。他指出危險的那幾個家庭裡有幾家的女兒還沒遇難，當中已有十家已經失蹤。只要限定條件，自然很容易從剩下的幾家中找出可能性較高的家庭。

但是，就算知道我又能幫上什麼忙？同時我又該以什麼名目來行動？打擊犯罪？還是防範未然？恐怕兩者都是吧。

可是我沒那麼能幹啊。正當我想拒絕時，很稀奇地玩弄著錄音機的榎木津突然出聲說：

「那我該怎麼辦！」

他的主張像是在說——我們這群人是他的屬下，幫忙主子出主意是應該的。京極堂像是個窮於應付耍賴小孩的父母，說：

「榎兄跟這個事件沒關係吧。你自己剛剛不是也說自己會去想該怎麼辦嗎？」

「我想過了啊。我想去找武藏小金井的那個被綁架女孩的朋友。可是想說這種事情我又不熟，所以正打算找小關一起去耶。」

說什麼傻話。還敢說不熟，開什麼玩笑。這世上哪來不熟悉犯罪調查的偵探啊。不只如此，他的語氣簡直當我這個寫小說的是這方面的專家似的，當然沒這回事。平時老是嘲諷我的社交恐懼症與差勁記憶力的不就是他自己嗎？

「你這麼說，可是我比你更不熟啊！榎兄！明明就你才是偵探吧。」

照這樣下去，不管事態怎麼變化都很糟。正當我一時之間遲疑著要向京極堂抗議還是向榎木津抗議時，現場的主導權已被京極堂給搶走。

「你說被綁架女孩的朋友——是指那個同時碰上加菜子自殺與綁架現場的同班女生嗎？」

「對對，我不記得名字，不過這裡有寫。這女孩子很可疑吧。」

榎木津把增岡給他的警察製作的資料交給京極堂，京極堂手勢熟練地翻閱起來，沒一會兒功夫就找出女孩的名字。

「我看看，武藏小金井——人偶製作師楠本君枝長女賴子，十四歲，私立鷹羽女學院中學部在學。這個嘛。」

——楠本君枝。

怎麼回事，好像在哪聽過？我知道這個名字。字面在我腦中逐一浮現，楠、本、君、織……不，是枝吧？

——楠本君枝，我知道了。

我趕緊從矮桌下面拾起那本名冊，

——在第三張，

從上逐行看下來。

——沒錯，是久保竣公的上一個。

難怪我對字面有印象。

「找到了！那個楠本君枝是御筥神的信徒。」

「什麼？」

「這裡，你們看。住址也在小金井，清野的筆記寫著——」

「女兒節人偶之工匠。無夫，有一女，某私立名校在學中，此應為窮困之因。熱心有餘，金額不足。條件充分，慘劇到來不遠矣。危險也，需注意。」

京極堂上半身靠過來，從我手中搶走名冊。

榎木津跟鳥口也湊過去看。

「這——」

京極堂的臉色變了。

「以小關的記憶力而言簡直是奇蹟嘛！」

榎木津又在嘲弄我了。平時的話，京極堂一定會跟著一起攪和，但這次並沒有。

京極堂一直搔著頭髮。

「怎麼了，這到底怎麼回事。這次的事件本身**簡直就像魍魎**。令人不舒服的相符與齟齬反覆出現。這是偶然？是蓋然？不可能是必然。可是照這發展看來，**難保那傢伙不會跟一切有關**。不，稍等，這麼想來——」

怎麼回事，我從沒見過這麼慌忙的京極堂。

「真是的，你們為什麼老愛把我這個隱居者拖出來。這事件的發展或許會很糟。不，這只是有這個可能性而已，這……」

「會有多糟？」

高亢的聲音。

京極堂轉頭，榎木津回頭，鳥口抬頭。看過在場全體的動作之後，我才總算發現說話者並非他們其中之一，而他們的視線方向正朝向說話者。慢了一拍，我移動我的視線。

木場出現在簷廊。

木場顯得有些憔悴。原本剃得很短的頭髮也長長了點。

氣色不佳。由於斜陽從他背後照射過來，在我眼裡看起來就跟那天於箱館見面的情況一模一樣。

「木場修，聽說你被罰閉門思過，你那張怪臉是怎麼回事？喂。」

木場的吼聲遮蔽了榎木津的話。

「為什麼很糟，京極。」

京極堂沉默了半餉，調整坐姿後回答：

「我的意思是，餘味很不好。」

「你這混蛋，照這樣聽來你肯定知道點內幕對吧——關口就算了，禮二郎連你都出動了，這事肯定不穩當。快交代給我聽。」

「在那之前——我想先聽聽你知道什麼。我想你是最接近事件核心的人。這團可憎的偶然之集合與擴散，究竟是以多麼胡來的方式構成的，只要聽完你知道的事，我想應該就幾乎能迎刃而解了。」

京極堂站起來。

「說得好！京極，那就讓我拜聽一下你對這什麼狗屁構成有何高見。」

木場表情凶惡。

「只不過，若如我想像，餘味太糟的話，我就不願意說了。」

京極堂靜靜地以此作結。

〈道歉函〉

母親，請原諒我。

請原諒我這個愚蠢的女兒。

一想到那之後的幾個月間您所受的煎熬，我就難過得坐立不安。事到如今，我總算能理解您的心情了。

您一定很心酸吧。

一定很痛苦吧。

我從不知被自己女兒所疏遠是多麼悲傷的事情。過去的我是多麼不孝啊。

我很後悔。

我很懊惱。

但現在都已無法挽回。

過去的我在失去父親之後，只知道去厭惡一天天變醜的您。如果您還保持著過去的美貌，我的心情肯定不會這麼彆扭吧。

但父親的離去是我的錯。

那麼，害您變醜的元凶也可說是我吧。

一想到這裡，眞的很難過。

（中略）

我是多麼愚笨的女兒啊。眞的，眞的很對不起。

我現在失去了重要的事物了。

就是加菜子。

如果說，把您趕入死亡深淵的是我，那麼害加菜子變成那樣的也是我。多麼愚昧的事啊。加菜子現在不知人在何方。如果死了的話，

如果死了的話，

殺死加菜子的兇手，就是我。

我很想成爲像年輕的您那般美麗的人。也希望加菜子能變得跟您一樣美麗。結果，這股思緒，卻化作那般淺薄的行動，還害死了加菜子。

已經再也無法挽回了。

我要到那個男性的身邊去。

跟那個人一起

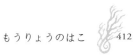

國家圖書館出版品預行編目資料

魍魎之匣（上）／京極夏彥著；林哲逸譯. --.初版.- 臺北市；獨步文化出版：家庭傳媒城邦分公發行，2007〔民96〕
面；公分.（京極夏彥作品集；02）
譯自：魍魎の匣
ISBN 978-986-6954-74-0
861.57　　96013232

京極夏彥　作品集02

もうりょうのはこ

魍魎之匣（上）

原著書名　魍魎の匣
原出版社　講談社
作者　京極夏彥
翻譯　林哲逸
責任編輯　戴偉傑
發行人　涂玉雲
總經理　陳蕙慧
行銷業務部　尹子麟、林毓瑜
版權部　王淑儀
出版　獨步文化
城邦文化事業股份有限公司
台北市中正區信義路二段213號11樓
電話：(02) 2356-0933　傳真：(02) 2351-9179; 2351-6320
發行　英屬蓋曼群島商家庭傳媒股份有限公司城邦分公司
台北市中山區民生東路二段141號2樓
讀者服務專線：(02) 2500-7718; 2500-7719
24小時傳真服務：(02) 2500-1990; 2500-1991
讀者服務信箱 service@readibgclub.com.tw
劃撥帳號：19863813
戶名：書蟲股份有限公司
總經銷　大和書報圖書股份有限公司
電話：(02) 8990-2588; 8990-2568　傳真：(02) 2290-1658; 2290-1628
香港發行所　城邦（香港）出版集團有限公司
香港灣仔軒尼詩道235號3樓
電話：(852)2508-6231　傳真：(852)2578-9337
E-mail：hkcite@biznervigator.com
馬新發行所　城邦（馬新）出版集團
Cite(M)Sdn.Bhd.(458372U)
11, Jalan 30D/146, Desa Tasik,Sungai Besi, 57000 Kuala Lumpur, Malaysia
電話：(603) 9056-3833　傳真：(603) 9056-2833
妖怪插圖　王正凱
封面設計　木子花
排版　浩翰電腦排版股份有限公司
印刷　中原造像股份有限公司
2007（民96）8月初版
定價400元　ISBN 978-986-6954-74-0
本書由日本講談社授權城邦文化事業股份有限公司獨步文化出版事業部發行繁體字中文版，

廣 告 回
北區郵政管理登記
台北廣字第00079
郵資已付，免貼郵

104台北市民生東路二段 141 號 2 樓

英屬蓋曼群島商家庭傳媒股份有限公司　城邦分公

請沿虛線對摺，謝謝！

獨步文化 APEX PRESS

書號：1UH002	**書名**：魍魎之匣（上）	**編碼**：

請於此處用膠水黏貼

獨步文化 APEX PRESS

讀者回函卡

謝謝您購買我們出版的書籍！請費心填寫此回函卡，我們將不定期寄上城邦集團最新的出版訊息。

姓名：________________________　　性別：☐男　☐女

生日：西元________年________月________日

地址：________________________

聯絡電話：________________傳真：________________

E-mail：________________________

學歷：☐1.小學　☐2.國中　☐3.高中　☐4.大專　☐5.研究所以上

職業：☐1.學生　☐2.軍公教　☐3.服務　☐4.金融　☐5.製造　☐6.資訊

☐7.傳播　☐8.自由業　☐9.農漁牧　☐10.家管　☐11.退休

☐12.其他 ________________________

您從何種方式得知本書消息？

☐1.書店　☐2.網路　☐3.報紙　☐4.雜誌　☐5.廣播　☐6.電視

☐7.親友推薦　☐8.其他 ________________

您通常以何種方式購書？

☐1.書店　☐2.網路　☐3.傳真訂購　☐4.郵局劃撥　☐5.其他________

您喜歡閱讀哪些類別的書籍？

☐1.財經商業　☐2.自然科學　☐3.歷史　☐4.法律　☐5.文學

☐6.休閒旅遊　☐7.小說　☐8.人物傳記　☐9.生活、勵志　☐10.其他

對我們的建議：________________________

____

____

____

請於此處用膠水黏貼